Cirinas Familie verdient ihren Lebensunterhalt mit der Unterbringung von Reisenden. In einen solchen verliebt sich die junge Frau. Antonio hat es aber eilig. Er ist auf der Suche nach einem berühmten byzantinischen Edelstein, der sich in Xanadu befinden soll. Als Cirina an den Hof der Herrschers gebracht wird, ist sie zunächst untröstlich: Wie soll Antonio sie je wieder finden? Sie ist außer sich vor Freude, als sie ihren Geliebten dort erblickt. Doch Cirina gehört nun dem Khan.

Roxanne Carr

Der
Harem
des Khans

Erotischer Roman

Deutsch von Silke Bremer

Rowohlt Taschenbuch Verlag

Die Originalausgabe erschien 1995
unter dem Titel « Jewel of Xanadu »
bei Black Lace, London

2. Auflage November 2006

Deutsche Erstausgabe
Veröffentlicht im Rowohlt Taschenbuch Verlag,
Reinbek bei Hamburg, Mai 2006
Copyright © 2006 by Rowohlt Verlag GmbH,
Reinbek bei Hamburg
« Jewel of Xanadu »
Copyright © 1995 by Roxanne Carr
Published by Arrangement with
Virgin Books Ltd.
Umschlaggestaltung any.way, Andreas Pufal
(Foto: Ranald MacKenney / getty images)
Satz Sabon PostScript (InDesign)
bei Pinkuin Satz und Datentechnik, Berlin
Druck und Bindung Clausen & Bossse, Leck
Printed in Germany
ISBN 13: 978 3 499 24150 5
ISBN 10: 3 499 24150 1

1. Kapitel

Cirina stellte den Wassereimer zu ihren Füßen in den Sand und drückte die Hände ins schmerzende Kreuz. Die Augen gegen die gleißende Sonne zusammengekniffen, wischte sie sich mit dem Kopftuch den Schweiß von der Stirn.

Seufzend blickte sie zurück zur Wasserstelle und der dahinter ausgebreiteten Takla Makan. Wie gern wäre sie durch die Wüste gewandert, um zu erfahren, was es auf der anderen Seite zu sehen gab! Schon als kleines Kind hatte sie sich gefragt, was wohl hinter den rot getönten Sanddünen liegen mochte, und hatte großäugig den Geschichten der Reisenden gelauscht, die auf dem Weg von einem exotischen Ort zum nächsten in der Karawanserei rasteten.

Cirina hob den Eimer wieder hoch und stapfte zur Karawanserei. Was auch immer sich jenseits der Wüste befinden mochte, dort war bestimmt mehr los als hier.

Es war einfach ungerecht! Jedes Mal, wenn ihre Tante und ihre Cousine die Besucher unterhielten, musste sie deren Arbeit mit übernehmen. Wenn es der Göttin wohlgefällig war, dass die Frauen des Hauses den Reisenden beiwohnten, so begriff sie nicht, warum nicht auch ihr diese Ehre zuteil wurde. Sie war weder zu jung noch zu hässlich – sie hatte die Blicke bemerkt, die manche Männer ihr zuwarfen, wenn sie die Karawanserei erreichten. Ihr Onkel Lengke aber scheuchte sie stets fort und hielt sie versteckt, bis wieder Ruhe eingekehrt war.

«Ich habe meiner Schwester, deiner Mutter, versprochen, auf dich aufzupassen und dich zu beschützen», erwiderte ihr Onkel immer, wenn sie ihn fragte, warum sie die Betten der Reisenden nicht wärmen dürfe.

Keta, ihre Tante, lag Lengke ständig in den Ohren, weil er Cirina ihrer Meinung nach glauben machte, sie sei etwas Besseres. Ihre hübsche Cousine Bortai zwickte sie bisweilen verstohlen, nannte sie ‹Kaiserin›, wenn Lengke außer Hörweite war, und kicherte zusammen mit ihrer Mutter über Dinge, die zu begreifen Cirina nie Gelegenheit gehabt hatte.

Sie war froh, als sie den kühlen, schattigen Hof betrat. Niemand hielt sich dort auf. Ihr Onkel trieb wohl gerade wie jeden Abend die Ziegen zusammen, denn er war nirgendwo zu sehen. Es schickte sich für den Mann des Hauses, sich rar zu machen, hatte er seine Frauen den Gästen angeboten. Deshalb nahm Cirina an, dass er sich eine Weile nicht blicken lassen würde.

Die beiden Pferde der Besucher waren beim Stall angebunden, und Cirina ging hinüber und streichelte sie. Es waren hübsche Tiere. Sie wusste, dass nur hochrangige Offiziere der kaiserlichen Armee solche Pferde reiten durften. Dem Sattelzeug nach zu schließen waren sie Tataren – viele Tataren dienten in der Armee des Khans.

Cirina blickte zu dem offenen Fenster hoch, als sie auf einmal Bortais schrilles Kichern vernahm, gefolgt von einem sehr männlichen Stöhnen. Aus irgendeinem Grund prickelte Cirina davon die Haut. Verunsichert entfernte sie sich.

Die Empfindungen, die sie seit einiger Zeit überkamen, verwirrten sie. Die Blicke der Männer, eine eigentümliche innere Rastlosigkeit, die Geräusche aus den oberen Räumen, wenn sie Gäste hatten – dies alles hatte zur Folge, dass sie ein Flattern im Bauch verspürte und dass die geheimen Fleischfalten zwischen ihren Schenkeln anschwollen und feucht wurden.

Cirina glaubte, über Männer und Frauen ganz genau Bescheid zu wissen. Von Kindheit an hatte sie den Tieren der Karawanserei bei der Paarung zugesehen und notfalls sogar dabei mitgeholfen. Das Ganze hatte sie nicht sonderlich aufregend gefunden; auf keinen Fall war es etwas, vor dem man sie zu beschützen brauchte.

Das erklärte jedoch nicht das atemlose Gekicher, sagte eine leise Stimme in ihrem Hinterkopf, als sie begann, Mehl und Wasser zu mischen und die Nudeln für die Abendsuppe zu bereiten. Als die Nudeln in der Mischung aus Wasser und Schafsfett über dem Feuer köchelten, wurde Cirina abermals von Rastlosigkeit erfasst.

Sie langweilte sich in der endlosen Tageshitze. Das Kopftuch war schmutzig von Staub und Schweiß, und sie hätte sich gern ein neues geholt. Oben waren sie inzwischen doch wohl fertig? Wenn sie sich in das kleine Zimmer schliche, das sie sich mit Bortai teilte, würde man sie vom Hauptschlafbereich aus nicht sehen.

Die Steintreppe fühlte sich kühl unter ihren Sandalen an, als sie leichtfüßig nach oben rannte und im Laufen das Halstuch löste. Da die Holztür zum Schlafbereich weit offen stand, blieb sie stehen. Im Raum waren zwei Strohlager zu sehen. Auf dem einen saß Bortai rittlings auf der steifen Latte eines der Soldaten. Ihr schlankes Hinterteil wippte auf seinen behaarten Beinen auf und nieder. Cirinas Augen weiteten sich, als der von Bortais Säften glänzende Schaft zum Vorschein kann und wieder in den Leib ihrer Cousine hineinglitt.

Mit seinen großen, behaarten Händen streichelte der Mann Bortais kecke kleine Brüste, zwickte sie und brachte sie zum Quietschen. Aus dem Tonfall des Schreis musste Cirina jedoch schließen, dass er ihr offenbar keinen Schmerz bereitete. Ein unbekanntes, fiebriges Gefühl machte sich in ihr breit, während sie Bortai dabei zusah, wie sie den Mann ritt, als wäre er ein Pferd. Das lange schwarze Haar hing ihr den schmalen braunen Rücken hinunter, die Silbermünzen, mit denen sie ihre Zöpfe beschwerte, klimperten geradezu fröhlich, als sie den Kopf hin und her schwenkte. Cirina beobachtete gebannt, wie der Schwanz des Mannes in den Leib der jungen Frau hinein- und herausglitt.

Ein leises Stöhnen vom anderen Lager lenkte sie ab. Ihre Tante hockte auf allen vieren, wie ein Tier. Cirina stockte fast der Atem, als ihr klar wurde, dass der Soldat nicht Ketas Weiblichkeit benutzte, sondern zwischen ihre Hinterbacken stieß.

Ihre Tante hatte den Kopf zur Seite gedreht, sodass Cirina ihr schmerzverzerrtes Gesicht sah. Trotzdem lächelte sie und zeigte ihre gelblichen Zähne, während der Mann unermüdlich in ihre empfindliche Hinterpforte hineinrammelte.

Cirina brach der Schweiß aus allen Poren. Ein Schweißrinnsal lief zwischen ihren Brüsten entlang. Ihr Atem ging so schnell wie der eines gefangenen Vogels, während sie großäugig mit ansah, wie die keuchende Keta sich unter dem ächzenden Soldaten wand.

Cirina ließ den Blick über den Körper des Mannes schweifen. Von der Hüfte abwärts war er nackt. Seine Hinterbacken waren schwabbelig, die Haut zernarbt und behaart. Die Schenkel aber, die ihn stützten, während er sich mit Keta paarte, waren kräftig, angenehm geformt und mit drahtigem Haar besetzt.

Plötzlich zog sich der Soldat aus Ketas Leib zurück und spritzte ihrer Tante mit einem erstickten Aufschrei seinen Samen auf den Rücken. Während Cirina fasziniert beobachtete, wie die Flüssigkeit stoßweise aus der geschwollenen Eichel hervorschoss und auf Ketas fleischigem Rücken landete, spürte sie, wie ihr heiß wurde.

In diesem Moment kam auch Bortais Soldat zum Ende. Bortai entzog sich ihm so eilig, dass sein Samen einen Bogen durch die Luft beschrieb und Brust und Haar des Mädchens bekleckerte. Zu Cirinas Erstaunen lachte ihre eingebildete, zimperliche Cousine nur und bezüngelte das rasch schrumpfende Glied des Mannes.

Das war doch bestimmt nicht recht, dass sie von seiner Körperflüssigkeit kostete? Cirina war bestürzt, dennoch reagierte ihr Körper auf den Anblick ihrer schwanzlecken-den Cousine mit noch mehr Feuchtigkeit. Die Innenseite ihrer Schenkel fühlte sich bereits klebrig an.

Sie sah wieder zu ihrer Tante, die sich inzwischen um-gedreht hatte. Der Soldat saugte wie ein Säugling an ihren schlaffen Brüsten, während er sich mit den Händen zwischen den angeschwollenen Falten von Ketas Geschlecht zu schaffen machte. Und auf einmal passierte etwas mit ihrer Tante.

Sie warf den Kopf zurück und öffnete weit den Mund. Sie stemmte die Hüften von der Strohunterlage hoch, als wollte sie sich an den in ihr vergrabenen Fingern des Sol-daten reiben, sodass ihm die von seinem Speichel glänzen-den Brüste entglitten.

«So, das war's», meinte er lachend, als Keta aufschrie, ein lang gezogener, schriller Schrei, der in Cirinas Kopf widerhallte, während sie mit einer Mischung aus Erregung und Abscheu alles mit ansah.

Erreichten die Frauen etwa einen ganz ähnlichen Gipfel der Fleischeslust wie die Männer? Cirina konnte es kaum glauben, doch ihre Entdeckung erhitzte sie und machte sie unruhig.

«Na, Cousine – willst du vielleicht bei uns mitmachen?»

Als Bortai sie in durchtriebenem Ton ansprach, schreck-te Cirina zusammen. Auf einmal wurde ihr bewusst, dass auch das andere Paar sie beobachtete.

«Oh! Ich … ich …»

«Na, komm schon, Cousine – komm her und sieh, was ein richtiger Mann ist!»

Bevor sie fortlaufen konnte, sprang Bortai auf und packte sie am Handgelenk. Cirina wollte sich losmachen, verlor aber das Gleichgewicht und fiel über die ausgestreckten Beine des Soldaten, der Bortai beigewohnt hatte. Sie spürte, wie sein Glied wieder steif wurde und gegen ihren Rücken drückte. Im Raum roch es nach vergorener Stutenmilch und Lust, eine berauschende Mischung, von der ihr ganz schwindelig wurde. Der Mann fasste ihr mit seinen schwieligen Händen an die Brüste.

«Ah!», schrie sie auf, als er sie grob über sich zog. Lachend drückte er ihr seine dicken, nassen Lippen auf den Mund. Seine Zunge schmeckte nach Kumyss und Wodka, sein heißer Atem versengte ihr die Haut.

Cirina schlug heftig um sich und bearbeitete die Schultern des Mannes mit den Fäusten. Ebenso gut hätte sie ihn liebkosen können, so ungerührt nahm der Mann ihre Schläge hin. Sie prallten wirkungslos von seinen muskulösen Schultern ab, dann packte der andere Soldat lachend ihre wirbelnden Fäuste.

Schließlich hörte der Mann auf, sie zu küssen. Cirina schnappte nach Luft und erblickte über der Schulter des zweiten Soldaten das grinsende Gesicht ihrer Cousine. Hasste Bortai sie wirklich so sehr, dass sie nichts dagegen hatte, wenn die Männer sie so derb begrapschten?

Als sie ihre Tante auf dem anderen Lager lachen sah, sank Cirina der Mut, denn ihr wurde klar, dass sie von den beiden Frauen keine Hilfe zu erwarten hatte. Sie quiekte, als derbe Finger ihr die Hemdschnüre zerrissen, sodass ihre vollen Brüste zum Vorschein kamen.

«Cirina, bist du aber gewachsen!», spottete Bortai und streichelte Cirinas weiche, honigfarbene Brüste.

Als hätten sie sich abgesprochen, machten die beiden Männer Bortai Platz, hielten Cirina aber weiterhin fest. Entsetzt sah sie mit an, wie ihre Cousine mit dem Fingernagel über ihre Haut streifte und der Brustwarze immer näher kam.

Peinlicherweise zog sich ihr weicher, rosig-brauner Nippel unter der Berührung zusammen. Ihre Cousine lachte erfreut auf. Sie senkte den Kopf und nahm den verräterischen Knubbel in den Mund. Cirina schnappte nach Luft. Wie kam Bortai dazu, mit ihrer heißen, nassen Zunge ihren Nippel zu umspielen? Bortai neckte und leckte sie mit der Zungenspitze, bis Cirina erneut nach Luft schnappte und sich gegen die Empfindungen wehrte, die Bortai ihrem geschändeten Körper entlockte.

Bortai hob lachend den Kopf.

«Du hattest Recht, Mutter; sie ist reif für die Liebe.»

«Reif zum Pflücken, keine Frage!», meinte spottend einer der Soldaten.

Bevor Cirina klar wurde, was sie vorhatten, drückten die Männer sie zu Boden und nahmen jeweils eine ihrer Brüste in den Mund. Das fühlte sich ganz anders an als Bortais behutsame Liebkosung; die Soldaten waren grob und unbedacht, ihre Zähne verletzten ihre zarte Haut und bissen in die Nippel. Cirina schrie auf und begann sich ernsthaft zu wehren. Als sich die groben Finger unter ihren Röcken zu schaffen machten, geriet sie in Panik.

Auf einmal wurden die Männer weggezerrt, und Cirina blieb mit entblößten Brüsten und verrutschten Röcken auf dem stinkenden Stroh liegen.

«Bedeck deine Blöße!», befahl ihr Onkel mit zornbebender Stimme. Dann drehte er sich um. «Was geht hier vor?»

Keta wandte den Blick ab, und Bortai zuckte mit den Schultern.

«Wir haben uns nur ein bisschen vergnügt, Vater», antwortete sie störrisch.

Lengke sah so aus, als würde er jeden Moment vor Wut platzen. Er war knallrot im Gesicht, die Augen quollen ihm aus den Höhlen. Er musterte die beiden Soldaten, die schwankend mitten im Raum standen und einen verdatterten Eindruck machten. Dann fluchte er heftig.

«Ihr habt die Gastfreundschaft meines Hauses genossen. Bei Tagesanbruch verschwindet ihr. Keta und du, Bortai, ihr holt frisches Stroh für unsere Gäste. Cirina» – sein Tonfall wurde ein wenig milder –, «du kümmerst dich um das Abendessen.»

Er zog sie auf die Beine. Cirina sah sich noch einmal ängstlich um, dann stürzte sie aus der Tür.

Als sie die Kochstelle erreicht hatte und wieder in Sicherheit war, stellte sie fest, dass sie zitterte. Hatte sie das Unheil herausgefordert, als sie heimlich ins Zimmer schaute? Schließlich war sie insgeheim erregt gewesen. Dennoch wusste sie tief in ihrem Innern, dass Bortai die Schuld an der grausamen Misshandlung trug. Die Soldaten hatten sie nicht ernsthaft verletzt, aber aufgrund des Verhaltens ihrer Cousine offenbar gemeint, sie könnten frei über sie verfügen.

Während sie die fettige Suppe umrührte, erinnerte sich Cirina, wie ihr Körper trotz ihrer Angst und ihres Abscheus reagiert hatte. Sie dachte an die kundige Berührung von Bortais Fingern, an ihre weichen Lippen und ihre Zunge … an das Glied, das sich so ungestüm gegen ihren Rücken gepresst hatte, und an den muskulösen, männlichen Körper so dicht an ihrem. Bei der Göttin, was war nur mit ihr los?

Furchtsam schaute sie hoch, als ihre Tante und ihr Onkel in den Kochraum traten. Keta wirkte verärgert und funkelte Cirina mit ihren kleinen schwarzen Augen vorwurfsvoll an. Lengke war offenbar immer noch erbost, doch als Cirina spürte, dass sich sein Zorn nicht gegen sie richtete, entspannte sie sich ein wenig.

«Warum bist du nach oben gegangen, Cirina? Du weißt doch, dass du das nicht tun sollst, wenn Reisende da sind.»

«Es tut mir Leid, Onkel», flüsterte sie mit niedergeschlagenem Blick. «Ich wollte etwas aus meinem Zimmer holen.»

«Um Himmels willen, Lengke – sie ist doch kein Kind mehr!», platzte Keta gereizt heraus. «Wenn du sie von allem fern hältst, ziehst du dir den Fluch der Göttin zu!»

«Sei still, Frau!»

«Nein, mein Gemahl, ich muss sagen, was ich denke. Was meinst du wohl, warum die Geschäfte im letzten Jahr nicht mehr so gut gelaufen sind? Die Göttin ist unzufrieden mit dir, weil du den Reisenden, die bei dir einkehren, keine großzügige Gastfreundschaft gewährst.»

«Schweig!» Lengke hob die Hand, als wollte er Keta schlagen. Sie wich einen Schritt zurück und schaffte es mit Mühe, den Mund zu halten.

Cirina fürchtete sich. So wütend, dass er seine Frau in Anwesenheit Fremder geschlagen hätte, war ihr Onkel noch nie gewesen. Obwohl sie ihre Tante nicht besonders mochte, tat es ihr Leid, dass sie der Anlass für Ketas Erniedrigung war.

«Ich bin es, die bestraft werden sollte, Onkel», sagte sie mit furchtsamer Stimme.

«Mag sein», erwiderte Lengke skeptisch, «aber ich will nichts mehr davon hören, dass Cirina dir und Bortai beispringen solle. Hast du mich verstanden, Keta?»

Keta nickte mit gesenktem Blick, und Bortai, die rechtzeitig aufgetaucht war, um das Machtwort ihres Vaters zu vernehmen, neigte den Kopf. Lengke sah von einer Frau zur anderen, fluchte verhalten und schritt hinaus, als habe er genug vom ganzen Weibervolk.

Kaum war er fort, veränderte sich die Stimmung im Raum, und Cirina wurde wieder ängstlich zumute. Unruhig sah sie zu ihrer Tante und Cousine hinüber und bemerkte, dass die beiden einen Blick wechselten. Trotz der Hitze fröstelte sie.

«Pass auf, dass die Suppe nicht anbrennt, Mädchen!», fauchte Keta und rauschte unter Aufbietung des letzten Rests ihrer Würde hinaus.

Cirina konzentrierte sich auf den Topf und rührte eifrig die dicke Suppe um. Dabei war sie sich des Umstands, dass Bortai sie von der anderen Seite des Raums aus beobachtete, deutlich bewusst.

«Na, kleine Cousine», sagte Bortai nach kurzem angespanntem Schweigen, «also gibt es ja doch ein bisschen Hitze zwischen deinen fest zusammengepressten Beinen, hab ich Recht?»

Als sie Cirinas erschrockene Miene sah, lachte sie, tänzelte näher und streifte mit den Fingerspitzen über die Brüste der Jüngeren. Sofort versteiften sich die Nippel unter dem dünnen Stoff, und Cirina schoss das Blut in die Wangen.

«Siehst du? Gib's zu, Cirina – was dort oben passiert ist, hat dir gefallen, oder etwa nicht? Es hat dir Spaß gemacht, Mutter und mir zuzusehen. Möchtest du beim nächsten Mal nicht auch einen Mann haben? Ich teile meinen nämlich nicht immer gern, weißt du!»

Cirina gab keine Antwort, sondern blickte angestrengt in den Topf. Nach einer Weile ging Bortai hämisch lachend hinaus. Cirina blieb allein in der Küche zurück. Sie stieß einen Seufzer der Erleichterung aus; erst jetzt wurde ihr bewusst, dass sie den Atem angehalten hatte.

Mit Tränen in den Augen vergegenwärtigte sie sich

Bortais Bemerkung. Nein, was man ihr angetan hatte, hatte ihr keinen Spaß gemacht! Aber in einer Beziehung hatte Bortai Recht – sie wünschte sich tatsächlich einen Mann ganz für sich allein. Erst jetzt wurde ihr bewusst, dass dieser Wunsch der Ursprung ihrer Rastlosigkeit war.

Unwillkürlich presste Cirina den Handrücken zwischen die Schenkel und reizte das Zentrum ihrer Weiblichkeit. Kleine Wellen der Lust durchströmten sie, unbekannt und unerforscht. Sie schloss die Augen, bis die Wellen verebbten, dann wandte sie sich wieder ihrer Arbeit zu.

Draußen arbeitete sich Lengke im Stall in Wallung. Als er seine Nichte bei seiner Frau, seiner Tochter und den Soldaten vorgefunden hatte, war er so wütend geworden, dass er um ein Haar außer sich geraten wäre. Zum Glück waren die Soldaten betrunken gewesen, sonst hätte einer womöglich noch das Schwert gezogen. Wenn sie am Morgen aufwachten, würden sie sich hoffentlich nur noch an die Befriedigung erinnern, welche die beiden Frauen ihnen verschafft hatten, und nicht an die Beleidigung durch ihren Gastgeber.

Beim Arbeiten dachte er über Ketas Worte nach. Sie hatte Recht, das Geschäft war in den vergangenen Monaten nicht gut gelaufen. Dem Brauche nach hätte Cirina längst ihren Platz an Ketas und Bortais Seite einnehmen sollen.

Cirina aber war anders als seine Frau und seine Tochter. Beide waren gute Frauen und übten freudigen Herzens Gastfreundschaft, doch waren sie derb und schlichten Gemüts. Cirina mit ihrer hellen Haut, welche die Farbe von Honigmet hatte, und den ungewöhnlich hellen Augen, die an den Sommerhimmel erinnerten, unterschied sich von ihnen. Sie hatte etwas … Vornehmes, ja, das traf es. Er wälzte das Wort auf der Zunge, als passte es nicht recht in seinen Mund. Dieses Wort gehörte eigentlich nicht zu seinem Wortschatz.

Sicher, Cirina ähnelte ihrer Mutter, aber Anya hatte sich stets gastfreundlich gezeigt. Auch gegenüber dem reisenden Mönch, der Cirina gezeugt hatte.

Lengke schüttelte den Kopf, um die Traurigkeit loszuwerden, die ihn stets überkam, wenn er an seine schöne Schwester dachte, in deren Adern dasselbe Blut wie in seinen geflossen war.

«Gib mir ein Zeichen, Anya», flüsterte er in die heiße, unbewegte Luft. «Sag mir, was ich mit Cirina machen soll.»

Er wartete einen Moment, dann zuckte er irritiert die Schultern und machte sich wieder an die Arbeit. Wie kam er nur dazu, die Toten um Rat zu bitten?

Cirina hatte sich in letzter Zeit verändert – entwickelt, musste man wohl sagen. Sie war bereit für einen Mann. Als ihr Onkel hätte er sie eigentlich selbst in die Liebe einführen sollen, doch irgendetwas hielt ihn davor zurück. Es war beinahe so, dachte er, erneut bei der Arbeit innehaltend, als habe er Angst, es immer wieder tun zu wollen und nicht mehr von ihr loszukommen, wenn er erst einmal mit Cirina geschlafen hätte. Mit ihrer Mutter Anya war es jedenfalls so gewesen.

Fluchend machte Lengke sich wieder an die Arbeit und beschloss, sich später mit seiner Nichte zu befassen.

Als sie sich Kashgar näherten, gab der Karawanenführer den Befehl zum Anhalten. Hier würden sie die erschöpften Jaks und Packpferde gegen die zähen zweihöckrigen Kamele austauschen können, die man zur Wüstendurchquerung brauchte. Die meisten der Männer saßen ab oder ritten zur Stadtmauer, wo die Händler bereits auf die Abfertigung warteten. Nur Antonio Ballerei schloss zu Marco Polo auf.

«Wie weit ist es noch, mein Freund?», fragte er.

Marco grinste ihn an. «Leidest du unter der Hitze und der Sonne, Antonio? Freust du dich nicht, nach der Kälte in den Bergen mal etwas aufheizen zu können?»

«Das gewiss!», meinte Antonio, dem die bittere Kälte noch frisch im Gedächtnis war. «Aber die Sonne ist einfach zu stark, um ein willkommener Reisegefährte zu sein.»

Marco lachte. «Du meine Güte, man sollte doch meinen, du hättest dich inzwischen dran gewöhnt!»

Antonio schnitt eine Grimasse; Marcos Bemerkung hatte ihn offenbar nicht verärgert. Sein Landsmann und er, offizieller Künstler der venezianischen Regierung, waren nun schon drei Jahre lang in diesem gottverfluchten Land umhergestreift – ohne dem sagenumwobenen Xanadu auch nur nahe zu kommen. So sehnte er sich allmählich nach den Annehmlichkeiten seiner Heimat. Wäre sein Auftrag nicht so geheim gewesen, dass nicht einmal Marco davon wusste, hätte er seine Zeichenarbeiten schon vor Monaten abgeschlossen und wäre nach Venedig zurückgekehrt.

Maffeo und Niccolò, Marcos Onkel und sein Vater, schlossen zu ihnen auf und beteiligten sich an dem munteren Geplauder.

«Antonio, deine Haut ist so zart wie die einer Frau!», meinte Maffeo lachend, während Antonio seinen Turban richtete. «Was würde dein Vater wohl sagen, wenn er dich in dieser Kleidung sehen könnte?»

Antonio lachte gutmütig. «Er würde sich im Grab umdrehen, Maffeo, das weißt du genau. Aber genug gescherzt – wir müssen diese verfluchten Tiere gegen Kamele eintauschen und uns vor der Wüstendurchquerung noch ausruhen.»

Marco nickte. «Antonio hat Recht. Wir werden in der

Stadt übernachten und frühmorgens aufbrechen. Hier in Kashgar besorgen wir uns ausreichend Proviant und Wasser und vielleicht noch ein, zwei hübsche Frauen, was meinst du, Antonio?»

Antonio schüttelte mit gespieltem Bedauern den Kopf.

«Wenn der große Khan wüsste, dass der Gouverneur von Langchow ein solcher Tunichtgut ist, würde ich mir ernsthaft Sorgen machen!», sagte er.

Marco schnaubte vernehmlich. «Kublai Khan würde den Seelenverwandten in mir sehen, mein Freund, das weißt du genau! Außerdem bin ich nicht mehr Gouverneur. Warum hätte mich unser mongolischer Freund sonst anweisen sollen, mich im Anschluss an unsere Reise nach Samarkand in Peking einzufinden?»

«Ja, warum wohl?», murmelte Antonio halblaut, während die Europäer ihre Reittiere in die Stadt trieben.

Dass sie sich von der Karawane entfernt hatten, war anscheinend unbemerkt geblieben. Wieder einmal wunderte sich Antonio über das unergründliche Wesen der Einheimischen. Da Marco die Gunst des Khans genoss, war er ein bekannter Mann, und so hatten sie unterwegs kaum Schwierigkeiten gehabt. Dennoch hatte Antonio stets das Gefühl, sie würden überwacht und alle ihre Schritte Peking gemeldet. Wie hätte sich Kublai Khan sonst ihrer Loyalität versichern sollen?

Am nächsten Morgen verließen sie mit frischen Kamelen und neuen Vorräten die Stadt.

«Kennst du den Weg nach Südwesten, Niccolò?», fragte Marco seinen Vater.

«Gewiss. Es wird mehrere Wochen dauern, bis wir Khotan erreichen, so Gott will.»

«Hm. Wenn ich mich recht erinnere, liegt nur fünfzehn *li* hinter Khotan eine Karawanserei», bemerkte Marco nachdenklich. «Es wäre schön, wenn wir uns dort ein paar

Tage ausruhen könnten, bevor wir uns in die Takla Makan hineinbegeben.»

«Ausruhen, Marco?», meinte Antonio spöttisch, als er bemerkte, wie abgespannt sein Freund wirkte. «Ich nehme an, heute Nacht hast du nur wenig Ruhe gefunden, mein Freund.»

Marco lachte.

«Du kennst mich nur zu gut, Antonio. Aber hübsch war sie schon», meinte er versonnen.

Als sie mehrere Wochen später Khotan hinter sich ließen, dachte Antonio an diese Unterhaltung. Bei dem Gedanken an Marcos unersättliche Begierde lächelte er. Auch jetzt gab sein Freund in Erwartung der Karawanserei und des seltsamen Brauchs der Einheimischen, ‹Gastfreundschaft› zu üben, seinem langbeinigen Kamel Bactrian die Sporen. Die *lis* flogen nur so vorbei.

Er persönlich hatte genug von den einheimischen Frauen, so hübsch sie mit ihren markanten, rot geschminkten Wangenknochen und dem langen schwarzen Haar auch sein mochten. Es gefiel ihm, wie sie ihre Zöpfe mit Münzen beschwerten, sodass sie bei jeder Kopfbewegung klimperten, und er mochte ihre ungezwungene, sinnliche Art, mit der sie ihn in ihren Betten willkommen hießen. Doch er sehnte sich nach dem Anblick einer hellhäutigen Europäerin, die mehr mit ihren Reizen geizte, denn umso größer war die Herausforderung.

Obwohl auch er mit den Einheimischen vorlieb nahm, wenn genügend Frauen verfügbar waren, war er mit dem Herzen nicht bei der Sache. Die wüsten Ausschweifungen überließ er Marco. Er selbst freute sich auf das Essen, den erholsamen Schlaf und die Aussicht, zur Abwechslung ein Dach über dem Kopf und vielleicht sogar frisches weiches Stroh als Unterlage zu haben.

Keta sah die Staubwolke am Horizont, welche die Ankunft der Reisenden ankündigte, als Erste. Ihr Herzschlag beschleunigte sich, als sie nicht nur eines, sondern gleich vier Kamele mit Reitern und vier Packtiere zählte. Es war zwei Wochen her, dass Lengke die Tataren weggeschickt hatte, und sie verlangte nach einer neuen Zerstreuung.

Seit dem peinlichen Zwischenfall mit Cirina ging Keta ihr nach Möglichkeit aus dem Weg und erteilte ihr nur knappe Anweisungen. Lengke glaubte wohl, sie merke nicht, dass er das Mädchen für sich selbst aufsparte. Ihre Augen verengten sich, als sie an ihren Mann dachte. Lengke war ein Narr, wenn er meinte, sie würde sich damit abfinden! Cirina würde dem Haus Segen einbringen, genau wie Bortai. Dafür würde sie schon sorgen.

Als die Reisenden näher kamen, trat Lengke zu ihr auf den Hof.

«Gleich vier? Kommst du damit zurecht?», fragte er.

Keta sah ihn durchtrieben an.

«Ist dir an den Reisenden noch nichts aufgefallen?», fragte sie einschmeichelnd.

Lengke musterte sie misstrauisch.

«Was redest du da, Frau?»

Keta lächelte und deutete mit dem Kopf zu den Männern, die soeben in den Hof einritten.

«Siehst du?», meinte sie triumphierend. «Sie sind hellhäutig, genau wie Cirina. Das ist ein Omen – die Göttin möchte, dass Cirina den Reisenden Gastfreundschaft erweist.»

Bevor Lengke etwas erwidern konnte, schritt Keta den Fremden entgegen und überließ es ihm, sich ihre Äußerung durch den Kopf gehen zu lassen.

Lengke sah ihr mit schwerem Herzen nach. Trotz ihres boshaften Wesens verstand sie sich auf die spirituelle Seite des Lebens. Hatte er nicht Anya erst vor zwei Wochen um ein Zeichen angefleht? Wie hatte er nur so dumm sein können, zu glauben, sie werde ihm auf der Stelle Antwort geben? Als er die Europäer auf sich zukommen sah, wurde ihm klar, dass das Zeichen nicht eindeutiger hätte ausfallen können.

Nachdem er sich der Wünsche der Reisenden angenommen und sie in seinem Haus willkommen geheißen hatte, machte er sich daran, Cirina zu suchen. Leise vor sich hin summend, fütterte sie gerade die Hühner. Er schaute ihr eine Weile zu, ohne von ihr bemerkt zu werden.

Die Gewissheit, dass er sie niemals besitzen würde, schmerzte ihn. Er hätte sie nehmen sollen, solange noch Gelegenheit dazu gewesen war. Jetzt, da er beschlossen hatte, dass sie zu einem Fremden gehen sollte, hatte er kein Anrecht mehr auf sie.

«Cirina?»

Sie drehte sich um und lächelte ihn unsicher an. Lengke zwang sich, sein Gemüt zu verhärten.

«Cirina, mir ist ein Zeichen zuteil geworden. In der Karawanserei sind neue Reisende eingetroffen – Europäer. Heute wirst du ihnen Gastfreundschaft erweisen.»

Cirinas Gedanken wanderten sofort zu den groben Soldaten, die so derb mit ihr umgesprungen waren. Der Abscheu stand ihr ins Gesicht geschrieben.

«Aber Onkel –»

«Schweig!» Lengke hob die Hand, und Cirina biss sich auf die Lippen. «Es ist beschlossene Sache. Wenn du magst, kannst du das kleine Zimmer benutzen. Mach dich bereit.»

Cirina neigte den Kopf.

«Ja, Onkel», flüsterte sie gehorsam.

Antonio rekelte sich auf dem Kissen und streckte genießerisch die Glieder. Sein Bauch war prall gefüllt, im Hof hatte er sich mit eiskaltem Wasser gewaschen, und am Abend würde er bestimmt auf frischem Stroh ruhen. Er war rundum zufrieden. Maffeo und Niccolò würfelten miteinander, und Marco wartete bereits gespannt auf den Abend, wenn die Frauen sie zu ihren Zimmern geleiten würden.

Marco hatte bereits ein Auge auf die schlanke Göre geworfen, die ihnen das Abendessen aufgetragen hatte, und Antonio konnte es ihm nicht verdenken. Marcos freundschaftliches Angebot, sich die junge Frau zu teilen, hatte er bereits abgelehnt, denn er wollte endlich einmal wieder richtig ausschlafen.

Die ältere Frau, die Mutter der Kleinen, hatte ihm schöne Augen gemacht, doch sie würde sich wohl mit der Gesellschaft der älteren Polo-Brüder begnügen müssen. Jedenfalls begehrte er sie nicht im Geringsten.

Mit einem Stück Holzkohle zeichnete er nach, wie Bortai Marco scheu angelächelt hatte, bevor sie ihn bei der Hand zu seinem Zimmer führte, dann warf er ein paar Skizzen aufs Papier, die darstellten, wie Keta zwischen Niccolò und Maffeo aus dem Zimmer ging.

Da er wusste, dass der Mann des Hauses sich fern hielt, wenn das Weibervolk Gastfreundschaft übte, genoss Antonio die höchst seltene Einsamkeit, machte es sich vor dem Feuer bequem und trank noch einen Becher Ziegenmilch.

Erst als die Tür aufging und eine junge Frau hereinschlüpfte, sah er verwundert auf.

«Sei gegrüßt», sagte er, als sie sich im Schatten herumdrückte. «Wer bist du?»

Sie räusperte sich nervös, dann antwortete sie so leise, dass er die Ohren spitzen musste:

«Ich bin Cirina, Herr. Ich … ich möchte dir meine … meine Gastfreundschaft anbieten.»

Die letzten Worte hatte sie in großer Eile hervorgestoßen. Antonio lächelte.

«Das ist sehr freundlich von dir ... Cirina», sagte er, «aber es ist wirklich nicht nötig.»

«Oh! Aber du musst! Ich meine ... *ich* muss! So wurde es beschlossen!»

«Ach, tatsächlich?», meinte Antonio belustigt.

Er setzte sich auf und spähte in den Schatten.

«Möchtest du nicht näher kommen, damit ich dich anschauen kann? Wenn du mir deine Gastfreundschaft anbietest, dann sollte ich das Angebot doch wohl begutachten dürfen, meinst du nicht?», scherzte er.

Nach kurzem Zögern trat die junge Frau in den Schein des ersterbenden Feuers vor. Als er sie so vor sich sah, atmete Antonio scharf ein. Sein Ruhebedürfnis und sein Wunsch nach Alleinsein waren vergessen.

«Du meine Güte ... wo kommst du her?»

Sie hatte einen exquisiten Körper. Ihr langes schwarzes Haar war in der Mitte gescheitelt. Ein einzelner dicker Zopf fiel ihr über die Schulter bis zur Hüfte. Ihre Haut hatte die Farbe von Honigmet, und ihre nahezu mandelförmigen Augen zeigten ein klares, verblüffendes Blau. Als sie näher trat, sah Antonio, dass die Augen mit dicken schwarzen Wimpern besetzt waren, die sanfte Schatten auf ihre Wangen warfen. Den Blick hatte sie niedergeschlagen.

Der Künstler in ihm verlangte danach, sie zu malen, der Mann, sie zu berühren und sich zu vergewissern, ob sich ihre Haut wirklich so seidig anfühlte, wie sie aussah. Der Mann gewann über den Künstler die Oberhand. Um sie nicht zu erschrecken, streckte Antonio ganz langsam die Hand aus und streifte mit dem Zeigefinger über ihren Handrücken, während sie demütig vor ihm stand.

Ihre Haut war weicher als Seide, und von seiner Berührung bekam sie eine Gänsehaut. Sie war ganz anders als die anderen Frauen, so ... unschuldig, dass er sich auf einmal verlegen fühlte.

«Möchtest du dich nicht zu mir setzen und etwas Kumyss trinken?», fragte er, als er sich wieder gefasst hatte.

Sie ließ sich anmutig im Schneidersitz nieder und nahm den Becher entgegen, den er ihr reichte. Hingerissen schaute er zu, wie sie einen Schluck gegorene Stutenmilch trank. Durfte man ein solches Wesen ausnutzen? Sein hartnäckiger Steifer gab ihm die Antwort. Er nahm ihr den Becher wieder ab. Sie zitterte leicht und sah immer noch zu Boden. Er legte ihr den Zeigefinger unters Kinn und hob ihren Kopf an, forderte sie auf, ihm in die Augen zu schauen.

Ihr Blick flackerte, als sie gezwungen war, ihn anzusehen. Er erkundete den Ausdruck in der Tiefe ihrer klaren blauen Augen. Er sah Angst darin und Unsicherheit. Doch da war auch noch etwas anderes, etwas, das seinen Herzschlag beschleunigte und sein Glied in der Kniehose zum Zucken brachte.

«Ich nehme dein Angebot an, Cirina», flüsterte er. Er war ihrem Mund sehr nahe.

Erst wirkte sie erleichtert, dann zeigte sich Erwartung in ihren Augen. Er reichte ihr die Hand, die sie ergriff. Ihre Hand fühlte sich zerbrechlich an, und er spürte, dass er ebenso stark zitterte wie zuletzt als unreifer Jüngling.

«Hier entlang», sagte sie leise. Antonio erhob sich gemeinsam mit ihr und ließ sich hinausführen.

2. Kapitel

Cirina verspürte ein mit Angst vermischtes erwartungsvolles Prickeln, als sie den Europäer über die steinerne Wendeltreppe zu dem kleinen Dachzimmer der Karawanserei geleitete. Für gewöhnlich teilte sie sich das Zimmer mit Bortai, doch da ihre Cousine im großen Schlafraum im ersten Stock mit dem Mann beschäftigt war, der Marco Polo genannt wurde, hatten sie die Kammer für sich.

Darüber war sie froh. Es kam nicht alle Tage vor, dass ein Mädchen zum ersten Mal mit einem Mann ins Bett ging, und Cirina war sich der Bedeutung des Augenblicks wohl bewusst.

Sie blickte sich über die Schulter um und sah, dass der Mann, den man ihr zugeteilt hatte, aufmerksam beobachtete, wie sie vor ihm die Treppe hochstieg. Als er ihren Blick auffing, lächelte er sie an, was ihr ein wenig Mut machte. Jedenfalls war er ein freundlicher Mann und bestimmt nicht rücksichtslos. Er würde sie nicht grob oder achtlos nehmen, das spürte sie.

Außerdem war er ausgesprochen stattlich. Sein langes Haar war schwarz gelockt und fiel ihm über die Schultern. Seine Haut war so hell, als wäre sie nie der glühenden Sonne ausgesetzt gewesen, und seine Augen zeigten das blasseste Blau, das Cirina je gesehen hatte. Sie hatte bemerkt, dass er das Handwerkszeug eines Künstlers mit sich führte, und vor diesem Beruf hatte sie große Hochachtung. Das galt freilich nicht nur für den Beruf, sondern auch für den Mann an sich.

Als sie das kleine, quadratische Zimmer betraten, das Cirina ihr Eigen nannte, schien es so, als beanspruche der Mann den ganzen Raum für sich, nicht aufgrund seiner Körpergröße, sondern allein durch seine Anwesenheit. Sein Geruch und seine Männlichkeit hüllten sie geradezu ein, als hätte er jedem Fingerbreit seinen Stempel aufgedrückt.

«Ich heiße Antonio Ballerei», stellte er sich vor und verneigte sich mit gänzlich unangemessener Ritterlichkeit. Cirina klopfte das Herz bis zum Hals.

Da sie nicht wusste, wie sie sich verhalten sollte, blieb sie in der Hoffnung, der Reisende werde ihr ihre Unerfahrenheit ansehen und sie anleiten, einfach mitten im Zimmer stehen.

Antonio betrachtete sie. Zufällig fiel ein Lichtstrahl durch das schmale Fenster auf sie. Ihr rabenschwarzes Haar glänzte wie ein Ballen feinster Seide, der Zopf fiel ihr über die Schulter bis zur Hüfte.

Ihre Haut, der die staubverhüllte untergehende Sonne einen goldenen Schimmer verlieh, war makellos. Ihre Vollkommenheit weckte in ihm den Wunsch, sie zu berühren und zu schmecken. Unwillkürlich fuhr er sich mit der Zungenspitze über die Lippen. Die Aussicht auf eine lange Nacht voller Leidenschaft wurde von Augenblick zu Augenblick reizvoller.

Irgendetwas aber hielt ihn zurück. Die Unsicherheit in ihren klaren blauen Augen weckte ein ganz ungewohntes Gefühl in seiner Brust. Eine Art Beschützerinstinkt, wie er ihn nicht an sich kannte und der ihn etwas beunruhigte. Sie strahlte etwas Ergebenes aus, eine stille Würde, die ihn rührte und mit der ersten Berührung zögern ließ.

«Hast du dein ganzes Leben in der Karawanserei verbracht?», fragte er, wohl wissend, dass dies wahrscheinlich die dümmste aller denkbaren Fragen war. Wo hätte sie sonst gewesen sein sollen?

«Ja, Herr», bestätigte sie und schlug verlegen den Blick nieder. «Mein ganzes Leben.»

«Und dennoch hast du bis jetzt noch nie nach altem Brauch Gastfreundschaft geübt?»

«Nein, Herr.»

«Kennst du den Grund dafür, Cirina?» Da er mit den Gebräuchen dieser Menschen vertraut war, kam es ihm merkwürdig vor, dass man eine so hübsche Frau so lange Zeit von Fremden fern gehalten hatte.

«Nein, Herr», flüsterte Cirina und erschauerte vor Freude, ihren Namen aus seinem Mund zu vernehmen. Noch niemand hatte ihren Namen so ausgesprochen wie er, mit der Betonung auf der zweiten Silbe, sodass er länger und sinnlicher klang als in ihrer eigenen Sprache.

Antonio näherte sich ihr, streckte die Hand aus und streifte mit den Fingerrücken über ihre flaumigen, weichen Wangen.

«Es ist mir eine Ehre, der Erste zu sein», sagte er mit leiser, ernsthafter Stimme.

Da schaute Cirina zu ihm hoch, als wollte sie sich vergewissern, dass es ihm auch ernst war. Als sie in seine ruhigen blassblauen Augen blickte, bekam sie Herzklopfen und einen trockenen Mund.

«Ich … ich bin auch froh darüber», sagte sie schüchtern und schlug den Blick nieder, damit er ihre Verwirrung nicht sah.

Und froh war sie wirklich. Der hellhäutige Fremde hatte etwas an sich, das sie anzog und in ihr den Wunsch weckte, bei ihm zu liegen und endlich herauszufinden, wie es sich anfühlte, einen Mann in ihren jungfräulichen Körper aufzunehmen.

Antonio betrachtete sie und fragte sich, warum sie anders wirkte als die einheimischen Frauen, die ihm in den Jahren unterwegs das Bett gewärmt hatten. Noch nie zuvor hatte er das Bedürfnis verspürt, sich mit ihnen zu unterhalten und mehr über das Mädchen zu erfahren, das ihm angeboten wurde. Cirina aber faszinierte ihn, nicht zuletzt deshalb, weil er in ihren klaren blauen Augen nicht nur gespannte Erwartung, sondern auch Erregung wahrnahm. Das Glied regte sich in seiner Hose.

«Du hast sehr ungewöhnliche Augen», sagte er und zeichnete mit dem Finger deren Umriss nach.

«Mein … mein Vater war ein Nestorianermönch, glaube ich, unterwegs zur heiligen Stadt.»

Daher die blauen Augen. War vielleicht irgendein Aberglaube der Grund dafür, dass sie sich ihre Jungfräulichkeit so lange bewahrt hatte? Denn dass sie tatsächlich noch unberührt war, daran hatte Antonio keinen Zweifel – dieser unschuldige, vertrauensvolle Blick ließ sich nicht vortäuschen. Sie erinnerte ihn an ein in die Enge getriebenes Reh, das zwar zitterte vor Angst, dem Unvermeidlichen aber mit einem stillen Mut entgegensah, der den Respekt des Jägers verdient hatte.

Während er überlegte, wie es wohl sein würde, sie zu entjungfern, durchrieselte ihn ein Schauer köstlicher Vorfreude.

Um sie nicht zu erschrecken, fuhr er ganz langsam mit dem Zeigefinger über ihre Stirn und an der Nase entlang, umkreiste das Kinn und streichelte vorsichtig über ihre vollen roten Lippen. Zu seinem Entzücken teilten sie sich ein wenig. Behutsam massierte er die weiche, feuchte Haut an der Innenseite der Unterlippe.

Sie war leicht zu erregen; die Augen hatte sie halb geschlossen, ihr Atem liebkoste seine Fingerspitzen. Antonio bemerkte, dass sie am ganzen Leib zitterte und dass seine Gliedmaßen ebenfalls bebten. Der Abend versprach interessant zu werden.

Cirina fiel das Atmen schwer; von der Berührung seiner Finger an den empfindsamen Lippen wurde ihr ganz warm. Sie überkam das unerklärliche, bestürzende Verlangen, den Finger in den Mund zu nehmen und daran zu saugen. Sie musste daran denken, wie Bortai das Glied des Soldaten bezüngelt und geküsst hatte, doch diesmal brachte Cirina Verständnis für ihre Cousine auf. Das Blut stieg ihr in die Wangen, und sie schlug erneut die Augen nieder, beschämt, aber auch erregt von der Stärke ihres Verlangens. Würde der Fremde solche Dinge mit sich machen lassen?

Sie erschauerte, als seine Fingerspitzen über die Halsgrube wanderten und dann ihre Brustspitzen streiften. Die Brustwarzen unter dem formlosen Gewand schwollen augenblicklich an und versteiften sich, zwei kleine verräterische Zeugen ihrer Lüsternheit. Wellen der Lust strahlten von ihrem Bauch aus. Sie konnte es gar nicht mehr erwarten, dass der Mann auch den Rest ihres Körpers berührte.

«Soll ... soll ich mich entkleiden, Herr?», fragte sie, erschrocken über ihre eigene Kühnheit.

Antonio hob die Brauen. «Das wäre ... sehr amüsant», murmelte er, ging zum Lager hinüber und machte es sich darauf bequem.

Cirina hatte den Vorschlag ganz unbefangen gemacht, denn er kam ihr natürlich vor. Jetzt aber, da Antonio sie erwartungsvoll ansah, wurde sie nervös. Wenn er nun unzufrieden mit ihrem Körper wäre oder an ihrer Ungeschicklichkeit beim Entkleiden Anstoß nähme?

Als sie das erwartungsvolle Funkeln in seinen Augen bemerkte, gewann bei ihr der Übermut die Oberhand. Sie würde es machen wie beim Auspacken eines Geschenks – sie würde es so lange hinziehen, dass ihm der Inhalt ganz bestimmt gefallen würde, wenn die Hülle erst einmal gefallen war!

Ihm unverwandt in die Augen blickend, hob sie die

Arme und löste den Riemen, der ihr Haar im Nacken lose zusammenhielt. Sie schüttelte den Zopf aus, ließ das seidige Haar durch ihre Finger gleiten und mit sanfter Liebkosung über ihre Wangen streifen. Antonios Augen verdunkelten sich. Davon bestätigt, biss sie sich auf die Unterlippe, damit sie sich rötete, und senkte die Wimpern so, wie es Bortai immer tat, wenn ihr ein Mann gefiel.

Dann fuhr sie mit den Händen zum Saum ihres Hemds hinunter und wickelte sich den Stoff um die Finger. Langsam hob sie das Hemd an und streifte es sich über den Kopf. Antonio atmete scharf ein, als sie nackt vor ihm stand.

«Du lieber Gott», murmelte er fast atemlos, «bei allem, was heilig ist – du bist wunderschön, Cirina.»

Cirina sah auf ihre kleinen, beerenbraunen Brustspitzen und die hübsche Taille nieder. Sie hatte sich das Schamhaar mit Duftöl eingerieben, und sie bemerkte, dass sein Blick von dem kleinen, wohlriechenden Dreieck ihres Venushügels angezogen wurde. Ohne sich etwas darauf einzubilden, war sie stolz auf ihren Körper. Doch ihre Schönheit ließ sie nicht wissen, was sie als Nächstes tun sollte.

«Dreh dich um – aber langsam», kam Antonio ihr zu Hilfe.

Sein Tonfall war leise und eindringlich. Erschauernd kam Cirina seiner Aufforderung nach und versuchte sich vorzustellen, was er wohl vor sich sah. Ihre Schultern waren schlank, aber vom schweren Heben und Tragen muskulös. Ihre Taille war schmal und verbreiterte sich zu schlanken Hüften. Sie war ein ganzes Stück größer als ihre Tante und ihre Cousine, größer noch als Lengke, der klein, stämmig und kräftig war wie die meisten ihrer Verwandten. Ihre Beine hingegen waren lang und schlank, die Füße anmutig geschwungen.

Unwillkürlich presste sie die festen, samthäutigen Hinterbacken zusammen, als sie seinen Blick darauf spürte. Antonio lachte leise in sich hinein. Auf einmal stand er hinter ihr, langte ihr um die Hüfte und legte die Hände auf ihre Brüste, während sein Mund über ihren anmutig geschwungenen Hals streifte. Er begann, sie mit seinen ebenmäßigen weißen Zähnen zärtlich zu beknabbern.

Cirina verspürte ein seltsames, schmelzendes Gefühl zwischen den Schenkeln und schmiegte sich unwillkürlich an ihn. Sie legte ihre Hände auf die seinen und drückte sie gegen ihre Brüste.

Auf einmal nahm sie den leichten Moschusduft seiner Haut wahr und spürte, wie sein anschwellendes Glied gegen das feste Fleisch ihrer Hinterbacken stieß. Seine Nähe verwirrte ihr die Sinne. Sie war benommen, als hätte sie einen ganzen Krug Kumyss getrunken und nicht nur einen Schluck. Ihre Glieder waren schwer und träge, im Bauch kribbelte es, und ihre Wonnelippen schwollen an. In den geheimen Falten ihres Geschlechts war ein dumpfes Pulsieren, und sie spürte, wie es feucht wurde.

Bereitwillig wendete sie sich ihm zu und hob das Gesicht, um seinen Kuss zu empfangen. Seine Lippen fühlten sich fest an, ein faszinierender Gegensatz zu ihrem weichen Mund. Cirina nahm seine forschende Zunge in ihrem Mund auf, saugte daran und stellte sich vor, wie es sich anfühlen würde, sein knospendes, noch verborgenes Geschlecht auf die gleiche Weise zu liebkosen.

Als sie sich an seinen vollständig bekleideten Leib anschmiegte, kam Cirina sich so verletzlich vor wie noch nie. Anstatt ihr jedoch das Vergnügen zu verderben, steigerte das unbekannte Gefühl ihre Erregung nur noch mehr, und sie begann vor Verlangen zu wimmern, während Antonio sie noch leidenschaftlicher küsste und ihr über den Rücken streichelte.

Als spürte er ihr Verlangen, wurden seine Berührungen

sicherer und fordernder. Cirina reagierte darauf, indem sie sich fester an seinen männlichen Körper anschmiegte.

Mit einem gedämpften Fluch wich Antonio von ihr zurück und löste die Hemdschnüre. Fasziniert beobachtete Cirina, wie er die Kleider ablegte, und staunte darüber, dass er am ganzen Leib so bleich war wie im Gesicht. Auf seiner Brust und den Unterarmen wuchsen zarte schwarze Härchen in hübschen Mustern. Um den Nabel herum zogen sich Haarwirbel, die sich als schmales Band verführerisch nach unten fortsetzten.

Cirina hielt den Atem an, als er die Kniehose ablegte und sein steifes Gemächt heraussprang. Bei der Göttin, war das groß! Wie sollte ein so großes Ding in ihre geheime Körperöffnung eindringen, ohne sie zu verletzen?

Antonio hatte ihren erstickten Seufzer offenbar vernommen, denn er musterte sie einen Moment fragend, bevor er sich ihr erneut näherte. Cirina hätte sein fremdartiges Körperteil gern noch länger in Augenschein genommen, doch sie musste sich mit der Empfindung begnügen, den seine Berührung an ihrem weichen Bauch verursachte. Es fühlte sich warm und lebendig an, und am liebsten hätte sie es angefasst, doch das traute sie sich nicht.

Antonio küsste sie erneut und knabberte zärtlich an ihrem Ohrläppchen, während sein lieblicher warmer Atem über ihre Wange streifte. Cirina schloss die Augen und war froh, sich an ihn anklammern zu können, denn ihre Beine gaben nach. Er fing sie auf, schlang seine Arme um sie, dann trug er sie zur Schlafstatt.

Behutsam legte er sie darauf ab, während sie verwundert zu ihm aufblickte. So viele Gedanken und Gefühle wogten in ihr durcheinander, manche miteinander widerstreitend, alle neu und verwirrend. Als hätte er ihre Gedanken gelesen, legte Antonio sich neben ihr aufs Stroh und sprach leise auf sie ein.

«Vertrau mir – hab keine Angst, *cara mia*», sagte er, streifte ihr das Haar aus dem Gesicht und sah ihr so zärtlich in die Augen, dass Cirinas Ängste dahinschmolzen.

Er bekam es mit und küsste sie lächelnd auf die Lippen. Eine neue Leidenschaftlichkeit drückte sich in seinem Kuss aus, eine treibende Kraft, die sich auf Cirina übertrug und in ihr den Wunsch weckte, es ihm gleichzutun. Ihre Haut wurde feucht von Schweiß, als Antonio sie streichelte und liebkoste, jede empfängliche Stelle und jeden zarten Ort berührte.

Aufstöhnend schlang Cirina ihm die Arme um den Hals, während er sich mit federleichten Berührungen ihrer Hüfte näherte, sodass sich die Flaumhärchen in ihrem Kreuz aufrichteten. Ihre Brüste verlangten nach der Berührung seiner Lippen, und sie bog den Rücken, ein unausgesprochenes Flehen, dem Antonio bereitwillig nachkam.

«Oh!», entfuhr es ihr, als sich Antonios Lippen um eine straffe, glänzende Brustwarze schlossen. Als er daran saugte und sie beknabberte, flammte tief in ihrem Bauch das Verlangen auf, und ihre Weiblichkeit begann vor Lust zu pulsieren und zu weinen.

Antonios Finger beschrieben kleine, konzentrische Kreise auf der empfindlichen, zarten Haut an der Innenseite ihres Schenkels und wanderten allmählich näher an die weiche Frucht ihres Geschlechts heran. Als er sie erreichte, gruben sich Cirinas Finger in die samtene Haut seiner Schultern, und sie stieß einen gedehnten, bebenden Seufzer aus.

Bislang hatte sie noch niemand dort berührt, und sie wurde überwältigt vom Lustgefühl. Ihre Wonnelippen öffneten sich und umschlossen seine Finger, zogen sie näher an die heiße Quelle der Erregung, die jedes Mal, wenn sich ihr Schoß vor Lust zusammenzog, Feuchtigkeit freigab.

War das der Grund, weshalb es Bortai und Keta so

gefiel, mit den Reisenden zu schlafen? Jetzt verstand Cirina auf einmal, was daran so verlockend sein könnte. Allerdings blieb für sie unvorstellbar, dass der grobe Tatar, der sie begrapscht hatte, über die gleiche Finesse und das gleiche erlesene Feingefühl verfügen sollte wie der hellhäutige Fremde, der in ihrem Gesicht ihre Reaktion auf seine Liebkosungen beobachtete.

Er neckte und koste ihre schlüpfrige Öffnung, fuhr mit den Fingerspitzen zwischen den blütenweichen Hautfalten hindurch und umkreiste dann den harten, pulsierenden Knubbel an der Spitze der Schamlippen. Cirina hätte sich nie träumen lassen, dass sich zwischen ihren Schenkeln ein kleiner Juwel verbarg, der imstande war, ihr solche Lust zu bereiten. Als er tiefer in ihren Körper vordrang und gegen das Jungfernhäutchen stieß, versteifte sie sich ein wenig. Sie spürte die Erregung, die das Häutchen bei ihm auslöste, und begriff sofort, dass es ihm besonderes Entzücken bereitete, der Erste zu sein.

Cirina musste über diesen seltsamen Zug der Europäer lächeln. Sie entspannte ihre unerprobten Muskeln und drängte den Wunsch, sich um ihn zu schließen, zurück. Würde es wehtun, wenn er die Schwelle ihrer Jungfräulichkeit überschritt? Cirina konnte es sich nicht anders vorstellen und nahm sich vor, tapfer zu sein.

Zu ihrer Verwunderung versuchte Antonio nicht, den Eingang mit den Fingern zu weiten, sondern ließ sie zu ihrem gerade entdeckten Lustzentrum zurückwandern. Während er den empfindsamen Knubbel rhythmisch massierte, spürte Cirina, dass sie immer feuchter wurde: Die Säfte rannen aus ihrem Leib in die Pospalte. Ihre Körpersäfte würden das Eindringen doch wohl erleichtern?

«So ist's gut, *cara*», flüsterte er ihr ins Ohr. «Öffne dich weiter … hab keine Angst.»

Cirina tat wie geheißen und klammerte sich an ihn,

während sie von warmen Lustwellen durchströmt wurde. Sie hatte das Gefühl, sie befände sich in einer Spirale, die sich immer weiter in die Höhe schraubte, einem Ziel entgegen, das sie bis jetzt nicht einmal in ihren kühnsten Träumen erreicht hatte.

Ihr Geschlecht befeuchtete Antonios Finger und ließ sie mühelos über ihre verlangende Haut gleiten. Der süße Moschusduft ihrer Säfte stieg ihr in die Nase. Er hüllte sie ein und mischte sich mit dem ganz und gar männlichen Duft von Antonios Körper. Ihr war heiß am ganzen Leib, als hätte sie Fieber, und sie warf den Kopf auf dem Stroh hin und her und schlug damit gegen seine nackte Schulter.

Auf einmal durchbohrte sie ein Lustgefühl. Ihre Augen weiteten sich vor Überraschung, und ein leiser Schrei kam über ihre Lippen. Sie bemerkte, dass Antonio sie aufmerksam beobachtete und ihre Reaktion guthieß. Er drückte fester gegen den lüsternen Knubbel, dann klopfte er mit der Fingerspitze darauf.

Cirina meinte ohnmächtig zu werden. Sie warf sich hin und her, öffnete weit die Beine und stemmte sich Antonios Fingern entgegen. Sie spürte, dass er über ihre schwellenden Brustwarzen leckte, fühlte den kühlen Kuss der Luft an ihrer feuchten Haut, als sein Mund nach unten wanderte und er erst die Lippen auf ihren Nabel drückte und ihn anschließend mit der Zunge erkundete. Und dann spürte sie nichts mehr außer den alles andere auslöschenden Zuckungen ihres Körpers.

Sie stieß einen gedehnten, hohen Schrei aus, krümmte sich zusammen, zog die Knie an die Brust und presste die Schenkel zusammen, als das Gefühl nahezu unerträglich intensiv wurde. Sie atmete stoßweise, dann ließ die Empfindung nach, und sie entspannte sich.

Nach einer Weile bemerkte Cirina, dass ihr Antonio in seiner Sprache beruhigend ins Ohr flüsterte. Er hatte die

Haltung verlagert, sodass er nun auf ihr lag, die Knie zwischen ihren Waden. Die Spitze seines Glieds drückte gegen ihre heiße, feuchte Öffnung. Sanft, aber beharrlich zog er ihre Knie an und schlang sich ihre Beine um die Hüfte.

So langsam, dass sie meinte, die Spannung nicht zu ertragen, drang er in sie ein und hielt vor dem Jungfernhäutchen inne. Cirina öffnete die Augen und sah, dass er sie beobachtete. Die Erregung hatte seinen Gesichtsausdruck weich gemacht, doch in seinen blassblauen Augen lag auch Sorge.

Sie ertrug sein Zaudern nicht, das Warten auf den Schmerz vor der gewiss folgenden Ekstase. Um ihm deutlich zu machen, dass er fortfahren solle, legte Cirina ihm die Hände ins Kreuz und zog ihn behutsam an sich.

Antonio lächelte sie an, dann drang er mit einer entschlossenen, gleitenden Bewegung in ihre wartende Öffnung. Cirina verspürte einen kurzen Schmerz und öffnete die Lippen, doch ihr Schrei wurde von Antonios Mund erstickt. Er küsste sie so leidenschaftlich, dass sie den Schmerz vergaß, den er ihr zufügte, als er sich in ihr zu bewegen begann.

Er ließ ihr Zeit, sich an den Schmerz zu gewöhnen, küsste und streichelte sie, flüsterte ihr beruhigend ins Ohr und leckte die salzigen Tränen fort, die ihr aus den Augen flossen.

Zunächst verspürte Cirina kaum etwas anderes als Unbehagen, doch während er ihren unerfahrenen Leib geduldig liebkoste, erwachten andere Empfindungen. Der Schmerz ließ ganz allmählich nach und machte einem neuen Gefühl Platz.

Antonio spürte die Veränderung und bewegte die Hüften schneller, stieß leidenschaftlich in ihre empfängliche Scheide und strebte dem eigenen Höhepunkt entgegen. Cirina klammerte sich an ihn und kratzte ihm mit den Fingernägeln über den Rücken, während seine Bewegungen immer heftiger und leidenschaftlicher wurden.

Als er sich plötzlich aus ihr zurückzog, schrie sie vor Unwillen auf. Dann ergoss sich sein heißer Samen auf ihren Bauch und ihre Schenkel, und sie begriff, warum er das getan hatte.

Antonios Gesicht war angespannt, seine Augen blickten glasig, als er seinen letzten Samen verspritzte. Cirina verspürte den uralten Triumph aller Frauen. Zum ersten Mal wurde sie sich ihrer Macht als Frau bewusst und war ganz hingerissen von dieser Entdeckung.

Antonio wischte ihr mit einer Hand voll Stroh den Samen ab. Seine Hand zitterte.

«Alles in Ordnung, Cirina *cara*?», fragte er mit rauer Stimme, als er sie in die Arme schloss.

«Aber ja», flüsterte sie und wendete das Gesicht ab, damit er ihr Lächeln nicht sah.

Eine Zeit lang lag sie ganz still neben ihm, schwelgte in der Wärme seiner Haut und machte sich mit der Beschaffenheit und dem Geruch seines Körpers vertraut, der sich an sie presste. An der Wange spürte sie seinen stetigen Herzschlag, und sie beobachtete, wie sich seine Brust im Rhythmus seines tiefen, gleichmäßigen Atems hob und senkte.

Nach einer Weile merkte Cirina, dass er eingeschlafen war. Zunächst war sie enttäuscht, denn sie fand, es sei alles zu schnell gegangen. Am Anfang war sie zu ängstlich gewesen, um entspannt zu genießen. Jetzt, da sie wusste, was sie zu erwarten hatte, hätte sie am liebsten noch einmal von vorn angefangen.

Behutsam löste sich Cirina aus Antonios Armen, um ihn mit etwas Abstand zu betrachten.

Am tintenschwarzen Himmel stand der Vollmond, und sein milchiges Licht fiel durchs Fenster auf Antonios

Leib. Da er schlief, hatte Cirina Muße, ihn ausgiebig zu betrachten. Freimütig ließ sie den Blick über seinen Körper schweifen und bewunderte die breiten Schultern, den straffen Bauch. Schließlich kam ihr Blick auf dem schlafenden Monster zur Ruhe, das auf seinem Schenkel ruhte.

Wie weich und verletzlich es jetzt aussah! Cirina besah es aufmerksam und wunderte sich, wie dieser Körperteil es anstellte, in so kurzer Zeit so gewaltig anzuschwellen. Hatte sie wirklich befürchtet, dieses kleine, zarte Anhängsel könnte sie beim Eindringen zerreißen?

Noch nie hatte sie einen Mann aus so großer Nähe gesehen, und sie nutzte die Gelegenheit weidlich. Mit einem Blick auf sein Gesicht vergewisserte sie sich, dass er noch immer schlief. Seine langen schwarzen Wimpern ruhten reglos auf den Wangenknochen, und sein Gesicht wirkte so gelöst und sorgenfrei, wie es nur im Schlaf der Fall ist.

Ganz vorsichtig, um ihn nicht zu wecken, streifte Cirina mit der Hand über die festen, klaren Linien seiner Brust. Das seidig-drahtige schwarze Haar kitzelte sie an den Handflächen. Sie liebkoste seinen Körper, umfasste seine Armmuskeln mit den Händen und streichelte über seinen flachen, festen Bauch. Als sie ihn dort berührte, regte sich auf einmal sein Gemächt. Fasziniert beobachtete sie, wie das Anhängsel ein wenig anschwoll.

Kühner geworden, berührte Cirina die weiche, schrumpelige Haut mit den Fingerspitzen. Als sie den festen Kern unter der losen Haut spürte, zog sie die Hand zurück, als hätte sie sich verbrannt. Doch Antonio schlief weiter, ohne etwas von ihrer neugierigen Erkundung zu merken, und so schloss Cirina die Hand um sein Glied und drückte es vorsichtig.

Augenblicklich erwachte sein Schwanz und regte sich, als führe es ein Eigenleben. Cirina strich mit der Hand über den länger werdenden Schaft und beobachtete hingerissen, wie die lose Haut sich ganz unabhängig vom harten Kern bewegte, sich über die knollige Eichel schob und sie wieder freigab, wenn sie die Hand zurückbewegte.

Sie mochte die Knolle am Ende. Ihre Haut war so zart wie die eines Neugeborenen, und Cirina fuhr immer wieder mit dem Daumen darüber und schwelgte in ihrer Beschaffenheit. Die Spitze war rosiger als der Schaft, und auf einmal quoll am Ende ein klarer Tropfen hervor, wie eine Träne. Nachdem sie sich mit einem Blick auf Antonios Gesicht vergewissert hatte, dass er immer noch schlief, senkte Cirina den Kopf und tupfte die salzig schmeckende Flüssigkeit mit der Zunge ab. Sofort trat eine neue Träne aus, dann noch eine und noch eine, bis sie ganz damit beschäftigt war, sie aufzulecken und an der zarthäutigen Spitze zu saugen, die sich allmählich mit Blut füllte und einen tiefen, stumpfen Rosaton annahm.

Das gefiel Cirina. Sie mochte den Geschmack der Flüssigkeit, die aus seinem Körper kam, mochte das Gefühl, den schweren, aufgerichteten Schaft in der Hand zu halten. Allmählich nahm sie immer mehr von ihm in den Mund. Den verbleibenden Rest unablässig streichelnd, sog sie die empfängliche Säule ein und umspielte sie mit der Zunge.

Das duftende Haar fiel ihr wie ein Vorhang ins Gesicht. So konnte sie sich ganz auf den männlichen Lustkolben konzentrieren, an dem sie saugte. Den schweren Moschusduft einatmend, umfasste sie den behaarten Sack, der seinen Samen enthielt, und fuhr mit dem Daumen über die straffe, heiße Haut.

Als die Hoden in ihrer Hand erbebten, ließ sie den steifen Schaft aus ihrem Mund gleiten und küsste und leckte stattdessen die weichen Anhängsel. Ganz behutsam, als ahnte sie, dass diese Körperteile besonders empfindlich waren, saugte sie seine Eier ein und rollte sie auf der Zunge.

Dicht davor, seinen Samen zu ergießen, spannte er auf einmal die Gesäßmuskeln an. Überwältigt vom Verlangen, die Flüssigkeit zu schmecken, die jeden Moment aus ihm hervorschießen würde, nahm Cirina den Schaft eilig wieder in den Mund. Es brauchte nicht viel, ihn zum Erguss zu bringen: Im nächsten Moment schoss ihr schon der heiße, dickflüssige Strahl in den Rachen, sodass sie sich um ein Haar verschluckt hätte.

Widerwillig ließ Cirina das Glied aus ihrem Mund gleiten und schluckte den Samen, der ihr in der Kehle saß. Der Rest der cremigen weißen Flüssigkeit spritzte in einem anmutigen Bogen auf seine Brust und seinen Bauch.

Als Cirina den Blick hob, stellte sie zu ihrem Erschrecken fest, dass er wach war und sie ansah. Wann mochte er wohl aufgewacht sein? Cirina errötete heftig und senkte den Blick auf ihre demütig im Schoß gefalteten Hände.

«Aber nein, *cara mia*», sagte Antonio leise, «mich kannst du mit dieser spröden Haltung nicht täuschen! Du bist ja eine kleine Wildkatze!»

Er lachte nicht grimmig, sondern anerkennend und aufmunternd, sodass auch Cirinia sich ein kleines Grinsen gestattete. Antionio war anscheinend wieder bei Kräften, denn er fasste sie um die Hüfte, drückte sie aufs kitzelnde Stroh nieder und legte sich auf sie, sodass sie sich kaum mehr rühren konnte.

«Das Spiel kann man auch zu zweit spielen, Cirina», meinte er neckisch, drückte ihr mit seiner großen Hand die Arme mühelos über den Kopf, senkte den Kopf und nahm eine Brustwarze zwischen die Zähne.

Cirina schnappte nach Luft, als er die zarte Brustspitze erst dehnte und dann losließ. Von dem lustvoll-schmerzhaften Gefühl geriet ihr Herzschlag aus dem Takt. Zu ihrem Entzücken hatte er offenbar Lust, mit ihr zu spielen, obwohl er gerade erst zum Höhepunkt gekommen war.

Als er sich an sie schmiegte, haftete sein trocknender Samen an ihrer Haut, doch ohne sich daran zu stören, leckte und knabberte er sich über ihren Bauch nach unten bis zu ihrem Lustzentrum vor.

«Wie fändest du es, wenn du beim Aufwachen feststellen würdest, dass mein Kopf zwischen deinen reizenden Schenkeln steckt?», fragte er. Ohne die Antwort abzuwarten, teilte er mit der Zunge die Schamlippen.

Cirina erstarrte. Sollte es ihm wirklich Lust bereiten, sie dort zu küssen? Offenbar schon, denn er fuhr fort, das schwellende Fleisch mit der Zunge zu liebkosen, ließ sie unmittelbar in den Brunnen ihrer Erregung hinabschnellen und befeuchtete dabei ihre intimste Stelle.

Als er wieder zu dem Lustknubbel fand und ihn zwischen die Lippen nahm, stöhnte sie auf. Das intensive Lustgefühl, das er damit auslöste, überraschte sie. Es fühlte sich wundervoll an. Eine köstliche Wärme durchströmte sie.

Antonio beschäftigte sich ausgesprochen lustvoll mit ihrem Geschlecht, ganz so, als kostete er vom feinsten Honigmet. Cirina zauste ihm das unerwartet weiche Haar und drückte seinen Kopf zwischen ihre Schenkel, als das Pulsieren einsetzte.

Diesmal hatte sie keine Angst, sondern hieß die Schwindel erregenden Empfindungen willkommen. Diesmal verspürte sie nicht den Drang, sich abwehrend zusammenzurollen.

Antonio aber wartete nicht ab, bis sie die letzte Lustwelle ausgekostet hatte, sondern drang in sie ein, als der Orgasmus verebbte. Cirina nahm ihn freudig in sich auf, schlang ihm die Beine um die Hüfte und grub die Fingernägel in seine weichen Schultern.

Nun wusste sie, was sie zu tun hatte. Sie ließ sich von ihrem Instinkt leiten und erwiderte seine Stöße. Es dauerte nicht lange, da verströmte sein Körper eine Hitze wie ein Brennofen, und die Wärme seiner Haut griff auf sie über und entfachte auch ihre Leidenschaft neu.

Cirina stemmte ihm die Hüften entgegen. Eine solche Lüsternheit hätte sie sich niemals zugetraut. Doch das Einzige, was für sie zählte, war der Moment, da sie zusammen mit Antonio dem unvermeidlichen Höhepunkt ihrer Vereinigung entgegenstrebte.

Sie spürte, wie er die Beherrschung verlor. Er warf den Kopf zurück, bleckte die Zähne und stieß einen Schrei aus, der nahezu gequält klang. Cirina spannte die Muskeln um seinen Schaft an und presste seinen Samen heraus. Obwohl sie seine Sprache nicht verstand, begriff sie doch, dass er in seinem Ausgeliefertsein schwelgte und ihr seinen Samen gab, als wäre er das kostbarste Geschenk, das er ihr zu bieten hatte.

Obwohl sie wusste, dass das Gefühl fehl am Platze war, verspürte sie beinahe so etwas wie Enttäuschung, als er aus ihr herausglitt und seinen Samen auf ihre Brüste und ihren Bauch ergoss. Diesmal war sie es, die beruhigte und beschwichtigte, ihn in die Arme schloss und seinen Kopf an ihrem Busen barg.

Antonio küsste die erschlaffenden Nippel, nicht leidenschaftlich, sondern voller Zärtlichkeit. Er knabberte an der schweißfeuchten, duftenden Haut ihres Unterarms, dann machte er es sich neben ihr bequem. Der Mond übergoss sie mit seinem bleichen Licht und überstrahlte die Sterne, die über die Wüste wachten.

Es war sehr still. Kein Lüftchen regte sich, und es war kühl geworden. Cirina deckte sie beide mit den neben dem Strohlager bereitliegenden Fellen zu. Sie lauschte auf Antonios tiefen, regelmäßigen Atem und durchlebte voller Staunen noch einmal die vergangenen Stunden. Nicht im Traum hätte sie sich vorstellen können, dass es so sein würde.

Oder war es speziell diesem Mann zu verdanken, dass die Erfahrung so schön für sie gewesen war? Nein, schalt sie sich im Stillen aus und zog sich fröstelnd die Felle über die Schultern. Es war töricht, so zu denken. Antonio würde am Morgen weiterreisen – und sie würde ihn nie wiedersehen.

Sie tröstete sich mit dem Gedanken, dass sie ihn nie vergessen würde. Vielleicht taten die Europäer recht daran, der ersten Liebeserfahrung einer Frau einen so hohen Wert beizumessen. Vielleicht würde ja auch Antonio sie und ihre gemeinsame Liebesnacht in Erinnerung behalten.

Mit diesem Gedanken schlief Cirina schließlich ein.

3. Kapitel

Als Cirina am nächsten Morgen erwachte, streiften Antonios Lippen über ihren Bauch und ihre Brüste, und seine Hände streichelten zärtlich die weiche Haut ihrer Schenkel. Lächelnd wendete sie sich ihm zu und legte ohne Scham die Hand um den anschwellenden Schaft, den sie am Bauch spürte.

«Guten Morgen, *cara*», murmelte Antonio, sog einen sich versteifenden Nippel in den Mund und rollte ihn auf der Zunge. «Hast du gut geschlafen?», fragte er nach einer Weile.

Kichernd schlang Cirina die Arme um ihn und atmete seinen Morgengeruch ein. Antonio steckte zwei Finger zwischen ihre schlafenden Schamlippen, streichelte sie, bis sie feucht wurden, und drückte mit der anderen Hand behutsam ihre Schenkel auseinander.

Als sie bereit war, ihn aufzunehmen, drang er in sie ein, verharrte einen Moment reglos und beobachtete ihr Gesicht, das vom Morgenlicht rosig überhaucht war. Falls überhaupt möglich, wirkte sie jetzt, da sie heiter und ohne die geringste Verlegenheit zu ihm aufsah, noch schöner als am Abend zuvor.

Antonio konnte sich nicht erinnern, jemals so froh gewesen zu sein, neben derselben Frau aufzuwachen, mit der er sich schlafen gelegt hatte. Eigentlich war es ungewohnt für ihn, eine Frau auch dann noch zu begehren, nachdem die anfängliche Begierde gestillt worden war.

Erstaunt über diese neue Einsicht in sein Geschlechtsleben betrachtete er Cirina mit neuen Augen, als er sich in ihr zu bewegen begann. Wenn sie solch ungewohnte Empfindungen bei ihm weckte, musste sie etwas ganz Besonderes sein. Ihre Schönheit allein hätte dazu nicht ausgereicht; Antonio hatte es schon immer verstanden, schöne Frauen in sein Bett zu locken.

Vielleicht lag es an ihrer Unschuld oder an ihrem unkomplizierten Vergnügen am Liebesakt? Von Staunen erfüllt, lächelte er sie liebevoll an, dann schloss er die Augen und verlor sich in der fließenden Ekstase ihres Körpers.

Als Cirina ihn lächeln sah, flog ihm ihr Herz zu. Von Anfang an hatte sie geglaubt, dass dies keine dieser Begegnungen sei, bei denen Männer und Frauen für eine Nacht zusammenkamen, um ihre Begierde zu stillen. Antonios Lächeln zerstreute nun die letzten Zweifel.

Als er die Augen schloss, spannte sie versuchsweise die Muskeln an, die seinen Schaft umfingen. Ihre Augen weiteten sich, als sie sah, wie sehr sie damit ihr eigenes Lustempfinden steigerte. Zu ihrer Freude vermochte sie ihn so noch tiefer in sich aufzunehmen und einen Moment lang festzuhalten, bevor er in ihrer Scheide ein Stück zurückglitt. Das löste eine Art Kettenreaktion entlang der verengten Scheidenwand aus.

Ganz von ihren Experimenten in Anspruch genommen, bekam sie kaum mit, wie er darauf reagierte. Plötzlich setzte tief in ihrem Innern der Orgasmus ein. Laut aufstöhnend umklammerte sie Antonios Hüften und presste ihn an sich. Ihre inneren Zuckungen brachten auch ihn zum Höhepunkt, und sie merkte, dass er Mühe hatte, sich rechtzeitig aus ihr zurückzuziehen, bevor er seinen Samen verspritzte.

Die Hochachtung in seinen blassblauen Augen veranlasste Cirina zu erröten.

«Du lernst schnell, meine Kleine», murmelte Antonio, als er sich nackt neben ihr auf dem Strohlager ausstreckte. Versonnen streichelte er sie zwischen den Brüsten.

«Wie meinst du das?», fragte Cirina leise.

Antonio lächelte, als brächten ihn seine Gedanken in Verlegenheit.

«Ich frage mich, ob ich dergleichen je wieder erleben werde», gestand er nachdenklich.

Bei dem Gedanken, ihn nie wiederzusehen, verspürte Cirina einen schmerzhaften Stich. Offenbar standen ihr ihre Gefühle ins Gesicht geschrieben.

«Das hoffe ich aber für dich», erwiderte sie leidenschaftlich.

Leise in sich hineinlachend beugte Antonio sich zu ihr hinüber und küsste sie auf die Nasenspitze.

«Sollte es jemals dazu kommen, wirst du mich schon lange vergessen haben – von jetzt an werden viele Reisende dein Lager wärmen.»

Ihm wurde jäh bewusst, wie zuwider ihm die Vorstellung war, dass dieses wunderschöne Geschöpf seine ‹Gastfreundschaft› fortan jedem hergelaufenen Fremden erweisen würde. Weil er ihr erster Geliebter war, hatte er das Gefühl, sie sei für ihn bestimmt. Das war ein törichter Gedanke, bei allem, was heilig war, doch er vermochte ihn einfach nicht abzuschütteln. Seine Seelenpein spiegelte sich in Cirinas Augen.

«Vielleicht ist es ja so», flüsterte sie wie im Fieber, «aber ich werde dich niemals vergessen, Antonio, das verspreche ich dir!»

«Ich wünschte, ich könnte dich mitnehmen», entfuhr es ihm.

«Würdest du das tun? Ach bitte, Antonio, sag, dass ich dich begleiten darf!»

Antonio wandte schuldbewusst den Blick von ihr ab. Wie in aller Welt kam er nur dazu, einen solchen Unsinn zu reden? Cirina musterte ihn mit großen, hoffnungsvollen Augen, und er wollte ihr doch nicht wehtun.

«Ich kann nicht, *cara mia*», sagte er mit sanfter Stimme. «Es tut mir Leid.»

Tränen funkelten in ihren Augen, und er sah, dass sie sich verzweifelt bemühte, sie zurückzuhalten. Er schalt sich einen räudigen Hund, weil er alles noch komplizierter gemacht hatte, als es bereits war. Bis er sich zu dieser Bemerkung hatte hinreißen lassen, hatte sie nicht das Geringste von ihm erwartet. Jetzt aber stand ihr eine schwere Enttäuschung bevor.

«Irgendwann aber werde ich zurückkommen.»

Das war als freundlicher, wenn auch unzureichender Trost gedacht, doch Cirina griff beherzt nach dem Strohhalm.

«Du kommst wieder? Versprichst du's mir?»

Antonio meinte, in ihren weiten tiefblauen Augen zu ertrinken. Was blieb ihm anderes übrig, als ihr zu sagen, was sie hören wollte, auch wenn er im Herzen wusste, dass er dieses Versprechen niemals einlösen konnte?

«Ich verspreche es», flüsterte er und kam sich vor wie der elendste Schuft, als sich ihre Miene vertrauensvoll aufhellte.

Sie legte ihm die Arme um die Schultern und küsste ihn leidenschaftlich. Als er ihre schlanke Gestalt in Armen hielt, wurde Antonio von unerklärlicher Traurigkeit übermannt und barg sein Gesicht in ihrem langen, duftenden Haar, um sich nichts anmerken zu lassen.

Bald darauf war es für die Reisenden Zeit, sich für die vor ihnen liegende weite Reise fertig zu machen, und Antonio musste aufstehen. Cirina brachte ihm Wasser, das eine der Nomadinnen geholt hatte, die in der Karawanserei aushalfen, wenn es viel zu tun gab. Sie beobachtete, wie er sich wusch und eine frische Hose anzog.

Mit schwerem Herzen schritt sie hinter ihm die Treppe hinunter und trug ihm das Frühstück auf. Ohne die neugierigen, amüsierten Blicke ihrer Tante und ihrer Cousine zu beachten, tat Cirina alles, um Antonio zufrieden zu stellen. Sie wollte, dass er jede Einzelheit seines Aufenthalts in der Karawanserei im Gedächtnis behielt, damit er zu ihr zurückkam, wenn er seine Geschäfte in Peking abgeschlossen hatte. Sie war entschlossen, alles zu tun, damit er sie nicht vergaß!

Dabei hätte sie ihm am liebsten mit Fragen bestürmt. Sie hätte gern gewusst, wo er herkam und wie er lebte, was er mit dem Khan zu schaffen hatte und vor allem, wie lange es dauern würde, bis er wiederkäme. Dazu aber bot sich keine Gelegenheit, denn während der Reisevorbereitungen waren sie keinen Moment allein.

Ehe sie sich versah, belud Antonio auch schon das Kamel, das seine Habseligkeiten durch die Takla Makan tragen würde, und sattelte sein Reittier. Bewundernd schaute Cirina zu, wie er sich ein Tuch um den Kopf schlang, womit er, zumindest von hinten, wie einer der Ihren aussah. Keiner ihrer Verwandten aber machte so weite Schritte, und keiner überragte sie um einen ganzen Kopf, dachte Cirina voller Stolz.

Einen schrecklichen Moment lang fürchtete sie, er würde zusammen mit den Polos aufsitzen, ohne sich richtig von ihr zu verabschieden. Ihr Herz frohlockte, als er zu ihr herüberkam, sie leidenschaftlich auf den Mund küsste und sich an sie schmiegte, als wenn er sich das Gefühl unauslöschlich einprägen wollte.

Dann schaute sie zu, wie er aufsaß und das Kamel sich aufrichtete. Impulsiv rannte sie zu ihm und legte die Wange an sein Bein, während er aus der Höhe auf sie herabsah. Antonio beugte sich zu ihr hinunter und legte ihr die Hand kurz auf den Kopf, dann wendete er das Kamel und ließ sie auf dem Hof zurück. Sie sah ihm nach, bis er von der Wüste verschluckt wurde.

«Bist du denn von allen guten Geistern verlassen, dass du immer noch nach diesem Weibsstück mit dem ungewöhnlichen Aussehen schmachtest?»

Antonio schreckte zusammen, als Marco an seiner Seite auftauchte und die Skizze von Cirina sah, an der er gerade arbeitete. Aus Erfahrung wusste er, dass es zwecklos war, seine Arbeiten zu verstecken, deshalb ließ er Marcos Musterung wortlos über sich ergehen.

Das Bild war recht gelungen. Es zeigte Cirina im Profil, das lange Haar im venezianischen Stil auf dem Kopf aufgetürmt. Trotzdem gefiel es ihm weniger gut als die anderen Zeichnungen, die er seit dem Aufbruch von der Karawanserei angefertigt hatte. Obwohl es ihr ähnlich sah, drückte es doch nichts von dem aus, was ihre Begegnung zu etwas ganz Besonderem gemacht hatte.

Marco fiel ihm in den Arm, sonst hätte er das Bild vor Enttäuschung zerrissen.

«Das scheint mir gut getroffen, Antonio.»

«Es zeigt ein Gesicht, aber nicht die Frau», erwiderte Antonio gereizt.

«Aber es ist ein hübsches Gesicht», erklärte sein Freund sachlich.

Antonio winkte ungeduldig ab. «Es gibt zahllose schöne Frauen. Keine aber hat das, was Cirina auszeichnet und was ich mit Holzkohle nicht wiedergeben kann!»

Marco musterte ihn mitfühlend. «Du bist schwer verliebt, mein Freund. Ich würde dir raten, dir das Luder aus dem Kopf zu schlagen und nach vorn zu blicken, nach Peking. Dort gibt es viele willige Mädchen, die dir helfen werden, sie zu vergessen, meinst du nicht?»

Er klopfte Antonio auf den Rücken. Der lächelte angestrengt.

«Du hast Recht», log Antonio. «Das Leben ist zu kurz, um nach dem Unmöglichen zu verlangen.»

«Gut gesagt, mein Freund. Also vorwärts, auf nach Peking!»

Antonio beobachtete, wie Marco zu den Kamelen hinüberging und sie zu satteln begann. Obwohl er wusste, dass sein Freund Recht hatte, wusste er doch auch, dass seine eigene Bemerkung falsch war. Er verlangte nicht nach *irgendeiner* Frau – er verlangte nach Cirina. Keine andere vermochte die Sehnsucht in seinen Lenden zu stillen, die sich in dem Moment dort angesiedelt hatte, als er von ihr aufgebrochen war.

Als er auf den Weg zurückblickte, auf dem sie hergekommen waren, sah er nichts als glühend heißen orangefarbenen Sand. Er dachte an die hinter ihnen liegenden Strapazen. Cirina war weit weg, lebte jenseits der tückischen Wüste, die sie fast zur Gänze durchquert hatten. Sie würde ihr ganzes Leben in der Karawanserei verbringen, die Tiere versorgen und sich hin und wieder eines Reisenden annehmen. Und wenig später würde die allzu kurze Weile, die sie miteinander verbracht hatten, im Nebel der Zeit verblassen, und sie würde ihn vergessen. So wie er sie nach seiner Rückkehr nach Venedig vergessen würde, dachte er ohne Überzeugung.

Als sie endlich Peking erreichten, waren alle froh, endlich baden und sich vor der Audienz beim Khan frisch einkleiden zu können. Während die anderen sich den Zerstreuungen des Palasts hingaben, wurde Antonio immer unruhiger. Er wollte seine Geschäfte so rasch wie möglich zum Abschluss bringen und dann nach Venedig zurückkehren.

«Entspann dich, Antonio – es kann Tage dauern, bis der Khan uns empfängt. In der Zwischenzeit solltest du dich amüsieren.»

Antonio lächelte wie im Einverständnis und unternahm einen Spaziergang auf dem Palastgelände. Noch nie hatte ihm der Sinn weniger nach Zerstreuung gestanden. Seit seiner Begegnung mit Cirina fühlte er sich unruhig und angeschlagen; er näherte sich mit Riesenschritten dem Punkt, da er sich die Niederlage seiner Mission würde eingestehen und ergebnislos heimreisen müssen.

Er hielt inne, betrachtete den kleinen See, der von mehreren Springbrunnen gespeist wurde, und vergegenwärtigte sich seinen bisherigen Lebensweg. Vor dreißig Jahren, als sein Vater noch Kaiser Balduin von Konstantinopel diente, hatte sich dieser mit Michael von Nicäa überworfen. Antonios Vater hatte an Balduins Seite ausgeharrt, bis ihm die venezianische Flotte zu Hilfe geeilt war, und genoss deshalb das kaiserliche Vertrauen.

Im venezianischen Exil beklagte Balduin den Verlust der Kaiserkrone, die er in Konstantinopel zurückgelassen hatte. Die Krone schmückte ein Rubin von unschätzbarem Wert, der auf geheimnisvolle Weise verschwunden und zum Symbol der aus Byzanz geflüchteten Menschen geworden war. Antonios Vater hatte den Rest seines Lebens auf die Suche nach dem Rubin verwandt. Er war von ihm besessen und hatte seine Frau und seinen Sohn darüber fast vergessen. Schließlich erkrankte er und starb in jungem Alter. Die schwere Bürde seines Scheiterns nahm er mit ins Grab.

Nach seinem Tod wurde die Suche eingestellt. Erst als das Gerücht aufkam, der Rubin befinde sich im Besitz Kublai Khans, gab die Regierung von Venedig Antonio den Auftrag, den Edelstein wieder zu beschaffen.

Seufzend dachte er an die Jahre des Reisens, die er in der Hoffnung, eines Tages Zugang zu der geheimnisumwobenen Stadt Xanadu zu erhalten, an der Seite seines Landsmanns Marco Polo vergeudet hatte. Denn Antonio spürte, dass sich der Rubin dort befand. Bislang war sein Warten allerdings vergeblich gewesen, denn seit er vor drei

Jahren zu Marco gestoßen war, hatte er, abgesehen von der letzten Reise nach Samarkand, die meiste Zeit in Lanzhou verbracht.

Antonios Rolle als künstlerischer Begleiter der Expedition war reizvoll, doch er hätte gern dadurch, dass er den byzantinischen Rubin heimholte, das Andenken seines Vaters geehrt. Erst die Begegnung mit Cirina hätte ihn um ein Haar bewogen, von seinem Ziel abzulassen.

«Signor Ballerei! Signor Ballerei!»

Antonio richtete sich auf und griff automatisch zum Heft seines Schwertes. Erst dann erkannte er den obersten Eunuchen. Der Mann war über zwei Meter groß, seine Haut so schwarz wie Ebenholz. Vor Antonio blieb er stehen und nickte kurz mit dem Kopf, was hierzulande als Verneigung galt.

«Signor – man erwartet Euch im großen Saal.»

Antonio folgte dem Eunuchen und fragte sich, warum man ihn vom Eunuchen und nicht von einer der Palastwachen holen ließ. Allerdings hatte es keinen Sinn, sich darüber den Kopf zu zerbrechen – soweit er erkennen konnte, hatten die Anordnungen des Kaisers weder Sinn noch Verstand.

Vor dem Kaiser angelangt, vollführte Antonio eine tiefe Verneigung und bemerkte aus den Augenwinkeln, dass auch die Polos eingetroffen waren und zu seiner Linken Aufstellung nahmen.

«Genug, genug!»

Auf die ungeduldige Aufforderung des Kaisers hin richtete er sich auf und wartete. So nah war er dem berüchtigten Kublai Khan noch nie gewesen, und er musterte ihn verstohlen. In jungen Jahren mochte er ein großer Krieger gewesen sein, doch der Mann, der vor ihm saß, entsprach genau der Vorstellung, die ein Westler vom Enkel des Genghis Khan haben mochte.

Er war Ende siebzig, korpulent und kränklich, und es ging das Gerücht um, er verbringe weniger Zeit im prächtigen Peking als in Xanadu. Die Amtsgeschäfte des großen Reiches überließ er mehr und mehr seinen zahllosen Verwandten und Beratern, was die politische Lage im Lande gefährlich destabilisierte.

Das war jedoch Antonios kleinste Sorge. Neben dem Thron des Kaisers stand eine wunderschöne Frau, die ihn mit Blicken durchbohrte. Das musste Chabi sein, angeblich die Lieblingsfrau des Khans.

Als sich ihre Blicke trafen, staunte er über ihre smaragdgrünen, durchdringenden Augen und erschauerte unwillkürlich. Die Frau lächelte, als hätte sie seine Reaktion bemerkt, dann beugte sie sich langsam vor und flüsterte dem Khan etwas ins Ohr. Der Kaiser nickte leicht und richtete seinen trüben Blick auf Antonio.

«Mein Freund Marco Polo hat mir berichtet, Ihr wärt Künstler, Antonio Ballerei», sagte er mit pfeifendem Atem.

«Das stimmt, Hoheit», bestätigte Antonio und verneigte sich erneut.

Kubla erzeugte einen Knacklaut in der Kehle. Er schnippte mit den Fingern. Ein Diener eilte mit Antonios Zeichenmappe herbei. Antonio hätte sie dem Kaiser, der flüchtig darin blätterte, am liebsten entrissen. Nach einer Weile bedeutete der Khan dem Mann, die Mappe wieder an sich zu nehmen.

«Wenn wir in Shang-tu sind, werdet Ihr meine Lieblingsfalken zeichnen.»

Mit einer matten Bewegung seiner dicken Finger entließ der Khan Antonio. Antonios Gedanken eilten in die Zukunft. Shang-tu – Xanadu! Endlich würde er nach Xanadu reisen!

Als sich von Osten her Reiter der Karawanserei näherten, beschirmte Cirina mit der Hand ihre Augen vor der Sonne, und ihr Herz machte vor Freude einen Satz, denn sie hoffte, Antonio käme endlich zu ihr zurück. Ihre Hoffnungen zerstoben jedoch, als sie sah, dass die Reisenden auf Pferden und nicht auf Kamelen ritten, was bedeutete, dass sie entweder Soldaten oder Banditen waren, vielleicht auch beides zugleich.

Sie rannte zum Stall und rief nach ihrem Onkel. Unvergossene Tränen der Enttäuschung brannten ihr in den Augen. Während die anderen den Neuankömmlingen entgegenliefen, verharrte sie im kühlen Schatten des Stalls. Sie war noch nicht bereit, sich ihren wissenden Blicken auszusetzen.

Obwohl ihre Tante und ihre Cousine sie unerbittlich neckten, glaubte Cirina fest daran, dass Antonio wie versprochen zu ihr zurückkehren werde. Nacht für Nacht träumte sie auf ihrem einsamen Strohlager von ihm. Wenn Bortai friedlich schnarchte, berührte Cirina sich an der geheimen Stelle, die sie mit seiner Hilfe entdeckt hatte. Sie hatte herausgefunden, dass sie sich auch allein zum Gipfel der Lust bringen konnte, wenn sie ihre Erfahrung mit Antonio mit geschlossenen Augen neu durchlebte.

Das vermochte jedoch nicht die Nähe seines kräftigen Körpers zu ersetzen und verblasste gegenüber der Ekstase, welche die Bewegungen seines Schaftes in ihr ausgelöst hatten. Und nun trafen neue Reisende ein, denen man ihre Gastfreundschaft anbieten würde. Cirina glaubte nicht, dass sie es ertragen könnte, mit einem anderen Mann zu schlafen, während sie sich nach Antonio sehnte.

«Cirina! Was schmollst du da, Mädchen? Du hast dich lange genug vor der Arbeit gedrückt – hol frisches Wasser, und mach schnell.»

Ketas barsche Stimme riss Cirina aus ihren Träumereien. Sie beeilte sich, der Aufforderung ihrer Tante nachzukommen, denn sie wusste, wenn sie sich nicht sputete, würde sie eine Ohrfeige bekommen, dass ihr die Ohren klingelten.

Als sie mit dem Wasser von der Quelle zurückkam, sah sie, dass etwa ein halbes Dutzend Reiter in der Karawanserei übernachten würden. Sie trat in den Gastraum. Die gedämpften Unterhaltungen brachen ab, und alle Augen wandten sich Cirina zu.

«Komm mal her, Mädchen.»

Ein kleiner, untersetzter Mann hatte sie angesprochen. Das Gesicht unter dem runden Spitzhelm, den er nicht abgenommen hatte, war dunkelhäutig. Er musterte Cirina abschätzend, als sie in die Mitte des Raumes trat. Eine erwartungsvolle Stille senkte sich über sie herab.

«Gehört die junge Frau dir?», wandte er sich an Lengke.

«Das ist meine Nichte, Hauptmann», antwortete Lengke mit übertriebener Unterwürfigkeit.

«Jungfrau?»

«Nein, Herr – doch erst kürzlich entjungfert.»

«Schön, schön.»

Cirina kam sich vor wie ein Pferd auf dem Viehmarkt und erschauerte leicht, als der Mann sie mit seinen harten schwarzen Augen musterte. Es war, als könnte er durch ihre dünne Kleidung hindurchsehen und ihren Körper abschätzen, obwohl sein Blick seltsamerweise leidenschaftslos war.

Der Hauptmann winkte einen seiner Männer zu sich.

«Ich schätze, sie ist die zwanzig Karat wert, die die Kaiserin ausgesetzt hat, meinst du nicht auch, Mongor?»

Der andere Mann, der größer war als der erste und für einen Tataren recht ansehnlich, musterte Cirina von oben bis unten.

«Das Haar und die Augenbrauen sind von bester Qualität. Ihre Lippen – ja, zwei Karat, meiner Einschätzung nach. Die Augen sind ungewöhnlich – die könnten den Preis erhöhen oder senken, je nach der Laune der Herrscherin Chabi. Fünfzehn Karat, würde ich sagen.»

«Ich schließe mich deiner Meinung an. Sehr interessant.» Der Hauptmann streichelte sich nachdenklich den Hängeschnauzer.

Cirina war ganz kalt geworden. Sie verstand nicht, wie die Männer dazu kamen, ihre Schönheit zu taxieren – als ob dergleichen exakt messbar sei. Als der Hauptmann wieder das Wort ergriff, sträubten sich ihr die Nackenhaare.

«Ich will mehr von ihr sehen – los, zieh dich aus.»

Cirina fiel die Kinnlade herab. Sie musste sich verhört haben. Das erwartungsvolle Gemurmel, das die zuschauenden Soldaten vernehmen ließen, sagte ihr jedoch, dass sie sich nicht getäuscht hatte. Je länger sie zögerte, desto ungeduldiger wurde der Hauptmann.

«Im Namen des Khans – ausziehen!»

Cirinas Finger waren wie gelähmt, als sie an den Verschlüssen ihres langen Hemds nestelte. Sie musste daran denken, wie sie sich freudigen Herzens vor Antonio entkleidet hatte. Das hier war etwas vollkommen anderes. Als sie das Hemd über den Kopf streifte und auf einmal in Unterwäsche dastand, fühlte sie die brennenden, lüsternen Blicke der Soldaten auf sich ruhen. Furchtsam sah sie den Hauptmann an.

«Alles», sagte er, und ihre schlimmsten Befürchtungen wurden wahr.

Aus den Augenwinkeln bemerkte sie, dass Bortai unverhohlen grinste, während ihre Tante eher gelangweilt dreinschaute. Lengkes Miene war undurchdringlich, doch es sah nicht danach aus, als werde er diesmal eingreifen.

Im Raum war es unerträglich stickig. Kein Luftzug milderte die Anspannung. Schicksalsergeben streifte Cirina die schmalen Riemchen ihres Unterkleids von den Schultern und ließ es herabfallen.

Sie fixierte einen Punkt an der anderen Seite des Raums, während sich alle Blicke auf ihren nackten Körper richteten. Für die Reaktion der Soldaten hatte sie Verständnis – in ihren braunen Augen funkelte blanke Begierde. Aber auch ihre Cousine und ihre Tante musterten sie verstohlen, als verglichen sie ihre eigenen weiblichen Reize mit denen Cirinas.

Der Hauptmann und Mongor aber betrachteten sie ganz leidenschaftslos, als wäre sie ein Tier auf dem Viehmarkt. Als die beiden Männer sich ihr näherten, versteifte sie sich und schreckte vor Mongors großen Händen zurück, welche eine ihrer Brüste anhoben. Ohne sich an ihrem Widerstand zu stören, prüfte er ihr Gewicht und ihre Beschaffenheit, dann nickte er dem Hauptmann anerkennend zu. Zu Cirinas Überraschung waren seine Hände recht sanft, und obwohl sie die Demütigung in jeder Faser ihres Körpers spürte, ließ ihre Angst nach.

Plötzlich schnippte Mongor mit dem Daumen gegen die Brustwarze, die zu Cirinas Beschämung augenblicklich steif wurde. Der Hauptmann beobachtete, wie sein Stellvertreter den Kopf neigte und über die runzlige Areola leckte, und zwar nur einmal, als wollte er den Geschmack ihrer Haut prüfen.

Cirina atmete schwer. Die Hitze im Raum war erstickend, und sie hatte den Eindruck, die Gaffer rückten immer näher an sie heran. Das Schlimmste aber sollte erst noch kommen.

«Dreh dich um», befahl der Hauptmann, und Cirina gehorchte arglos. «Beug dich vornüber – mach schon, Mädchen!»

Mit brennenden Wangen präsentierte Cirina den Männern ihr Hinterteil. Als Mongor die Backen teilte und ihre runzlige Rosette entblößte, spannte sie voller Scham die Muskeln an.

Sie sah, wie die Stiefel des Hauptmanns um sie herumwanderten, und versteifte sich noch mehr. Trotzdem traf sie das Nächste völlig unvorbereitet. Ohne jede Vorwarnung löste er die Reitpeitsche vom Gürtel und versetzte ihren herabbaumelnden Brüsten einen Klaps, sodass sie vibrierten. Cirina schnappte vor Überraschung und Schmerz nach Luft.

«Sie hat feste Titten», sagte er zu Mongor, ohne Cirinas Erschrecken zur Kenntnis zu nehmen. «Und du», wandte er sich an Cirina, «richte dich auf.»

Mit brennenden Brüsten kam Cirina vor den versammelten Soldaten der Aufforderung nach. Heftig blinzelte sie gegen die Tränen an, denn sie wollte vor den Männern nicht weinen. Mongor aber bemerkte es trotzdem und lächelte sie freundlich an.

«Es ist fast schon vorbei», murmelte er nur für ihre Ohren bestimmt, und Cirina war dankbar für diese unerwartete Freundlichkeit.

Der hinter ihr stehende Mongor langte ihr um die Hüfte und schob die straffe Haut ihres Bauches hoch, sodass ihr Schambein hervortrat. Cirina schloss entsetzt die Augen, als er die zarten Lippen teilte und das rosige Innere ihrer geheimen Öffnung den Blicken der Fremden entblößte.

«Schön, schön», lobte der Hauptmann.

Er trat vor und steckte ihr unversehens den Zeigefinger ins Loch, ohne den Lederhandschuh auszuziehen. Als er ihn wieder hervorzog, bemerkte Cirina voller Scham, dass der Handschuh von ihren Säften verräterisch glänzte. Wie kam es nur, dass ihr Körper reagierte, obwohl die ganze Scharade sie anwiderte?

Der Hauptmann führte den Finger an den Mund und

leckte ihn ab, kostete von ihrem Körpersaft. Er schmatzte anerkennend mit den Lippen. Cirina meinte, vor Scham ohnmächtig zu werden, und lehnte sich schwer gegen Mongor, der ihren Bauch inzwischen wieder losgelassen hatte.

«Sie ist frisch – eine würdige Bewerberin. Du hast doch bestimmt schon von den Schönheitswettbewerben des Khans gehört, Lengke?», fragte er beiläufig und wandte sich gleichgültig von Cirina ab.

Sie lauschte der Unterhaltung zwischen dem Hauptmann und ihrem Onkel, während sie die Kleidungsstücke anlegte, die Mongor ihr reichte. Einerseits war sie erleichtert, dass das Martyrium so rasch zu Ende war, andererseits nahm ihre Besorgnis zu.

«Jeder Offizier ist verpflichtet, nach geeigneten Frauen für den Khan Ausschau zu halten. Es ist eine große Ehre, auserwählt zu werden – dabei gelten strenge Maßstäbe. Man wird dich reichlich entschädigen, wenn du uns deine Nichte ausborgst, mein Freund.»

Als Lengke sie voller Mitleid musterte, begriff Cirina, dass ihr Schicksal besiegelt war. Keta und Bortai betrachteten sie mit schlecht verhohlenem Neid, und die Soldaten, die sie ganz offensichtlich begehrten, wandten sich respektvoll ab, da sie nun für den Khan bestimmt war.

Als Lengke einen Beutel mit Goldmünzen entgegennahm, sank ihr der Mut. Mit einem erstickten Schluchzer wandte sie sich um und rannte hinaus.

Lengke kam ihr nach und fand sie in Tränen aufgelöst im Stall.

«Quäl dich nicht, Cirina – es ist eine große Ehre, für den Khan auserwählt zu werden.»

«Wie konntest du das tun, Onkel?», platzte sie mit tränenerstickter Stimme heraus. «So sorgst du also für die Tochter deiner Schwester – du verkaufst sie für einen Beutel Gold.»

Lengkes Haut rötete sich, ob vor Scham oder Zorn, vermochte Cirina nicht zu sagen.

«Anya wäre stolz auf dich gewesen, Cirina. Beruhige dich – es braucht ja nicht für immer zu sein. Im Palast des Khans wirst du viel lernen und reisen können, so wie du es dir immer gewünscht hast.»

Das Argument hatte die gewünschte Wirkung. Cirinas Tränen versiegten, und sie trocknete sich mit einer Hand voll Stroh das Gesicht.

«Aber was ist mit Antonio? Wie soll er mich finden, wenn ich von hier fortgehe?»

Seufzend setzte Lengke sich neben sie. «Antonio wird nicht wieder herkommen, mein Kind.»

«Aber er hat es mir versprochen!»

Lengke wischte ihr die letzten Tränen mit dem Daumen ab.

«Männer versprechen alles Mögliche in den Armen einer schönen Frau, Cirina. Er hat es bestimmt gut gemeint, aber er wird nicht zurückkehren.»

Damit bestätigte er nur, was Cirina insgeheim befürchtet hatte. Sie lehnte den Kopf an seine Schulter.

«Du wirst mir fehlen, Onkel», flüsterte sie.

Mit Gefühlsausbrüchen kam Lengke nicht zurecht. Verlegen tätschelte er Cirina die Schulter.

«Ruh dich jetzt aus, vor dir liegt eine lange Reise. Geh zum Khan und mach diesem Haus und deinen Verwandten Ehre.»

«Ja, Onkel», flüsterte Cirina demütig.

Als sie sich endlich Shang-tu näherten, döste Cirina gerade auf dem Kamel. Der Anblick des Tales belebte die Soldaten, die von der langen Reise durch die Wüste erschöpft waren. Ihre munteren Rufe weckten Cirinia auf.

Wochenlang waren sie durch die Wüste geritten, zunächst durch die Takla Makan und dann durch die Wüste Gobi. Im Laufe der Zeit war Cirina ihre Sehnsucht nach den Ländern jenseits der Sanddünen immer törichter erschienen. So weit man blicken konnte, gab es kein Jenseits, nur *li* um *li* endlosen Sandes, der unter der unbarmherzigen Sonne gleißte.

Auf einmal aber erstreckten sich vor ihren ungläubigen Augen grüne Felder, die von einem Wasserlauf gespeist wurden, der den Bergen auf der gegenüberliegenden Talseite entsprang. Und mitten in dieser Fülle lag wie eine Fata Morgana Shang-tu.

Cirina konnte die Erregung der Soldaten gut verstehen, denn auch ihr Herzschlag beschleunigte sich, als sie das Ziel ihrer Reise erblickte. Zum ersten Mal verspürte sie eine Art Verbundenheit mit den Männern, und lächelnd teilte sie deren Freude.

Da sie dem Khan zugedacht war, hatten sie Cirina unterwegs kaum belästigt. Hin und wieder aber war es vorgekommen, dass ein Soldat sie vom Kamel hob, ihr die Hand unter den Umhang steckte und ihre Brust liebkoste, oder dass ein heißer Mund die zarte Haut an ihrem Nacken streifte.

Seit Mongor und der Hauptmann sie vor aller Augen gedemütigt hatten, war die Begierde der Männer nicht im geringsten abgeflaut. Ständig wanderten deren Blicke zu ihr hinüber, denn allein ihre Anwesenheit nährte deren Phantasien, und Cirina wähnte sich ständig in Gefahr.

Mongor hatte sich zu ihrem Beschützer ernannt, und bei mehreren Gelegenheiten war sie froh über die Freundschaft des schweigsamen Tataren gewesen; so auch jetzt wieder, als er an ihrer Seite auftauchte und ihr erklärte, dass sie noch einen Tag reiten müssten, bis sie die Stadt in der Ferne erreicht hätten.

In der Nacht lag sie schlaflos unter dem Sternenzelt

und dachte zum ersten Mal über ihr Schicksal nach. Was würde sie im sagenumwobenen ‹Lustpalast› des Kublai Khan wohl erwarten? Lengke hatte ihr zwar versichert, man werde sie gut behandeln, doch was wusste er schon von fremden Ländern?

Zum Himmel aufblickend, betete sie zu der Göttin, die über sie wachte. Nach einer Weile merkte sie an einem leichten Kribbeln, dass ein irdischerer Blick auf ihr ruhte. Langsam wandte sie den Kopf und blickte in Mongors undurchdringliche Augen, die sie aus einiger Entfernung anstarrten.

Trotz der Dunkelheit spürte sie die Intensität seines Blickes. Das bereitete ihr Sorge. Woher sollte sie wissen, dass Mongor ihr Freund oder auch nur ihr Beschützer war? Sie schloss die Augen und versuchte, noch ein wenig zu schlafen.

Am späten Nachmittag des folgenden Tages erreichten sie die Stadt. Langsam ritten sie auf den Palast zu. Das prachtvolle Bauwerk war von einer mächtigen Mauer umgeben, die man angeblich weder von außen noch von innen erklimmen konnte.

Das Palastgelände hatte einen einzigen Zugang, ein gewaltiges Tor, das von acht Männern bedient werden musste. Die kleine Gruppe der Reisenden wartete davor, während der Hauptmann vorausritt und der Palastwache Meldung erstattete. Cirina hatte das Gefühl, sie müssten stundenlang in der sengenden Sonne warten. Endlich teilten sich knarrend die großen Torflügel, und ihnen wurde Einlass gewährt.

Als sie durchs Tor ritten, hielt Cirina den Atem an. Der Garten, den sie erblickte, überstieg ihre kühnsten Erwartungen. Zwischen unregelmäßig gepflanzten Zierbäumen waren zahlreiche Springbrunnen verteilt, deren Geplätscher niemals verstummte.

Als sie durch den Park zum Palast ritten, erhaschte Cirina einen Blick auf das große Sommerhaus, in dem der Khan angeblich seinen Lüsten frönte. Sie erschauerte bei dem Gedanken, dass bald auch sie auf der Speisekarte stehen würde.

Als eine weiße Stute im Galopp ihren Weg kreuzte, stockte ihr der Atem. Allerlei Tiere streiften umher, auf die der Khan mit seinem Gefolge regelmäßig Jagd machte. Sie kamen an zahmen Falken vorbei und an Leoparden, die an einer Mauer an der Kette lagen. Am Fuß der breiten Steintreppe hielten sie an. Mongor hob Cirina von dem Pferd herunter, das sie beim Erreichen der Stadt bestiegen hatte.

Mit einem sanften Druck ins Kreuz bedeutete er ihr, zu der großen Holztür hochzusteigen, die in dem Moment, da sie den Fuß auf die unterste Treppenstufe setzte, von unsichtbarer Hand geöffnet wurde.

Plötzlich hatte Cirina eine trockene Kehle. Während sie Mongor zuvor misstraut hatte, fürchtete sie sich jetzt, ihn zurückzulassen. Zumindest hatte er ihr einen gewissen Schutz geboten. Dem, was sie hinter der großen Tür erwartete, würde Cirina sich allein stellen müssen, und das machte ihr Angst.

Mit langsamen, bleiernen Schritten stieg sie die Treppe empor. Obwohl sie das Halbdunkel im Palastinneren nicht zu durchdringen vermochte, meinte sie zu spüren, dass sie von unsichtbaren Augen beobachtet wurde.

Oben angelangt, blickte sie sich um. Mongor bedeutete ihr mit einer Handbewegung, sie solle weitergehen. Zögerlich schritt sie über die Schwelle in den kühlen Schatten des Palasts.

Augenblicklich schloss sich hinter ihr die Tür und sperrte das Tageslicht aus. Noch vom gleißenden Sonnenschein geblendet, hörte sie, wie die Tür mit schrecklicher Endgültigkeit ins Schloss fiel. Jetzt gab es kein Zurück mehr.

4. Kapitel

Antonio ruhte im parfümierten Wasser des Bades und schloss die Augen. Als seine langen Beine an die Oberfläche schwebten, bewegte er sie wieder nach unten. Das warme Wasser umspülte seinen müden Leib mit kleinen Wellen, die eine Sklavin mit einer Art Fächer an der anderen Seite des Beckens erzeugte. Eine zweite Frau goss ihm frisches Wasser über Kopf und Schultern und seifte ihm das Haar ein, während eine dritte zu ihm ins Becken kletterte und ihn zu waschen begann, wobei sie mit den Füßen anfing.

Die gewölbte Decke des Badehauses war mit von Goldfäden durchwirkter Seide verkleidet, was die Illusion eines Sommertages mit strahlendem Sonnenschein schuf. Fremdartige Vögel flogen umher, deren Gezwitscher die sanften Stimmen der Dienerinnen angenehm untermalte.

Er öffnete die Augen und betrachtete sie lächelnd. Wenn er es recht verstanden hatte, waren ihm die drei Frauen zur freien Verfügung zugeteilt worden, als er vor zwei Wochen im Lustpalast ankam. Seitdem hatte er die Polos jeweils nur für wenige Augenblicke zu Gesicht bekommen; offenbar wurden sie ganz von ihren eigenen drei Dienerinnen in Anspruch genommen, die ihren zeitweiligen Herren jeden Wunsch von den Augen ablasen.

Für Antonio hatte sich eine angenehme, wenn auch ereignislose Routine entwickelt. Der heutige Morgen hatte genauso wie alle anderen begonnen. Am Vormittag war er von einem der Mädchen geweckt worden – von Ailie, die ihm gerade den Kopf massierte. Sie war zu ihm unter die

Decke geschlüpft und hatte sein noch schlaffes Glied in ihren weichen, nassen Mund genommen.

Ah, das war wirklich ein angenehmes Erwachen gewesen! Beim Aufwachen festzustellen, dass eine schöne Frau eifrig damit beschäftigt war, einem den Saft aus dem Leib zu saugen, war eine köstliche Erfahrung. Anschließend hatte man ihn zu einer vor neugierigen Blicken geschützten Stelle auf dem Hof geführt und ihn mit eiskaltem Wasser abgeduscht.

Als er zum ersten Mal diese Erfahrung gemacht hatte, verschlug es ihm schier den Atem. Gleich darauf aber hatte man ihn mit einem rauen Handtuch abgetrocknet, das den Kreislauf in Schwung brachte, ihn wärmte und den letzten Rest von Schläfrigkeit aus seinen Gliedern vertrieb. Schon bald fand er Gefallen an dem belebenden Duschbad.

Zwei Frauen wurden für das Waschen gebraucht. Die dritte legte unterdessen frische Kleidung bereit. Hoftracht, wenn ein ruhiger Tag bevorstand, Jagdkleidung, wenn sportliche Betätigung auf dem Plan stand, so wie heute. Als er an die aufregende Jagd mit den hervorragend abgerichteten Falken des Khans dachte, musste er lächeln.

Beijei, die ihn gerade sorgfältig wusch, bemerkte das Lächeln und warf ihm einen Blick zu, den Antonio als kokett bezeichnet hätte, hätte er ihren Körper nicht bereits auf alle möglichen Weisen genossen.

Ihre Bewegungen wurden langsamer. Behutsam kitzelte sie ihm mit dem Waschlappen die Brust und rückte näher an ihn heran, bis sie rittlings auf ihm saß. Ihre zarten Schamlippen berührten das drahtige Haar auf seinen Schenkeln und öffneten sich freimütig. Antonio spürte, wie ihr dickflüssiger Honigtau sein Bein benetzte. Sein Schwanz regte sich.

Tali glitt vom Beckenrand ins Wasser und schwamm anmutig auf Beijei zu. Alle drei Mädchen kicherten, als sie von hinten die Arme um diese schlang, während Ailie sich geschmeidig zwischen Antonios Rücken und den Beckenrand schlängelte.

Er lehnte sich zurück und spürte ihre kleinen, weichen Brüste im Rücken, als er sich behutsam an sie lehnte. Ihr warmer Atem streifte seinen Hals. Sie neigte den Kopf und hauchte einen Kuss auf seine Schulter. Er fühlte sich schwerelos und völlig entspannt, während die drei Frauen ihn zu lieben begannen. Er brauchte nur ergeben in ihren Armen zu liegen und zu genießen. Mit einem lustvollen Seufzer schloss Antonio die Augen und überließ sich seinen Empfindungen.

Hinter den tropischen Gewächsen an der anderen Seite des Beckens ruhte Chabi auf einer Liege mit grauweißem Seidenbezug und beobachtete im Verborgenen, wie die Frauen mit dem hellhäutigen, hoch gewachsenen Venezianer tändelten.

Aus irgendeinem Grund faszinierte er sie. Die anderen Besucher interessierten sie nicht – Marco Polo und sein älterer Verwandter boten keine Überraschungen. Die beiden Männer verlangten zwar häufig nach einer Frau, waren aber Experimenten gegenüber, wie Chabi sie gern anstellte, nicht aufgeschlossen.

Von dem Mann, den sie Antonio nannten, hatte sie jedoch einen anderen Eindruck. Zum einen war er wählerisch – bei der Auswahl der Frauen, die sich um ihn kümmerten, hatte sie größte Sorgfalt walten lassen müssen. Beijei, Ailie und Tali waren bekannt für ihr angenehmes, umgängliches Wesen. Alle drei waren geborene Kurtisanen, die Chabi persönlich angeleitet hatte.

Antonio suchte nicht wahllos stürmische Erleichterung bei irgendeiner Frau – er hatte gern das Gefühl, dass er selbst die Wahl traf und die Zügel in der Hand hielt.

Was ihn für Chabi umso interessanter machte – sie hatte eine andere Vorstellung von Dominanz, und sie freute sich schon darauf zu erleben, wie er sich ihr ergab. Irgendwann würde er es tun.

Sie beugte sich vor und scheuchte ungeduldig das junge Ding weg, das ihr Kühlung zufächelte. Die drei Frauen bugsierten den flach im Wasser liegenden Europäer gerade zu der Schwimmplattform in der Mitte des Beckens. Gut – sie hielten sich akkurat an ihre Anweisungen. Mit einem zufriedenen Lächeln ließ Chabi sich wieder zurücksinken und streckte die Hand nach einem Becher frisch gepresstem und gesüßtem Limonensaft aus.

Ihre Augen weiteten sich anerkennend, als Antonio sich aufs Floß zog und sie mit kundigem Blick seinen Körper begutachten konnte. Er war hoch gewachsen und mager, drahtig und recht kräftig. Verglichen mit ihren Landsleuten war seine Haut sehr hell und bildete einen starken Kontrast zu seinem schwarzen Haar.

Chabi gefiel sein Haar – es war lang und dick und wellte sich ungebärdig auf den Schultern. Sie stellte sich vor, wie fein und seidig sich seine spärliche schwarze Körperbehaarung anfühlen würde.

Sein Schwanz aber interessierte sie am meisten. Aus dem dunklen Nest des Schamhaars aufragend, bebte er wie ein zorniger Schlagstock, und die unbeschnittene Eichel wölbte sich unter der schützenden Haut. Sein Sack war prall, zum Platzen gespannt. Eine der Frauen drückte Antonio sanft auf den Rücken nieder und senkte den Kopf.

Chabi leckte sich die Lippen, als die junge Frau den Mund über die angeschwollene Eichel stülpte. Von ihrer Position aus konnte sie genau beobachten, wie die Sklavin die Wangen einsog und sich der Hodensack als Reaktion auf den Kitzel noch mehr straffte.

Was waren die Reisenden, welche die geheime Stadt betraten, um dort Lust zu finden, doch für Narren! Im Laufe der Wochen hatte sie beobachtet, wie dieser Mann sich nach und nach immer tiefer in dem Netz verstrickte, das Chabi für ihn ausgeworfen hatte.

Schon bald würde er nicht mehr Herr seiner Sinne sein, und nichts anderes hätte mehr für ihn Bedeutung als die ständige Suche nach einem neuen Kitzel, nach der ultimativen Befriedigung der Fleischeslust. Chabi lächelte still in sich hinein. Wenn es so weit war, würde sie ihn zu sich rufen – wenn seine gewöhnlichen, alltäglichen Begierden gestillt waren und er nach abgründigeren, dunkleren Genüssen verlangte, deren Herrin Chabi war – sie selbst.

Antonio stöhnte leise, während ihm die drei erfahrenen Frauen mit dem Mund Lust bereiteten. Sein Schwanz, sein Mund und seine Brustwarzen wurden gleichzeitig erregt, während er auf dem Floß alle viere von sich streckte und die Finger ins warme Wasser hängen ließ.

Beijei hob ein wenig den Kopf, sodass sie sein Gesicht sehen konnte. Offenbar wollte sie sich vergewissern, wie er auf die Liebkosungen ansprach. Dann wandte sie ihm lächelnd den Rücken zu und setzte sich breitbeinig auf sein Gesicht.

Antonio atmete den durch und durch weiblichen Moschusduft des über seinem Gesicht schwebenden Geschlechts ein. Die dunklere Haut der inneren Schamlippen lugte reizvoll zwischen den äußeren Lippen hervor. Er ließ die Zunge hervorschnellen und kostete. Süßer, dicker Honig bedeckte sie umgehend. Er stöhnte leise, gierig nach mehr. Fügsam langte Beijei nach unten und öffnete sich für ihn.

Sie war bereits feucht, und er hatte freie Sicht auf ihre dunkle Spalte. Tief sog er ihren Duft ein, während sie sich mit quälender Langsamkeit auf sein Gesicht herabsenkte.

Als Beijeis Geschlecht sein Gesicht berührte, zuckte Antonios Schwanz in Ailies Mund. Er selbst machte seine Zunge ganz steif, formte sie zu einem kleinen Schwanz und steckte sie Beijei tief in den Leib, bis diese lustvoll aufstöhnte und mit den Hüften wackelte, um sie noch tiefer in sich aufzunehmen.

Undeutlich bekam er mit, dass Tali ihre kleinen Hände unter seine Hinterbacken geschoben hatte und ihn mit Öl massierte, wobei sie hin und wieder die Finger andeutungsweise durch die Arschfalte gleiten ließ und seine Rosette streifte. Er fand mit der Zunge Beijis Lustknubbel, leckte sie beinahe grob und empfing eine weitere Portion Liebessaft, der ihm die Kehle hinunterrann.

Tali massierte derweil mit Öl seinen engen kleinen Hintereingang. Unwillkürlich spannte Antonio die Muskeln an, um unwillkommene Eindringlinge abzuwehren, doch es gelang ihm nicht. Als Beijis Geschlecht an seinem Mund zu pulsieren begann, überwand Tali den spielerischen Widerstand, schob einen schmalen Finger durch den Schließmuskel und versenkte ihn bis zum Ansatz.

Er kam auf der Stelle und spritzte seinen Samen tief in Ailies gierigen Schlund, so lange, dass er meinte, es werde niemals aufhören. Hinter seinen geschlossenen Lidern flammten Sterne, und er bekam kaum mit, dass Beijei und Ailie ins Wasser glitten und davonschwammen.

Als er die Augen öffnete, war nur noch Tali bei ihm auf dem Floß. Sie lächelte ihn an und drehte langsam den Mittelfinger, der, wie er erschrocken und abermals erregt feststellte, noch immer tief in der geheimen Öffnung steckte.

Chabi lächelte erfreut. Dann bereitete dem Venezianer die Vorstellung von Analsex also Unbehagen? Mit dieser Hemmung ließe sich doch bestimmt wundervoll spielen!

Sie winkte einen Sklaven herbei, der am Fußende der

Liege wartete, spreizte die parfümierten Schenkel und deutete mit dem langen Fingernagel ihres Zeigefingers auf ihr angeschwollenes Geschlecht. Der Mann kniete gehorsam nieder und machte sich sogleich saugend und leckend an den zarten Lippen zu schaffen, während Chabi dem Geschehen auf dem Floß folgte.

Tali hatte Antonios instinktiven Widerstand endlich überwunden und hielt ihn allein mit der Kraft seiner verbotenen Begierde gefangen. Sie fand die geheime Stelle in seinem Hintereingang und stimulierte sie mit dem Finger, während sie mit der anderen Hand seinen Halbsteifen massierte.

Antonio stöhnte, ein lustvoller, aufschlussreicher Laut. Chabi beglückwünschte sich, dass er sich schämte, seiner Lust aber vollständig unterworfen war. Gleichzeitig umklammerte sie den Kopf des Mannes, der sie leckte, mit den Schenkeln. Unverzüglich steigerte dieser seine Liebkosungen. Hitzewellen durchströmten sie, und Schweiß perlte auf ihrer Haut.

Währenddessen brachte Tali Antonios Schwanz wieder zu voller Erektion. Mit einem erstickten, nahezu gequälten Schrei kam er erneut zu einem Höhepunkt, der allerdings schwächer als beim ersten Mal war. Er verspritzte im Bogen seinen Samen, der neben dem Floß ins Wasser klatschte.

In diesem Moment drückte auch Chabi den Fleischknubbel hervor, der zwischen ihren Schenkeln pulsierte, und umklammerte mit den Schenkeln den Kopf des gehorsamen Sklaven.

«Ah!», stöhnte sie leise; die Vorfreude auf das, was sie mit dem Europäer anstellen würde, der jetzt schwer atmend bäuchlings auf dem Floß lag, machte den Orgasmus noch köstlicher.

Als sie gekommen war, tippte Chabi dem Diener mit dem kleinen Fliegenwedel, den sie stets mit sich führte, auf die Schulter. Dieser entfernte sich umgehend. Sie richtete ihre Kleidung und beobachtete, wie Tali den Europäer wie eine Geliebte küsste und liebkoste. Obwohl er halbherzig protestierte, schloss er sie in die Arme, und nach einer Weile versteifte sich sein Schaft erneut.

Chabi hob die sorgfältig gezupften Augenbrauen. Der Mann zeigte wirklich Stehvermögen – umso besser! Als das Paar auf dem Floß sich auf herkömmliche Weise liebte, verlor sie das Interesse, trank einen Schluck Limonensaft und spielte mit dem rasierten Schamhügel der Sklavin, die still zu ihren Füßen saß.

Da die junge Frau noch trocken war, nahm Chabi eine Traube und zerdrückte sie an der zarten Haut der Schamlippen. Ihre vom klebrigen Saft befeuchteten Finger bewegten sich träge über das offene Geschlecht und brachten die Frau zum Orgasmus.

Kurz darauf gab auch Antonio ein gedehntes, bebendes Stöhnen von sich und kam zum dritten Mal binnen einer Stunde. In diesem Moment öffnete sich eine Tür, und eine zweite Gruppe stieg an einer Stelle ins Becken, die durch einen kunstvoll gestalteten Sichtschutz exotischer Pflanzen vom Bereich Antonios und Talis abgeschirmt war.

Chabi lächelte, als sie die junge Frau sah, die man ihr aus einer der Westprovinzen mitgebracht hatte. Sie positionierte sich so, dass sie bequem zuschauen konnte, und bereitete sich innerlich auf eine weitere Zerstreuung vor.

Als Cirina das Bad betrat, drang hinter dem Sichtschutz ein unverkennbares Stöhnen hervor. Das Blut schoss ihr in die Wangen. Die beiden Sklavinnen, die sie begleiteten, kicherten hinter vorgehaltener Hand und bedeuteten Cirina gestikulierend, mit ihnen ins Wasser zu steigen.

Widerstrebend streifte Cirina das prachtvolle Seidengewand ab, das man ihr gegeben hatte, und trat zögerlich ins

Wasser. Es war warm und duftete nach Jasmin. Allmählich entspannte sie sich ein wenig.

Nachdem man sie durch den Palast zu den Frauengemächern geleitet hatte, war sie angewiesen worden, sich zu entkleiden. Ein altes Weib unterzog sie einer demütigenden Untersuchung, stocherte herum und betastete sie. Der zahnlose Drachen sah ihr in die Ohren und zog an ihren Zähnen, dann suchte sie ihr langes Haar auf Läuse ab. Als sie auch in Cirinas Schamhaar nicht fündig wurde, wirkte sie beinahe enttäuscht.

Nacheinander hob sie Cirinas Brüste an und drückte sie, als prüfe sie auf dem Markt den Reifegrad von Früchten. Dann bedeutete sie ihr mit Gesten und Grunzlauten, sie solle sich auf eine mit Fell bedeckte Pritsche legen und weit die Beine spreizen. Niemand achtete auf Cirinas Protest. Die Frau steckte ihr die Finger in die Scheide und in den Po und erklärte sie anschließend wohl für tauglich, denn fortan nahmen sich die beiden taubenäugigen Schönheiten ihrer an, die einander zum Verwechseln ähnlich sahen. Seitdem hatte man sie rücksichtsvoll und höflich behandelt.

Und so tauchte sie ins warme, wohlriechende Wasser ein und überließ sich seiner seidigen Umarmung. Das Gefühl, sie werde von unsichtbaren Augen beobachtet, vermochte sie jedoch nicht abzuschütteln. Forschend blickte sie sich um. Obwohl sie nichts Verdächtiges entdeckte, hatte sie noch immer den quälenden Eindruck, beobachtet zu werden. Seufzend fand sie sich damit ab und überließ sich der Fürsorge der beiden Frauen.

Chabi nickte zufrieden, als die neue Frau sich entkleidete. Sie war wirklich hübsch – die Soldaten hatten eine gute Wahl getroffen. Sie nahm sich vor, sie zu belohnen. Sie wälzte sich auf den Bauch, nahm einen Schluck aus dem wieder aufgefüllten Becher und schaute zu.

Cirina wurde von den beiden Sklavinnen gebadet, eine ganz neue Erfahrung für sie. Zu Hause in der Karawanserei hatte sie ihren nackten Leib mit kaltem Wasser reinigen müssen; den Luxus eines Bades hatte sie bislang noch nicht kennen gelernt.

Als sie sich entspannt hatte, nahmen die beiden jungen Frauen im wohlriechenden Wasser rechts und links von ihr Aufstellung. Cirina öffnete die Augen und lächelte sie unsicher an. Die Zwillinge nickten ihr aufmunternd zu, doch Cirina misstraute dem schelmischen Funkeln in ihren Augen.

Sie spürte, wie zwei weiche, glatte, aber erstaunlich kräftige Armpaare unter sie glitten. Man drehte sie auf den Rücken, sodass ihre Fußspitzen die Wasseroberfläche durchstießen. Zu ihrer Überraschung stellte sie fest, dass sie auf dem Wasser trieb, ohne unterzugehen. Als sie sich daran gewöhnt hatte, entfernte sich eine der Frauen und holte ein großes Seidentuch, das sie ins Wasser tauchte.

Bei der ersten Berührung der nassen Seide schnappte Cirina nach Luft. Das Tuch glitt wie ein warmes Lebewesen über sie hinweg, berührte sie kaum und brachte die Haut dennoch zum Vibrieren. Der Schreck machte alsbald Wohlbehagen Platz, als die junge Frau mit rhythmischen Bewegungen ihre Flanken abrieb.

Als die Sklavin die Brüste umkreiste, versteifte Cirina sich einen Moment, denn sie merkte, dass ihre empfindlichen Brustspitzen wie beerenrote Kegel aus dem Wasser hervorlugten. Als das Seidentuch zu den Beinen hinabwanderte, machte die Verlegenheit jedoch einem Lustgefühl Platz.

Ohne so recht zu merken, was sie da tat, legte Cirina den Kopf im weichen, kräftigen Arm der jungen Frau ab, die sie in der Schwebe hielt. Der angenehme Duft ihrer Haut stieg ihr in die Nase, und sie spürte ihren stetigen

Herzschlag. Sie hätte gern den Kopf zur Seite gewandt und die glatte braune Haut geschmeckt, doch irgendetwas, vielleicht ein tief verwurzeltes Tabu, hielt sie zurück. Sie runzelte leicht die Stirn.

Zunächst merkte sie nicht, dass die Lustgefühle, die ihr die beiden Mädchen beim Baden bereiteten, sexueller Natur waren. Auf einmal aber wurde ihr peinlich bewusst, dass ihre Glieder schwer geworden waren und sich dicker Saft zwischen ihren Schenkeln sammelte.

Die Sklavin, die sie einseifte, lächelte viel sagend, als sie Cirinas Blick auffing. Ihr unverwandt in die Augen blickend, näherte sie sich mit dem voll gesogenen Seidentuch Cirinas Lustzentrum. Ihre Zwillingsschwester veränderte leicht die Haltung, sodass sie hinter Cirina zu stehen kam und diese an den Schultern stützte. Cirinas Kopf ruhte an ihren großen, weichen Brüsten. Als sie so dalag, empfand Cirina ein überwältigendes Wohlbehagen.

Sie fühlte sich schwerelos, ihre Beine trieben auf dem Wasser und glänzten von dem Duftöl, mit dem das Bad parfümiert war. Wie in Trance spreizte sie ein wenig die Beine, als die junge Frau behutsam die Innenseiten der Schenkel abrieb.

Cirina seufzte, als das weiche Tuch wie zufällig die weichen Schamlippen streifte. Sie wusste, dass die Lippen angeschwollen waren und der hübschen jungen Frau, die zwischen ihren gespreizten Beinen stand, ihr Verlangen verrieten. Die Sklavin neckte sie eine Weile, dann streifte sie quälend langsam über das entblößte Geschlecht, was Cirina ein leises Stöhnen entlockte.

Sie fühlte sich behaglich, umgeben von wohlriechendem Wasser und gewiegt von der üppigen jungen Frau, die hinter ihr stand. Über ihr flogen exotische Vögel unter der großen Kuppeldecke, und zahllose bunte Blumen verströmten ihren Schwindel erregenden Duft. Cirina konnte kaum sagen, ob sie träumte oder wachte. Sie wünschte sich nichts weiter, als Befriedigung zu erlangen.

Mit einem leichten Anheben der Hüfte tat sie dem Mädchen Verlangen kund. Die Sklavin reagierte auf die wortlose Bitte, indem sie die unbeschäftigte Hand unter Cirinas Hinterbacken schob und deren Hüfte aus dem Wasser hob. Obwohl es warm im Bad war, erschauerte Cirina, als die junge Frau ihre nasse Haut küsste.

Die Sklavin entfaltete das Seidentuch und ließ einen Zipfel über Cirinas Haut tanzen. Das kitzelnde und neckende Tuch, das sie zu schwach berührte, um sie zu befriedigen, sich aber auch nicht missachten ließ, versetzte sie in heftige Erregung.

Nach einer Weile hatte die junge Frau Erbarmen mit ihr und legte ein Ende der nassen Seide auf Cirinas sanft gerundeten Bauch. Mit einem Lächeln zog sie dann das andere Tuchende ins Wasser hinunter, zwischen Cirinas Beinen hindurch.

Die nasse Seide scheuerte angenehm an den empfindlichen Lippen, sodass ihr ein lustvoller Schauder über den Rücken lief. Die andere Frau langte mit einer Hand über ihre Schulter und liebkoste eine Brust, zwirbelte mit Zeigefinger und Daumen den Nippel und zog ihn stramm.

Währenddessen wurde die Seide mit sanftem Druck zwischen ihren Beinen hinauf- und hinuntergezogen. Cirina atmete stoßweise, während das Lustgefühl immer stärker wurde.

Die junge Frau sagte etwas zu ihr, das sie nicht verstand. Sie schüttelte verwirrt den Kopf. Plötzlich berührte diese sie durch die nasse Seide hindurch, streifte über die Schamlippen und den kleinen, empfindsamen Lustknubbel, der zwischen deren Fingerspitzen zu pulsieren begann.

«Oh!», stöhnte Cirina unwillkürlich. «O ja! Bitte, bitte …»

Sie stemmte die Hüften hoch, während die junge Frau den Druck verstärkte. Cirinia wurde vom Orgasmus überschwemmt. Sie öffnete den Mund, doch ihr Schrei wurde vom weichen Mund der anderen Frau erstickt, die sie stützte. Cirina hatte keine Zeit für Bedenken. Sie ließ sich von den Lustwellen hinwegtragen, küsste leidenschaftlich den süßen, weiblichen Mund und schloss die Schenkel um das Pulsieren in ihren Wonnelippen.

Weiche Arme umfingen ihre Hüfte und ließen sie in die Senkrechte absinken. Halb in der Schwebe stützte sie sich auf die beiden Frauen und hätte beinahe geschluchzt, so aufgewühlt war sie.

Chabi lächelte zufrieden. Ah, welch einen Spaß würde sie mit ihren neuen Sexspielzeugen haben! Antonio und das Mädchen – Kublai würde entzückt sein. Chabi ließ nämlich keine Gelegenheit aus, sich beim Kaiser einzuschmeicheln. Ihren Aufstieg verdankte sie ihrem Gespür für seine geheimsten Wünsche. Das war auch der Grund, weshalb sie die Position der Lieblingsfrau schon länger einnahm als jede andere zuvor.

Leise in sich hineinlachend stand sie auf und reckte sich. Es entsprach ihrer sprunghaften Art, dass sie plötzlich genug vom Zuschauen hatte.

Die junge Frau wurde derweil aus dem Wasser gehoben. Die Zwillinge wickelten sie in dicke, warme Tücher. Anschließend würden die beiden sie schminken und ankleiden, denn im Verlauf der Abendunterhaltung sollte sie dem Khan vorgestellt werden.

Chabi gähnte. Sie würde ein wenig ausruhen müssen, wenn sie sich am Abend von ihrer besten Seite zu zeigen suchte. Zuvor aber wollte sie noch etwas essen und sich von einem kräftigen Mann verwöhnen lassen.

Am frühen Morgen war sie auf einen reisemüden

jungen Soldaten aufmerksam geworden, den sie in ihre Gemächer hatte bringen lassen. Sie hatte Anweisung gegeben, ihm Speis und Trank zu bringen. Allerdings sollte er sich weder waschen noch die staubige Uniform ablegen.

Bei dem Gedanken an den jungen, kräftigen, verschwitzten Mann, der auf sie wartete, regte sich etwas zwischen Chabis Beinen, und sie eilte mit schnellen Schritten davon.

In der Zwischenzeit konnte Cirina sich erst einmal vom Baden ausruhen. Sie lag auf einem seidenbezogenen Lager, blickte an die schlichte Decke und dachte an die Karawanserei. Ob es dort jemanden gab, der sie vermisste? Vielleicht ihr Onkel, aber Bortai und Keta würden ihre Abwesenheit bestimmt nicht betrauern. Die beiden glaubten, alles über die Fleischeslust zu wissen – was würden sie wohl sagen, wenn sie sie hier sehen könnten?

Cirinas Gedanken wandten sich den Ereignissen im Bad zu. Sie hätte sich niemals träumen lassen, dass Frauen aneinander Gefallen finden könnten. Das eröffnete zahllose aufregende Möglichkeiten, von denen ihre Tante und ihre Cousine bestimmt nichts ahnten.

Nachdem man ihr jahrelang eingebläut hätte, sie sei ein Dummkopf, hatte Cirina auf einmal das Gefühl, sie habe ihnen etwas voraus. Bei dem Gedanken an den bevorstehenden Abend erschauerte sie vor Erwartung. Die Mädchen hatten ihr mit Gesten und Mimik erklärt, dass man sie dem Kaiser und dessen Frau vorstellen würde. Aber welches Interesse sollten so hohe Leute an einem einfachen Mädchen aus der Wüste haben?

So viele unbeantwortbare Fragen schwirrten ihr durch den Kopf, dass ihr ganz schwindelig wurde. Sie schloss die Augen und zwang sich, an nichts zu denken. Am Abend würde sie ihren Verstand brauchen, deshalb überließ sie sich jetzt dem Schlaf.

Die Sonne ging gerade hinter den Bergen unter, als die beiden jungen Frauen sie wecken kamen. Cirina meinte zunächst, sie befände sich wieder in der Karawanserei, und blickte sich verwirrt um. Die Mädchen kicherten hinter vorgehaltener Hand und bedeuteten ihr, ihnen zu folgen. Lächelnd kam Cirina der Aufforderung nach.

Sie wurde erneut gebadet, diesmal in einer metallenen Badewanne, dann musste sie sich, noch immer nackt, bäuchlings auf eine fellbedeckte Liege legen. Das Fell kitzelte sie an Brüsten und Bauch, schlich sich zwischen die fest geschlossenen Schenkel und reizte ihren schlafenden Lustbrunnen. Sie wandte den Kopf zur Seite, legte die Wange aufs weiche Fell und wartete ab, was als Nächstes passieren würde.

Die Mädchen unterhielten sich leise, doch Cirina hatte den Versuch, ihre Sprache verstehen zu wollen, längst aufgegeben. Ihre Stimmen waren hell, melodisch und wohlklingend. Ihr Geplapper strich wie ein kühler Lufthauch über Cirinas erhitzte Haut.

Kleine, weiche Hände legten sich auf ihre Waden, zwei rechts, zwei links. Berauschender, schwerer Moschusduft breitete sich aus, als das warme, dickflüssige Öl in ihre Haut einmassiert wurde.

Cirina war noch nie massiert worden – für derlei Dinge war in der Karawanserei keine Zeit gewesen. Anfangs versteifte sie sich, da sie nicht wusste, was von ihr erwartet wurde, doch als sich die Mädchen langsam an den Beinen hocharbeiteten, entspannte sie sich und genoss.

Ihr Gesicht rötete sich ein wenig, als die beiden sich an ihren Hinterbacken zu schaffen machten, sie spreizten und verstohlen die zwischen ihnen verborgene Rosette berührten. Zu ihrer Überraschung fühlte sich ihre Weiblichkeit feucht und geschwollen an, und sie verlagerte ein wenig die Haltung, sodass sich das warme Fell an der empfindsamen Stelle rieb.

Die Frauen arbeiteten zu zweit, kneteten und streichelten ihr Haut. Von den Schultern wanderten ihre Hände die Arme hinunter. Jeder Finger wurde einzeln gedehnt und bewegt, dann schoben sie ihre kühlen, geschickten Finger in Cirinas Haar und massierten Hals und Kopfhaut.

Zunächst wollte Cirina sich nicht umdrehen. Die beiden hatten sie natürlich schon nackt gesehen, aber da hatte sie die Illusion gehegt, das Wasser bedecke ihre Blöße und mildere die Peinlichkeit. Sich den Mädchen splitternackt zu präsentieren widerstrebte ihr.

Kichernd wälzten die Mädchen sie mühelos herum und betteten sie so, wie es ihnen recht war. Cirinas Haut brannte, als deren anerkennende Blicke über ihren Körper wanderten, denn sie musste daran denken, welche Empfindungen deren Hände im Bad bei ihr ausgelöst hatten.

Wieder begannen sie bei den Füßen, massierten mit dem Öl um die Zehennägel herum und zwischen den Zehen, dann arbeitete sie sich an den Beinen nach oben. Als sie beim Oberschenkel ankamen, spreizte Cirina unwillkürlich ein wenig die Beine. Wie sehnte sie sich doch nach der Berührung der geschickten, ölglatten Finger, da, ja, *da …*

Eines der Mädchen schüttelte lächelnd den Kopf. Sie unterhielten sich in ihrer fremden, singenden Sprache, und Cirina wurde klar, dass es diesmal nicht zu ihrer Aufgabe gehörte, ihr Lust zu bereiten. Sie ließ sich ihre Enttäuschung nicht anmerken, schloss die Augen und genoss die Berührungen ihrer Hände an Hüfte und Bauch. Mit langsamen, sinnlichen Bewegungen verweilten sie einen Moment lang an den Brüsten, dann wanderten ihre Hände zum Hals.

Cirina war von einer solch köstlichen Mattigkeit erfüllt, dass sie meinte, sie könne sich nicht mehr rühren. Sie stöhnte gutmütig, als sie zu einem Stuhl bugsiert wurde. Die Lehne war so gearbeitet, dass sie den Kopf in eine Schüssel mit warmem Wasser zurücklehnen konnte, auf dem Blütenblätter schwammen.

Während eine der Frauen ihr mit dem duftenden Wasser das Haar wusch, schnitt die andere die Nägel zu säuberlichen Ovalen. Anschließend lackierte sie Finger- und Zehennägel mit einer glänzenden hellroten Flüssigkeit.

Cirina ließ die langwierige Prozedur des Kämmens geduldig über sich ergehen. Währenddessen wurden mehrere Ballen allerfeinster Seide hereingebracht und vor ihr ausgerollt. Ein Stoff war scharlachrot und leuchtend, ein weiterer purpurfarben und ein dritter blassgrün. Ein cremefarbener Stoff lag neben einem knallgelben, ein Kontrast, der ihren Augen wehtat und sie zum Lächeln brachte. Nachdem sie begriffen hatte, dass sie frei wählen konnte und man ihr aus dem Stoff ein Gewand schneidern würde, entschied sie sich schließlich für ein tiefes Lila, das mit Gold- und Silberfäden durchwirkt war und im Kerzenschein funkelte.

Als ihr Haar fertig gekämmt war, wurde es geflochten und mit Goldperlen und kleinen, lieblich duftenden Veilchen geschmückt. Während Cirina geduldig darauf wartete, dass die Mädchen fertig wurden, ging ihr durch den Sinn, wie seltsam ihre Situation doch war: splitternackt im Palast des Kaisers zu sitzen und ihm zu Gefallen angekleidet zu werden. Was würde Antonio denken, wenn er sie so sehen könnte?

Der Gedanke durchfuhr sie so plötzlich, dass es schien, als habe ihn ihr ein böser Geist eingeflüstert. Cirina runzelte die Stirn und verspürte einen schmerzhaften Stich, der ihr in Erinnerung rief, wie einsam sie sich fühlte, seit

Antonio fortgeritten war: der Mann, von dem sie geglaubt hatte, sie werde ihn niemals vergessen können, der bis jetzt ihre Gedanken vollständig in Beschlag genommen hatte.

Als eines der Mädchen sanft ihre gefurchte Stirn berührte, schaute sie verwundert hoch. Die junge Frau schüttelte den Kopf, und Cirina lächelte. Offenbar sollte sie hier nur Angenehmes denken oder sich andernfalls zumindest nichts anmerken lassen. Folgsam setzte sie wieder eine heitere Miene auf, woraufhin die junge Frau zustimmend lächelte.

Endlich war die Frisur fertig, und Cirina wurde gebeten aufzustehen. Man brachte einen Pinsel aus Adlerfedern und tauchte ihn in ein Gefäß mit Goldpulver. Mit raschen, energischen, sparsamen Bewegungen wurde Cirina von Kopf bis Fuß eingepudert.

Dann wurde der Stoff gebracht, den sie ausgewählt hatte. Zu ihrem Erschrecken bekam sie keine Unterwäsche. Sie sollte sich den wunderschönen, lavendelblauen Stoff lediglich um den Leib schlingen und an einigen Stellen mit Holznadeln feststecken.

Der Stoff war durchsichtig, so leicht wie Morgennebel in der Wüste, und Cirina hielt den Atem an, als er sanft an ihrer Haut entlangglitt. Als die beiden Mädchen ihr das Gewebe über die Schultern legten und kreuzweise über die Brüste führten, stellte sich heraus, dass es ihren Körper nicht verhüllen, sondern ihn vielmehr besser zur Geltung bringen sollte. Ihre goldene Haut schimmerte durch den Stoff hindurch, und ihr wurde klar, dass sie so gut wie nackt sein würde, wenn man sie zum Khan führte.

Schließlich traten die Frauen zurück und begutachteten ihr Werk. Sie tuschelten miteinander, dann holte eine von ihnen goldene Tanzschuhe mit hohen Absätzen, die mit kunstvollen Schnitzereien verziert waren. Cirina, die bislang nur Sandalen aus geflochtenen Stricken getragen hatte, schnappte ungläubig nach Luft.

«In solchen Schuhen kann ich nicht laufen!», sagte sie.

Ohne ihren Einwand zu beachten, hoben die Mädchen erst den einen, dann den anderen Fuß an, und schon stöckelte sie auf den ungewohnt hohen Absätzen umher.

Die Frauen waren offenbar zufrieden mit dem Ergebnis ihrer Mühe, denn sie lächelten strahlend. Cirina erwiderte ihr Lächeln, froh darüber, dass sie glücklich waren. Dabei nahm ihrer Unruhe ständig zu. Die schweren Goldperlen zerrten an ihrem Haar, und ihre Wadenmuskeln protestierten schmerzhaft gegen die Belastung durch die hohen Absätze.

Eine der Frauen trat vor und küsste sie auf die Wange.

«Wun-der-schön», sagte sie, und Cirina hob erstaunt die Brauen und lächelte.

Ein Klopfen an der Tür störte den intimen Moment. Eine der Frauen eilte mit lautlosen Schritten zur Tür und öffnete sie. Cirina vernahm tiefe Männerstimmen, und die andere Frau fasste sie bei der Hand und zog sie vor.

Sie bewegte sich unsicher in den neuen Schuhen, lernte aber rasch, ihre Schritte so zu setzen, dass sie nicht stolperte. Offenbar sollten die Schuhe sie zwingen, affektierte Trippelschritte zu vollführen und unter dem durchscheinenden Gewand mit den Hüften zu wackeln.

An der Tür angelangt, erblickte sie Mongor an der Spitze einer kleinen Abordnung von Palastwachen, die sie eskortieren sollten. Ihre Augen weiteten sich vor Überraschung. Er ließ sich nicht anmerken, dass er sie kannte, sondern wartete lediglich, bis sie ihren Platz in der Mitte der Diamantformation eingenommen hatte. Als sie sich in Bewegung setzte, spürte sie, dass sein Blick den Bewegungen ihrer Hinterbacken folgte. Auf das Prickeln ihrer Haut vermochte sie sich keinen Reim zu machen.

Sie schritten durch endlose Gänge, einer prachtvoller ausgestattet als der andere. Schließlich kamen sie in einen Gang, dessen Wände mit goldener Seide ausgekleidet waren. Offenbar näherten sie sich dem großen Saal, in dem der Khan Hof hielt.

Als sie zu einer großen Tür kamen, gerieten Cirinas Schritte ins Stocken. Sie hörte Stimmen, wohlbekannte Europäerstimmen, die sich von einem anderen Gang her näherten. Als Erster tauchte Marco Polo auf, wie immer in lärmender Hochstimmung, unerschrocken und jovial. Als Cirina mit ihrer Eskorte vorbeikam, deutete er eine Verneigung an, und Cirina verdrehte den Hals nach seinen Begleitern.

Ihr Blick traf auf blassblaue Augen, in denen sich ihr eigenes Erschrecken spiegelte.

«Antonio?»

Ihre Lippen formten seinen Namen, doch ein Instinkt, der stärker war als ihre Verwirrung und Freude, veranlasste sie zu schweigen. Unter Mongors wachsamem Blick wandte sie den Kopf und ging weiter, ohne stehen zu bleiben.

5. Kapitel

Als Antonio hinter Marco den großen Saal betrat, schwirrte ihm der Kopf. Was in aller Welt machte Cirina hier? Nach und nach vergegenwärtigte er sich ihre Aufmachung und die ihr zugeteilte Eskorte. Der Magen krampfte sich ihm zusammen. Wenn eine Frau in Kublai Khans Lustpalast so herausgeputzt war, konnte das nur eines bedeuten.

Hilflos beobachtete er, wie die Höflinge der kleinen Gruppe Platz machten. Stille senkte sich auf den Raum herab, als die Soldaten zurücktraten und den Blick auf Cirina freigaben. Seine Reaktion versetzte Antonio in Erstaunen; sie sah noch schöner aus, als er sie in Erinnerung hatte. Selbst in der schlichten, groben Kleidung, die sie in der Karawanserei getragen hatte, war ihre Schönheit unverkennbar gewesen. In dem kostbaren Seidengewand und mit der goldgepuderten Haut aber wirkte sie wie eine Königin, nahezu überirdisch schön, eine heidnische Göttin.

Antonio schloss die Augen und dachte an ihr langes schwarzes Haar, das wie ein schmuckloser Vorhang glatt herabgefallen war und seine nackte Haut liebkost hatte. Die Kombination aus kostbaren Perlen und frischen Blüten war ausgesprochen raffiniert. Sie drückte Sinnlichkeit, aber auch Unschuld aus – mit dieser Aufmachung hatte man Cirinas Wesen eingefangen.

Jetzt erblickte Antonio Kublai Khan, der auf dem großen, juwelengeschmückten Thron saß, und seine Gemahlin Chabi, die wie immer neben ihm stand. Der alte

Mann hatte sich vorgebeugt, sodass der gewaltige Bauch den Schoß berührte, und bemühte sich, seine glänzenden schwarzen Knopfaugen auf das reizende Geschöpf scharf zu stellen, das sich dem Podium näherte. Als Cirina am Fuß der kleinen Treppe stehen blieb, bemerkte Antonio, dass sich an dieser Stelle zufällig das Licht von tausenden flackernden Kerzen sammelte, die den Saal erhellten. Ihm stockte der Atem, als er sah, dass sie unter dem durchscheinenden Stoff nackt war. Jede Einzelheit ihres wundervollen Körpers war deutlich zu erkennen.

Offenbar wurde das in diesem Moment auch allen anderen Betrachtern klar. Ein kollektives Aufstöhnen war zu vernehmen, dann senkte sich Stille herab. Cirina hob den Kopf und straffte die Schultern. Sein Herz flog ihr zu. Seine liebreizende Cirina. Wie ertrug sie das alles nur?

Cirina hob unerschrocken den Blick zum Khan und hielt ihre Mimik im Zaum, damit er ihren Abscheu nicht sah. Sie hatte nicht erwartet, dass er so … so alt war! Und er war groß, ein Ungetüm von Mann mit einem dicken Mehrfachkinn, der sie an das Fett der Schafschwänze denken ließ, die sie bei besonderen Anlässen zu Hause verspeisten.

Er musterte sie mit seinen in Fleischfalten verborgenen kleinen Augen, und sie erschauerte, als sein Blick ihre Haut berührte. Das also sollte ihr Herr sein und sie die Sklavin seiner Begierden?

Cirina schaute zur Seite und begegnete dem kühlen smaragdgrünen Blick der Frau an des Khans Seite. Sie war hoch gewachsen und schlank, und ihr schwarzes Haar war in kunstvollen Spiralen auf dem Kopf aufgetürmt, als wollte es der Schwerkraft spotten. Sie hatte ein hübsches, herzförmiges Gesicht, zu dem der kantige, vorspringende Kiefer nicht so recht passte.

Als die Frau sie mit Blicken durchbohrte, fühlte Cirina

sich an etwas erinnert, das sie kannte. Aber das war unmöglich – sie war sicher, dass der Blick dieser Frau noch nie auf ihr geruht hatte. Wie um Cirinas Verwirrung noch zu steigern, spielte die Andeutung eines Lächelns um ihre rot geschminkten, geschwungenen Lippen. Es war ein grausames Lächeln, das Cirina erschauern ließ.

«Dann bist du also der Juwel, der in der Wüste gefunden wurde!»

Als sie die pfeifende Stimme des Kaisers vernahm, senkte sie rasch den Blick, um ihren Abscheu zu verbergen.

«Näher – komm näher.»

Er schwenkte die fleischige Hand. Cirina stieg zögerlich die Stufen hoch. Im Bewusstsein, dass alle Blicke auf sie gerichtet waren und auch Antonio irgendwo in der Menge der Zuschauer war, schwankte sie bedenklich auf den hohen Absätzen. Als sie den Thron erreicht hatte, verharrte sie unsicher, die Hände vor dem Bauch gefaltet und mit niedergeschlagenem Blick. Sie spürte, dass der Khan und seine wunderschöne Gemahlin sie prüfend musterten.

Auf ein Zeichen des Khans hin beugte sie sich vor und schnappte nach Luft, als er eine Brust entblößte. Die Handlung war umso erschreckender, als sie völlig unerwartet kam. Mit seinen heißen Wurstfingern kniff er die weiche Brustwarze, und obwohl ihr die Berührung zuwider war, steifte sich der lüsterne Nippel verräterisch. Das Blut schoss ihr in die Wangen, und sie blickte angestrengt zu Boden, um ihre Scham zu verbergen.

Aus den Augenwinkeln sah sie, wie die Frau sich zum Khan hinüberbeugte und ihm etwas ins Ohr flüsterte. Kublai Khan lachte, ein abgehackter, bellender Laut, der rasch in ein Husten mündete. Er nickte mit dem Kopf, seine Augen tränten. Sein Mehrfachkinn wabbelte so heftig, dass Cirina schon meinte, der Kopf würde vollständig im Hals versinken.

«Gut.» Er schnippte mit den Fingern, und Mongor trat vor. «In den Alkoven mit ihr.»

Mongor berührte Cirina am Arm. Ihr wurde bewusst, dass der Khan das Interesse an ihr verloren hatte. Sie bedeckte ihre Brust wieder, folgte Mongor die Stufen hinunter und schritt mit ihm durch den Saal zu einer Wand. Voller Unbehagen sah sie, dass sich in ihrer Mitte eine Aussparung befand. Sie warf Mongor einen fragenden Blick zu, ergriff seine ausgestreckte Hand und stieg zu der Holzplattform empor, die in den Hohlraum eingelassen war.

«Was soll das bedeuten, Mongor?», flüsterte sie.

Der große Tatar drehte seinen Rücken den Höflingen zu, die sich wieder angeregt unterhielten, und legte den Zeigefinger an die Lippen.

«Du brauchst nichts weiter tun, als vollkommen still zu stehen», antwortete er leise und langte um sie herum.

Cirinas Augen weiteten sich vor Entsetzen, als sie bemerkte, dass er Lederriemen an ihren Handgelenken befestigte.

«Hab keine Angst – die Riemen sind nicht dazu gedacht, dich zu fesseln – siehst du?» Mit einer raschen Bewegung zog er die Schlaufe auf, um ihr zu zeigen, wie mühelos sie sich losmachen könnte, wenn sie es wünschte. «Die Riemen sollen dir Halt geben, wenn du müde wirst. Niemand wird dir wehtun.»

Ein wenig beruhigt von seiner Erklärung duldete Cirina, dass er ihre Knöchel auf die gleiche Weise an der Wand festband.

«Soll das heißen, es steht mir jederzeit frei, von hier wegzugehen?», fragte sie leise.

Mongor musterte sie spöttisch und legte den Kopf ein wenig schief.

«Willst du das wirklich?», fragte er.

Cirina überlegte einen Moment, was wohl passieren

würde, wenn sie aus dem Alkoven träte und unbehelligt den Raum verließe. Dann wäre sie allein in einer fremden Stadt und wüsste nicht, wie sie nach Hause zurückkehren sollte. Außerdem würde sie nie erfahren, was man mit ihr vorgehabt hatte.

Als sie an die Lustgefühle dachte, welche die beiden Mädchen ihr bereitet hatten, lächelte Cirina. Sie spürte, dass hier noch viele andere Entdeckungen ihrer harrten. Welche unbekannten Wonnen mochte sie im Lustpalast des Khans sonst noch entdecken? Wenn sie jetzt fortginge, würde sie es nie erfahren.

«Nein», flüsterte sie, und Mongor hob die Brauen.

Er trat von der Plattform herunter, verneigte sich und marschierte schneidig von dannen.

Cirina blickte sich im Saal um und fragte sich, was als Nächstes passieren würde. Einige Leute näherten sich ihr bewundernd und äußerten sich in unterschiedlichen Sprachen zu ihrem Haar und ihrer Haut, doch niemand berührte sie oder sprach sie an. Es war, als wäre sie ein Kunstwerk, das zur allgemeinen Betrachtung ausgestellt wurde, und ihre Wangen brannten angesichts der Demütigung, wie ein lebloser Gegenstand behandelt zu werden.

Als immer weniger neugierige Blicke über ihren Körper glitten und sie schließlich sich selbst überlassen war, gewöhnte Cirina sich an die Fesseln und entspannte sich ein wenig. Sie bewunderte das Spiel des Kerzenscheins auf den kostbaren Stoffen, welche die kalten Steinwände des Saales bedeckten. Die juwelengleichen Farben – Saphirblau, Smaragdgrün und Rubinrot – verliehen dem großen, quadratischen Raum den Charakter eines Boudoirs. Der Duft von Räucherwerk verstärkte die sinnliche Atmosphäre.

In einer Ecke spielte ein Harfenspieler leise Musik, die das Stimmengemurmel untermalte, das hin und wieder von schallendem Gelächter oder einem übermütigen Ausruf durchbrochen wurde. Met und Wodka flossen in Strömen, und ein Heer von Sklaven eilte umher und füllte die leeren Becher unablässig auf.

So angestrengt sie auch Ausschau hielt, Antonio war nirgends zu sehen. Als sie einander auf dem Gang begegnet waren, hatte Cirina gemeint, die Zeit stehe still. Zahllose Fragen waren ihr durch den Kopf geschossen, doch keine hatte sie ihm stellen können, da sie zur Audienz des Khans eilen musste.

Der Vorfall hatte sie jedoch nur kurz abgelenkt, denn alle Blicke hatten auf ihr geruht, und sie selbst hatte der Audienz mit gespannter Erwartung entgegengeblickt. Jetzt aber, da sie gefesselt im Alkoven stand, wandten sich ihre Gedanken abermals Antonio zu, und sie dachte über den Grund seiner Anwesenheit nach. Was mochte ihn wohl in den Lustpalast von Shang-tu geführt haben? Hatte er vorgehabt, anschließend zu ihr zurückzukehren?

Sie wünschte sich sehnlichst, dass es sich so verhalten möge, doch sie hatte den Schreck über die Wiederbegegnung in seinen blassblauen Augen gesehen und wusste tief in ihrem Innern, dass Lengke Recht gehabt hatte – Antonio hatte ihr falsche Versprechungen gemacht.

Als ihr Tränen des Selbstmitleids in die Augen stiegen, blinzelte sie heftig und bemühte sich, die düsteren Gedanken zu verscheuchen. Ihre Waden protestierten noch schmerzhafter als zuvor gegen die hohen Absätze, und von der Anstrengung, sich aufrecht zu halten, taten ihr Rücken und Nacken weh. Indem sie sich nacheinander auf jeden einzelnen Körperteil konzentrierte, entspannte sie die verkrampften Muskeln, dann lehnte sie sich an die seidenverhüllte Wand.

Nach einer Weile spürte sie, dass sie beobachtete wurde. Sie wandte den Kopf und sah, dass die Dame, die neben dem Thron des Khans gestanden hatte, zu ihr herüberkam, flankiert von zwei dunkelhäutigen Männern mit kahlrasiertem, glänzendem Schädel und kräftigen Schultern. Um den nackten Oberkörper hatten sie Goldbänder gewunden. Cirinas Augen weiteten sich, als sie den Krummsäbel am Gürtel eines der Männer bemerkte, der im Gehen rhythmisch gegen dessen muskulösen Oberschenkel klatschte und in dem sich die hellblaue Farbe seiner Kniehose spiegelte.

Die Dame in ihrer Mitte wirkte vergleichsweise winzig, hatte jedoch etwas an sich, das alle Blicke auf sie zog. Cirina bekam Herzklopfen, und der Schweiß brach ihr aus allen Poren. Die Frau machte ihr Angst, ohne dass sie den Grund hätte benennen können.

Als die kleine Gruppe den Alkoven erreicht hatte, lächelte die Frau und zeigte ihre kleinen perlweißen Zähne. Einer der Männer ließ sich auf alle viere nieder, der andere fasste die Dame bei der Hand. Cirina beobachtete voller Unbehagen, wie diese auf den breiten Rücken des knienden Mannes kletterte. Ihre schmalen Absätze bohrten sich in seine glatte schwarze Haut.

Jetzt war sie auf gleicher Höhe mit Cirina, der ein schwerer Moschusduft in die Nase stieg. Er nahm ihre Sinne in Beschlag und machte sie ganz benommen.

«Schau mal, Kleine – ich hab dir was zu trinken mitgebracht.»

Die Stimme der Frau war ziemlich hoch, klang aber melodisch. Cirina bemerkte erst jetzt die Schale in ihren Händen und beäugte misstrauisch die klare Flüssigkeit.

«Wer ... wer sei Ihr?», fragte sie ängstlich.

Die Frau lächelte, doch ihr Blick blieb undurchdringlich und kalt.

«Ich heiße Chabi. Ich glaube, wir beide werden einander noch gut kennen lernen. Trink.»

Widerwillig legte Cirina die Lippen an die Schale. Das

Getränk war sehr süß und dick wie Honig. Chabi hielt die Schale, bis Cirina sie restlos geleert hatte.

«Braves Mädchen.»

Auf einmal beugte die Frau sich vor und drückte Cirina ihre weichen, rot geschminkten Lippen auf den Mundwinkel. Vor Überraschung verhielt Cirina sich ganz ruhig, als Chabi mit der Zunge sanft über ihre Lippen fuhr und sie teilte.

Die Lippen der Frau fühlten sich angenehm an, viel angenehmer, als sie sich jemals hätte träumen lassen. Cirina schloss die Augen und legte den Kopf ein wenig in den Nacken, während Chabis Zunge immer dringlicher Zugang zu ihrem Mund verlangte.

Mit einem Seufzer der Ergebung teilte Cirina die Lippen und schrie gleich darauf leise auf, als Chabi fest in die empfindliche Innenseite ihrer Lippe biss.

Sie zuckte zusammen, schmeckte Blut und betastete die Verletzung behutsam mit der Zunge. Dann riss sie die Augen auf und begegnete dem amüsierten Blick aus Chabis kalten grünen Augen. Jetzt verstand sie, warum sie schon bei der ersten Begegnung mit der Frau Angst empfunden hatte. Chabi hatte die Macht, ihr wehzutun.

Lächelnd streifte Chabi mit ihren langen, rot lackierten Fingernägeln über Cirinas Gesicht.

«Wir werden uns bald wiedersehen, meine Kleine», gurrte sie.

Schweigend schaute Cirina zu, wie Chabi auf dem Boden abgesetzt wurde. Sie begriff nicht, was eben passiert war, hatte aber das Gefühl, dass nicht der Khan, sondern Chabi über ihr weiteres Schicksal entscheiden würde.

Antonio blickte von der anderen Seite des Saals zu Cirina hinüber und nahm einen Schluck aus seinem Becher. Er hatte mitangesehen, wie die Frau mit den Smaragdaugen sich ihr genähert hatte, und hätte gern gewusst, was sich zwischen ihnen abgespielt hatte, doch Chabis Rücken hatte ihm die Sicht verdeckt.

Im Halbdunkel des mit dunkelblauer Seide ausgekleideten Alkovens kunstvoll zur Schau gestellt, wirkte Cirina nahezu überirdisch schön. Die Schatten tanzten über das zarte Oval ihres Gesichts und flackerten auf ihrer Haut.

Er fühlte sich an die Madonnenstatue der Pauluskirche in Venedig erinnert; ihr heiterer Gesichtsausdruck versetzte ihn in geradezu ehrfürchtiges Staunen. Angesichts des blasphemischen Gedankens schüttelte er den Kopf, dann leerte er den Becher und ließ sich ein weiteres Getränk bringen.

Ah, das Wiedersehen mit ihr hatte ihn wirklich mitgenommen! Als der Khan ihr an die Brust fasste, hatte er unwillkürlich zum Dolch greifen wollen. Marco aber hatte ihm einen warnenden Blick zugeworfen, und so hatte er sich beherrscht.

«Sei kein Narr!», hatte sein Freund eindringlich geflüstert, und Antonio hatte den Blick abgewandt, um die tief in seinem Inneren lodernde, ohnmächtige Wut zu verbergen.

Sogar jetzt noch warf Marco ihm über den Kopf seiner Gesprächspartnerin hinweg hin und wieder einen besorgten Blick zu. Antonio schalt sich einen Dummkopf. Wie leichtsinnig er doch gewesen war. Wäre Marco nicht gewesen, hätte er sich hinreißen lassen und sich und Cirina in Lebensgefahr gebracht.

Als sein Blick zu ihr zurückwanderte, bemerkte er mit jähem Erschrecken, dass sie in seine Richtung sah. Sollte sie ihn wirklich in dem Menschengewühl ausfindig gemacht haben? Wunderte sie sich vielleicht, warum er hier war?

Natürlich wundert sie sich!, dachte er gereizt. Dass sie sich ausgerechnet hier wieder begegnen würden, hätten sie sich beide nicht träumen lassen.

Bislang hatte er sich aus Vorsicht zurückgehalten – es könnte sowohl für ihn wie für Cirina gefährlich werden, wenn sich herausstellte, dass sie einander kannten. Besser war es, aus dem Verborgenen zu beobachten, abzuwarten und darauf zu hoffen, dass sich irgendwann eine Gelegenheit bieten würde, mit ihr zu sprechen.

Er musste unbedingt mit ihr reden, ihr ein paar beruhigende Worte sagen. Er trat einen Schritt auf sie zu, hielt aber unvermittelt inne, als ein großer Gong ertönte.

Er drehte sich zum Thron des Khans um. Gestützt von zwei Helfern erhob sich der alte Mann gerade mühsam. Antonio wollte schon angewidert die Lippen verziehen, beherrschte sich aber. Der früher einmal so große Mann hatte sich in einen wabbelnden Fettkloß verwandelt.

Der Khan hob die Hände, die Gespräche verstummten. Antonio konnte sich nur schwer vorstellen, dass diese fetten kleinen Hände einmal in Blut gebadet hatten und überall gefürchtet worden waren.

«Die Abendunterhaltung ist eröffnet!»

Als die Gäste einen Kreis in der Mitte des Raums bildeten, gab Antonio die Hoffnung auf, sich Cirina unbemerkt nähern zu können. Schäumend vor ohnmächtiger Wut beobachtete er, wie von einem halben Dutzend Soldaten ein Holzpodest in die Mitte des Raums getragen wurde. Vier chinesische Dienerinnen eilten herbei und breiteten Felle über die provisorische Bühne. Anschließend zogen sie sich kichernd zurück.

Erwartungsvolle Stille trat ein. Unauffällige Bedienstete löschten die Kerzen in den eisernen Wandleuchtern und ließen nur jene in der Nähe von Cirinas Alkoven brennen. Trotz des großen Abstands spürte Antonio ihre Unruhe. Während er sich fragte, wie es wohl weitergehen mochte, vergegenwärtigte er sich ihren angespannten Körper.

Vier Fackeln wurden entzündet und an den Ecken des

fellbedeckten Podests befestigt, was alle Blicke in die Mitte lenkte. Ein Trommelwirbel kündigte den Beginn der ‹Abendunterhaltung› an. Antonios Augen weiteten sich, als ein an den Händen gefesselter junger Mann an einer Leine in den Saal geführt wurde, die an einem ledernen Halsband befestigt war.

Zunächst verspürte er Erleichterung – er hatte schon befürchtet, Cirina werde an diesem barbarischen Ritual teilnehmen müssen. Bald schon verfolgte er das Geschehen mit widerwilliger Faszination.

Der Gefangene war weit größer als die Zuschauer, die zumeist mongolischer oder chinesischer Abstammung waren. Sein Haar und seine Haut allerdings waren dunkel und seine Gesichtszüge asiatisch wie die der anderen. Antonio vermutete, dass er aus einem der Länder nördlich des Gebirges stammte, und fragte sich, wie er wohl hierher gelangt war.

Den wohlgeformten Kopf reckte der Mann stolz empor, womit er sein notgedrungen unterwürfiges Erscheinungsbild Lügen strafte. Die zudringlichen Blicke schien er nicht zu bemerken. Als er sich dem Podest näherte, hatte er den Blick starr auf einen vor ihm liegenden Punkt gerichtet. Seinem Gesichtsausdruck nach zu schließen, war er mit sich im Reinen.

Als der Mann hinter seinem Anleiter die Stufen zum Podest hochstieg, sah Antonio, dass er nackt war. Seine Haut glänzte bronzefarben im Fackelschein; offenbar hatte man ihn speziell für diesen Anlass mit Öl eingerieben. Unwillkürlich suchte Antonio sich einen besseren Standort, der ihm freie Sicht auf den Gefangenen bot.

Der junge Mann sah gut aus. Das schimmernde schwarze Haar floss ihm über die breiten Schultern und auf die glänzende Brust. Die Körperhaare hatte man ihm offenbar ausgezupft, was ihm trotz seiner unübersehbaren

Kraft eine ausgesprochen reizvoll wirkende Verletzlichkeit verlieh.

Antonios Blick wanderte nach unten. Als er den an der Hüfte befestigten Penishalter sah, weiteten sich seine Augen, und er verspürte unwillkürlich einen Anflug von Erregung. Der Halter war aus schmalen schwarzen Lederstreifen gefertigt, die im Zick-zack das pralle weiße Glied umhüllten und es an den straffen Bauch pressten, ein reines Symbol männlicher Potenz, dem die Erfüllung vorenthalten war.

Der junge Bursche sank erst auf die Knie nieder, dann warf er sich vor dem Khan demütig zu Boden. Antonio wurde auf einmal auf den Mann aufmerksam, der hoch aufgerichtet neben dem Knienden stand.

Der Mann war bis auf die dunkle lederne Kniehose nackt, sein Gesicht verbarg eine schwarze Ledermaske. Antonio erschauerte, als er die Sehschlitze bemerkte. Von den funkelnden Augen ging eine Drohung aus.

Noch bedrohlicher wirkte der Gürtel, der seine Hüfte umschloss. Daran baumelten verschiedene Instrumente, die Antonio bislang allenfalls in einem Stall gesehen hatte. Unter anderem machte er eine Reitpeitsche aus, doch den Verwendungszweck der anderen Gegenstände konnte er nur erahnen. An einem Instrument mit dickem Griff war ein halbes Dutzend dünner Stricke befestigt, jeder mit einem gefährlich wirkenden Knoten am Ende.

Antonio nahm zunächst an, es handele sich um eine öffentliche Züchtigung, doch als der Mann wieder in den Kniestand kam, wurde er sich seines Irrtums bewusst, was ihm einen Schauder über den Rücken jagte. Der Gesichtsausdruck des Mannes war nicht der eines Verurteilten, der wegen eines schrecklichen Vergehens ausgepeitscht werden sollte. Stattdessen blickte er erwartungsvoll zu dem Maskierten auf.

Antonio verspürte eine unangenehme Enge in der Brust. Die Spannung im Saal nahm zu. Zu seiner Beschämung bemerkte er, dass sein Schwanz angesichts der Hilflosigkeit des Gefangenen steif wurde. Oder war das eine Reaktion auf die dominante Pose des maskierten Peitschenträgers?

Sogleich stellte sich ungebeten die Phantasie ein, *er selbst* knie dort auf dem Podest und warte auf die öffentliche Auspeitschung, und es sei *sein* nackter Hintern, den er schamlos reckte, *seine* Erektion, die von dem engen Lederbeutel eingezwängt werde. Bei den Heiligen, er war ja von allen guten Geistern verlassen, dass er sich von einem solchen Anblick erregen ließ!

Er wollte sich abwenden und aus dem Saal flüchten, bevor die Unterhaltung begann, doch sein Blick ruhte wie gebannt auf dem Schauspiel, das sich vor seinen Augen entfaltete. Der Peitschenträger hatte den Knienden inzwischen mehrmals umrundet. Jetzt wählte er aus dem Gürtelarsenal einen schmalen, biegsamen Stock aus.

Die Zuschauer hielten den Atem an, als der Maskierte den Arm hob. Der Kniende spannte sich am ganzen Körper an. Jeder einzelne Muskel wartete darauf, dass sich der Stock herabsenkte. Auch Antonio wartete in atemloser Spannung. Im Saal war es so still, dass das Schwirren des Stocks im ganzen Raum hörbar war. Als er auf die Hinterbacken klatschte, war ein kollektives Atemholen zu vernehmen.

Der Mann riss den Kopf hoch. Sein Gesicht war verzerrt von der Anstrengung, nicht zu schreien. Doch plötzlich lächelte er. Zwischen dem Knienden und seinem Peiniger fand ein wortloser Austausch statt. Ein Schauer lief Antonio über den Rücken.

Der Maskierte holte erneut aus. Schwirrend teilte der Stock die Luft und klatschte auf die sich bereits rötenden

Hinterbacken. Ein leises, anerkennendes Gemurmel lief durch die hingerissen zuschauende Menge, als der dritte Hieb folgte.

Antonio vermochte den Blick nicht abzuwenden. Einerseits fühlte er sich von dem Schauspiel abgestoßen, andererseits erregte es ihn mächtig. Er wusste natürlich, dass manche Männer nicht nur auf Frauen, sondern auch auf Männer ansprachen, hatte sich selbst aber nie dazugezählt. Den schweren Steifen in seiner Hose aber konnte er nicht leugnen.

Offenbar war die Züchtigung mit dem Stock beendet, denn der Maskierte schöpfte unter großem Aufhebens eine Hand voll einer puddingähnlichen Substanz aus einer Steinschüssel, die eine der Sklavinnen ihm hinhielt. Das dicke Gleitmittel verteilte er auf dem feuerroten Arsch des Knienden, massierte es in die Haut ein und spreizte dann die Backen.

Bei allem, was heilig war, er wollte den Mann doch nicht etwa nehmen wie eine Frau? Schwitzend beobachtete Antonio, wie der Peitschenmann das Gleitmittel tief in die im Dunkeln liegende Rosette des Knienden hineindrückte. Er brachte ihn mit auseinander gestellten Knien und gerecktem Arsch in Position, dann richtete er sich auf und streifte die lederne Kniehose ab. Beim Anblick des aufgerichteten Glieds ging ein Aufstöhnen durch die Reihen der Zuschauer. Es war riesig und stieß gegen den behaarten Bauch, als der Mann hin- und herging und sein Werkzeug stolz präsentierte.

Dann trat er vor den Knienden hin und stupste mit dem mächtigen Glied gegen dessen Wange. Der Mann öffnete daraufhin weit den Mund und nahm es auf. Bei der Vorstellung, einen steifen Schwanz in den Mund zu nehmen und daran zu saugen, beschleunigte sich Antonios Atem.

Nach einer Weile zog der Peitschenmann sein Glied wieder aus dem Mund heraus und trat hinter den Knienden. Er sagte etwas in barschem Ton, woraufhin der Kniende nach hinten langte und die Arschbacken mit beiden Händen spreizte.

Antonio konnte nun die dunklere Haut der Arschspalte und die faltige, weit gedehnte Rosette sehen, die vom Gleitmittel glänzte. Was für ein Gefühl mochte es sein, darauf zu warten, dass jemand auf solch widernatürliche Weise in einen eindrang? Antonio bemühte sich, ein Gefühl von Abscheu oder Widerwillen heraufzubeschwören, empfand aber nichts als Neid in seinem Herzen. Gott steh ihm bei, er wünschte sich nichts sehnlicher, als die Stelle des Knienden einzunehmen!

Gebannt beobachtete er, wie die dicke Eichel gegen die Öffnung stieß, was ein mitfühlendes Brennen in seinem eigenen Schließmuskel auslöste. Der Kniende stöhnte auf, als sein Herr und Meister den Schwanz in ihn hineinsteckte. Die Zuschauer ließen ein anerkennendes Gemurmel vernehmen.

Als er seinen Schwanz untergebracht hatte, beugte sich der Maskierte vor und befreite das Glied des Knienden von dem unbequemen Behältnis. Lang, schlank und sehr hart sprang es heraus und erbebte leicht, als der Peitschenmann mit den Hüften zu stoßen begann.

Antonio steckte unauffällig die Hand in die Hose, um seinen schmerzhaft eingezwängten Ständer zurechtzurücken. Wie befreiend es doch sein müsste, ihn frei hängen zu lassen, während ein anderer Mann sich seines Hintereingangs bediente!

In diesem Moment schrie der Kniende auf, eine Mischung aus Lust und Schmerz. Sein Samen spritzte aufs fellbedeckte Podest. Vor Antonios ungläubigen Augen ergoss sich Schwall um Schwall, und auch er selbst stand dicht vor dem Erguss. Auf einmal sträubten sich ihm die

Nackenhaare. Ihm war bewusst geworden, dass jemand nicht die ‹Abendunterhaltung› beobachtete, sondern ihn.

Zunächst meinte er, es müsse Cirina sein, und blickte schuldbewusst in ihre Richtung, denn in den vergangenen Minuten hatte er sie vollkommen vergessen. Dann aber stellte er fest, dass nicht Cirinas Augen ihn wie Eiszapfen durchbohrten.

Langsam wandte er den Kopf. Das war ein Fehler, denn auf einmal blickte er in Chabis smaragdgrüne Augen. Sie lächelte ihm viel sagend zu. Er hatte das Gefühl, sie kenne jeden einzelnen beschämenden Gedanken, der ihm durch den Kopf gegangen war.

Antonio bemühte sich, nach außen hin gelassen zu wirken, und neigte grüßend den Kopf. Chabi sah ihn weiterhin unverwandt an, als wollte sie ihm mitteilen, dass sie seine Gedanken lesen könne. Antonio erschauerte. Ohne den genauen Grund zu kennen, wusste er, dass es gefährlich wäre, dieser Frau seine geheimsten Begierden zu enthüllen.

Zu spät!, schalt er sich aus, ohne den Blick abwenden zu können. Obwohl es nicht sein konnte, fühlte er sich, als habe diese Frau bereits jetzt schon Macht über ihn. Er nahm sich vor, in Zukunft mit doppelter Wachsamkeit darauf zu achten, dass ihm seine Gefühle nicht entglitten.

Endlich brach Chabi den Augenkontakt ab. Antonio atmete unwillkürlich auf; erst jetzt wurde ihm bewusst, dass er den Atem angehalten hatte. Fortan ließ er den Blick umherschweifen, nur nicht zu dem Podest, auf dem die ‹Abendunterhaltung› ihren Fortgang nahm, und zu Chabis durchdringenden Augen.

Als sein Blick auf den juwelengeschmückten Thron fiel, verflüchtigten sich die widerstreitenden Emotionen der letzten halben Stunde. Denn mitten auf der Rückenlehne des Throns prangte der byzantinische Rubin.

6. Kapitel

Am nächsten Morgen erwachte Cirina vom Vogelgezwitscher. Sie reckte und streckte sich, schlang sich das Seidenlaken um den nackten Leib und trat ans offene Fenster. Zwei kleine, leuchtend blaue Vögel, wie sie sie noch nie gesehen hatte, hüpften im Baum vor dem Fenster von Zweig zu Zweig. Die hellgelben Schnäbel hatten sie weit aufgesperrt und trillerten, dass es eine Freude war.

Cirina lächelte; der Vogelgesang ging ihr zu Herzen. Als man sie am Abend zuvor nach stundenlanger Zurschaustellung aus dem Alkoven befreite, hatte sie sich erschöpft und niedergeschlagen gefühlt. Es war quälend für sie gewesen, die rituelle sexuelle Demütigung des Mannes mit ansehen zu müssen, obwohl von dieser für sie neuen Spielart der Lust auch ein gewisser Reiz ausgegangen war. Der Mann hatte die Misshandlung durch den überaus gut ausgestatteten Peitschenmann anscheinend genossen.

Verwundert hatte Cirina beobachtet, wie der Kniende nach jedem Stockhieb den Kopf hob und seinen Foltermeister anlächelte. Irgendwann hatte sie den unerklärlichen Wunsch verspürt, zu ihm hinzulaufen, ihm das Gesicht zu küssen und seine Tränen mit der Zunge aufzufangen …

Sie hätte gern gewusst, was Antonio davon gehalten hatte, falls er überhaupt im großen Saal anwesend gewesen war. Als sie an ihn dachte, umwölkte sich Cirinas Miene. Er hatte nicht versucht, mit ihr zu sprechen, und hatte sich nach der Zufallsbegegnung nicht bei ihr blicken lassen. Sie fürchtete, den Grund für seine Zurückhaltung zu kennen.

Sie beugte sich über die Balkonbrüstung, atmete die kühle, liebliche Luft tief ein und behielt sie einen Moment in der Lunge, bevor sie wieder ausatmete. Wie verschieden von den Exzessen des Vorabends war doch die einfache Freude, den Kuss der Morgensonne im Gesicht zu spüren und ihre düsteren Gedanken vom lieblichen Vogelgesang aufhellen zu lassen!

«Cirina!»

Als die Morgenbrise ihren geflüsterten Namen herantrug, riss sie erstaunt die Augen auf. Sie musterte den schattigen Boden unter dem Baum, machte eine Bewegung aus, dann zeigte sich auf einmal Antonio. Ihr Herz jubilierte. Es war, als hätten ihn ihre Gedanken hergeführt, stand er doch dort in voller Lebensgröße, hinreißend anzusehen in dem schneeweißen Hemd und der dunkelroten Seidenhose. So wie eh und je.

«Antonio?»

«Cirina – wie geht es dir, *cara*?»

«Gut – ja, mir geht's gut. Was machst du hier?»

«Ich bin mit Marco zusammen hier. Und du? Wie bist du von der Karawanserei deines Onkels hierher gekommen?»

Cirina schlug kurz die Augen nieder, dann sah sie ihn trotzig an.

«Ich wurde für den Schönheitswettbewerb des Khans auserwählt. Das ist eine große Ehre», sagte sie abwehrend. «Meine Teilnahme wird segensreiche Folgen für meine Familie haben.»

«Bestimmt, *cara*», sagte Antonio sanft.

»Aber davon mal abgesehen", fuhr Cirina schelmisch fort, »ist es nicht ein glücklicher Zufall, dass wir beide hier sind? Wir haben einander wieder gefunden. Bist du nicht froh darüber?»

Der Abstand war so groß, dass sie sein Gesicht nicht

deutlich erkennen konnte, doch sie hatte den Eindruck, Antonio schaue eher betreten drein.

«Natürlich freue ich mich, *mi amore*. Aber es könnte gefährlich werden, wenn wir uns öffentlich treffen. Wie können wir uns sehen?»

Cirina überlegte. Über die Treppe vor ihrem Zimmer näherten sich Schritte, und in wenigen Augenblicken würden die beiden Sklavinnen eintreten. Ihr Instinkt sagte ihr, dass ein Stelldichein mit einem europäischen Gast vom Khan unfreundlich aufgenommen werden würde. Der Magen krampfte sich ihr zusammen.

«Heute Abend – nachdem ich zu Bett gegangen bin. Wenn die Luft rein ist, binde ich mein rotes Halstuch an einen Zweig.» Als der Knauf gedreht wurde, knarrte die Tür an der anderen Seite des Raums. «Ich muss wieder ins Zimmer!»

«Bis heute Abend!»

Antonios eindringlicher Abschied tönte Cirina noch in den Ohren, als sie sich den eintretenden Zwillingen zuwandte.

Antonio unternahm einen Spaziergang auf dem Palastgelände. Mit den Gedanken war er bei Cirina und dem Rubin, die ihm gleichermaßen Kopfzerbrechen bereiteten.

Es konnte doch nur das Schicksal gewesen sein, das ihn hierher nach Xanadu geführt hatte? Als er bereits aufgeben wollte, hatte er den Rubin gefunden. Und er war mit der jungen Frau wieder vereint worden, die von dem Moment ihrer Begegnung an seine Gedanken in Beschlag genommen hatte.

Es war beinahe so, als wäre ihm ein Zeichen zuteil geworden – ein Zeichen, das ihm bedeutete, sein übereiltes Versprechen einzuhalten. Es konnte doch kein Zufall sein, dass sie beide zur gleichen Zeit in den Lustpalast gekommen waren?

Cirina befand sich einstweilen in Sicherheit, und er konnte sich auf den Moment freuen, da er Gelegenheit hätte, sich mit ihr auszusprechen. Der byzantinische Rubin stellte das größere Problem dar.

Dass der Edelstein sich ausgerechnet am Thron des Kaisers befinden musste! Schlimmer hätte es nicht kommen können. Der Anblick des gesuchten Rubins hatte seine bereits nachlassende Leidenschaft neu auflodern lassen, doch er hatte derzeit keine Ahnung, wie er ihn in seinen Besitz bringen sollte. Er würde darüber nachdenken und ein Auge auf die Palastwache und das Kommen und Gehen im großen Saal haben müssen. Vielleicht würde sich dann ein Plan herauskristallisieren.

Er blieb an einem Springbrunnen stehen, tauchte die Finger ins kühle, klare Wasser und benetzte sein Gesicht. Ah, tat das gut! Die Hitze setzte ihm zu und zehrte an seinen Kräften. Oder war das eher auf die Zuwendungen seiner Dienerinnen zurückzuführen? Mit einem gequälten Lächeln vergegenwärtigte Antonio sich ihre geschäftigen Hände und Münder. Die drei Mädchen erfüllten ihre selbst auferlegten Pflichten mit einem solchen Eifer, dass es beinahe eine Erleichterung bedeutet hatte, ihnen heute Morgen zu entwischen!

Schuldbewusst dachte er an Cirina. Was würde sie wohl von seinen Dienerinnen halten? Dann zuckte er mit den Schultern. Als Romantiker hatte er geglaubt, Cirina werde ihm treu sein und ihrerseits Treue von ihm erwarten, weil sie ihm ihre Jungfernschaft geopfert hatte. Doch war er weit genug herumgekommen, um zu wissen, dass es große kulturelle Unterschiede zwischen ihnen gab. In diesem Land wurde die Keuschheit der Frau geringer geschätzt als in Venedig, und für die Treue des Mannes galt das Gleiche. Unvermittelt wurde er von Heimweh überwältigt.

Am Springbrunnen war es kühl, denn er wurde von den ausladenden Ästen eines blühenden Baums beschattet, dessen Namen Antonio nicht kannte. Er blickte sich um und bemerkte, dass er allein war. So entkleidete er sich bis zur Hüfte und benetzte seinen verschwitzten Oberkörper mit kühlem Wasser.

Kaum hatten die silbrigen Tropfen die Haut berührt, verdunsteten sie auch schon wieder. Er beugte sich über die steinerne Brüstung, steckte seinen Kopf in das klare Wasser und wendete ihn hin und her, damit das Haar seinen Schädel wie ein seidenes Tuch umfloss. Schließlich richtete er sich wieder auf und schüttelte sich das Haar aus den Augen. Wassertropfen stoben umher und fielen ins Becken.

Als sich die Wasseroberfläche wieder geglättet hatte, bemerkte Antonio neben seinem Antlitz ein zweites Spiegelbild im Becken. Ein kleines Gesicht mit schwarzem Haar und belustigten, katzenhaften Augen. Langsam drehte er sich um und setzte eine höfliche, fragende Miene auf.

«Hoheit?»

Sie neigte leicht den Kopf und blickte zu ihm auf. Ihre Wimpern waren dick und so schwarz wie Holzkohle.

«Mein Herr. Signor Ballerei, nicht wahr?»

«Zu Euren Diensten.»

Antonio verneigte sich tief. Er war sich seines halb nackten Zustands peinlich bewusst. In Gegenwart einer Dame, zumal einer solch hoch stehenden Dame, war das höchst unschicklich. In Anbetracht der Art und Weise, wie sie ihn am Vorabend angesehen hatte, fühlte er sich besonders unbehaglich. Er versuchte aber, sich nichts anmerken zu lassen.

Wie Antonio zuvor legte nun Chabi ihre kleinen Hände

auf den kühlen, rauen Stein des Beckenrands und blickte zum Blumengarten hinüber.

«Ein wunderschöner Garten, meint Ihr nicht auch?», sagte sie. Ihr wehmütiger Unterton weckte Antonios Interesse.

«Wunderschön, Hoheit», pflichtete er ihr bei. Sein Blick ruhte auf den angenehmen Konturen ihrer glatten, goldgetönten Haut.

Chabi drehte sich um und sah ihn an.

«Gefällt es Euch hier in unserem Lustpalast?»

«Ja, Hoheit, ich bin dem Khan für seine Gastfreundschaft sehr dankbar.»

Chabi nahm die Höflichkeitsfloskel mit einem Kopfnicken zur Kenntnis. Doch Antonio meinte, einen Anflug von Mutwillen in ihren smaragdgrünen Augen zu entdecken.

«Ihr Europäer habt doch einen eigenen Namen für diesen Ort, nicht wahr?»

«Das stimmt, Hoheit. Wir nennen diesen Ort *Xanadu.*»

Chabi nickte nachdenklich, ohne ihn aus den Augen zu lassen.

«Xa-na-du», wiederholte sie; offenbar bereitete ihr die Aussprache Mühe. «Was bedeutet das?»

Antonio reagierte überrascht.

«Ich ... Es bedeutet nichts Spezielles, Hoheit. Ich glaube, das Wort beschwört die Vorstellung des Paradieses herauf.»

Chabi lächelte, erfreut über die Antwort.

«Das Paradies – ach, Signor, wie Recht Ihr habt! Bei uns gibt es viele Juwelen, die Euch verlocken, nicht wahr?»

Antonios Augen weiteten sich, doch er bemühte sich, seinen Schrecken zu verbergen. Woher wusste sie von dem Rubin?

«Unsere Mädchen treffen nicht Euren Geschmack?», neckte sie ihn sanft. Erst jetzt wurde ihm bewusst, dass sie sich auf seine Dienerinnen bezogen hatte.

«Ganz im Gegenteil, Hoheit, ich kann mich nicht beklagen.»

Aufgrund seiner Erleichterung war er unvorsichtig geworden. Chabi lächelte. Ihre ungewöhnlichen Augen leuchteten auf einmal wie Katzenaugen bei Dunkelheit, und Antonio verkniff sich nur mit Mühe einen Ausruf des Erstaunens. Er war hingerissen von ihr, sein Misstrauen hatte sich in diesem Moment verflüchtigt.

«Ich bin froh, dass es Euch hier gefällt, Signor. Ihr müsst mich irgendwann aufsuchen und mir von Eurer Heimat berichten. Ihr kommt aus Venedig, nicht wahr?»

«Das stimmt, Hoheit. Es wäre mir eine Ehre, Euch davon zu erzählen.»

Antonio vollführte eine weitere tiefe Verneigung, während er im Geiste bereits die Folgerungen bedachte, die sich aus einer solchen Begegnung ergeben mochten. Vielleicht konnte er unter einem Vorwand Marco mitnehmen. Wenn ihm sein Leben lieb war, musste er unter allen Umständen vermeiden, sich unter vier Augen mit der Lieblingsfrau des Kaisers zu treffen!

Als er sich aufrichtete, trafen sich ihre Blicke. Auch diesmal hatte er das beunruhigende Gefühl, sie könne seine Gedanken lesen. Ihr Lächeln hatte so etwas *Wissendes* an sich.

Als sie sich ihm nun weiter näherte, stockte Antonio der Atem. Ihm unverwandt in die Augen blickend, trat sie dichter an ihn heran und blieb erst stehen, als ihre Fußspitzen aneinander stießen. Antonio rührte sich nicht und wagte aus Angst, seine Brust könnte die ihre berühren, nicht einmal zu atmen. Er spürte die Wärme ihrer Haut durch das hauchdünne Gewand hindurch, und die Härchen auf seiner Brust und seinen Unterarmen richteten sich bebend auf, als suchten sie Kontakt.

Ihr Parfüm stieg ihm in die Nase. Ein schwerer, süßer Moschusduft, der ihn ganz benommen machte. Aus dieser Nähe sah er jede Einzelheit ihrer makellosen Haut, die Riffelung der Lippen und die kleinen Altersfältchen um ihre Augen.

Er versteifte sich am ganzen Körper, denn er witterte Gefahr, vermochte aber weder zu sprechen noch sich zu bewegen. Stumm sah er mit an, wie sie eine Hand hob und ihn an der Wange berührte. Mit der Spitze ihres scharfen Fingernagels fuhr sie ihm behutsam vom Augenwinkel bis zum Kinn.

«Was für ein schönes Gesicht, mein stattlicher Venezianer. So edel, so *stolz*!» Sie lachte, ein heller, perlender Laut, von dem sich ihm die Nackenhaare sträubten. «Ihr gefallt mir, Antonio! Ihr gefallt mir sogar sehr.»

Sie drückte ihm mit der Spitze des Zeigefingers auf die leicht geteilten Lippen. Antonio erschauerte, teils aus Lust, teils aus Angst. Chabi war offenbar zufrieden mit seiner Reaktion, denn sie lächelte erneut und legte ihm die flache Hand auf die nackte Brust, genau auf die Stelle, unter der sein Herz rasend schnell schlug.

«Ah, ich glaube, Ihr seid ein Mann voller Leidenschaft», flüsterte sie kehlig, «ein Mann, der die fleischlichen Genüssen zu schätzen weiß, nicht wahr?»

«Hoheit, ich –»

«Schweigt!» Sie unterband seinen Versuch, Würde zu bewahren, indem sie ihm die Hand auf den Mund legte. Er schmeckte seinen eigenen Schweiß auf ihrer Haut, der sich mit dem einzigartigen Parfüm mischte. Er schluckte schwer.

«Hier gelten nur die Umgangsregeln, die Kublai Khan persönlich festgelegt hat. Wenn wir hungrig sind, essen

wir, wenn wir durstig sind, trinken wir. Wenn wir jemanden sehen, den wir gern näher kennen lernen würden ...»
Sie nahm ihre Hand fort und drückte ihm stattdessen die Lippen auf den Mund.

Antonio blickte entsetzt in ihre hellgrünen Augen, gebannt von der Leidenschaft, mit der sie seine zusammengebissenen Zähne mit der Zunge betastete, von ihm kostete und ihn neckte, bis er sich mit einem Stöhnen aus der Tiefe seines Körpers ergab. Sie leckte am Gaumen entlang und umkreiste seine Zunge, dann zog sie sich zurück. Als sie sich von ihm löste, legte sie den Kopf mit halb geschlossenen Augen in den Nacken, als widerstrebe es ihr, den Kuss vorzeitig abzubrechen.

Er wusste nicht, was er tun sollte. Zum ersten Mal in seinem Leben fühlte er sich vollkommen hilflos. Es gefiel ihm nicht, dass er so leicht den Reizen einer Frau verfiel. Wenn es um sein Liebesleben ging, behielt er gern die Zügel in der Hand. Dass diese seltsame Frau mit einem einzigen Kuss die Kontrolle zu übernehmen vermochte, verstörte ihn.

«In meiner Heimat», sagte er steif, «hält man gewisse Anstandsformen ein, bevor man seinen Gefühlen freien Lauf lässt.»

In ihrem wunderschönen Gesicht blitzten Erstaunen und Missfallen auf, dann warf Chabi zu seiner Überraschung den Kopf in den Nacken und lachte. Der Klang ihres Gelächters gefiel ihm nicht. Er hatte das Gefühl, sie mache sich über ihn lustig. Er wollte sie zurechtweisen, doch da raffte sie bereits ihre durchscheinenden Röcke und eilte davon, untermalt vom sinnlichen Rascheln der Seide. Nur der Duft des Parfüms hing noch in der Luft.

Cirina war allein in dem Zimmer, in das die Zwillinge sie gebracht hatten. Sie hatte das unbehagliche Gefühl, auf etwas – oder jemanden – zu warten, und schritt unruhig auf und ab.

Die beiden Sklavinnen hatten sie gebadet und wieder mit dem durchscheinenden Stoff eingekleidet, der ihren Körper zwar bedeckte, aber nicht verhüllte. Diesmal war die Seide, die sich um ihre Brüste wand und von den Hüften in weichen Falten bis zu den Knöcheln fiel, rosafarben und mit silberner Borte verziert. Die Obertaille war unbedeckt, und man hatte ihr den Nabel mit einem glitzernden Pulver aufgefüllt, das sich anscheinend darin verhärtet hatte. Besonders unangenehm war es nicht, aber sie spürte den harten, glitzernden, leicht vorstehenden Knubbel bei jeder Bewegung. Das Gefühl, ausgefüllt zu sein, fand seinen Widerhall in der Schatztruhe zwischen ihren Beinen.

Schamlippen und Schamhügel hatte man mit feinem Goldpulver bestäubt. Die Zwillinge hatten ihr das Endresultat in dem juwelenverzierten Spiegel in ihrem Zimmer gezeigt und sie aufgefordert, die Wirkung des Pulvers zu bewundern, das an ihrem dunklen, seidigen, gelockten Schamhaar haftete und den Blick auf die Wonnelippen lenkte, die zwischen den geschlossenen Schenkeln ansatzweise sichtbar waren.

Die Hervorhebung jenes Körperteils lenkte auch ihre eigene Aufmerksamkeit darauf und machte ihr in höchstem Maße bewusst, dass man sie speziell hergerichtet hatte. Ebenso viel Zeit hatte man darauf verwandt, ihr Haar zu wellen und es auf ihrem Kopf festzustecken. Das Haar hatte den Mädchen einige Mühe bereitet, denn es war glatt und weich und widerstand allen Versuchen, es nach ihren Vorstellungen zu formen. Mit Hilfe zahlloser Holzklammern hatten sie es schließlich auf ansehnliche Weise gebändigt, und nun war Cirina ständig in Sorge, sie könnte die Haarpracht wieder durcheinander bringen.

Plötzlich öffnete sich die Tür. Sie fuhr auf dem Absatz

herum und musterte erschrocken den Mann, der nervös in ihr Zimmer getreten war. Er war hoch gewachsen und breit gebaut, das blonde Haar fiel in wilden Locken auf sein schlichtes, cremefarbenes Leinenblouson herab. Das Hemd stand am Hals offen, sodass man seinen spärlichen blonden Brustpelz und seine braun gebrannte, sommersprossige Haut sah. Er lächelte und zeigte dabei seine unglaublich weißen ebenmäßigen Zähne. Cirina schluckte.

«G-guten Tag …»

«Du musst Cirina sein.»

Der blonde Mann trat ihr entgegen, hielt aber unvermittelt inne, als Cirina einen Schritt zurückwich.

«Ich bin Robert – ich bin dir für den heutigen Tag als Diener zugeteilt. Hab keine Angst. Ich habe Anweisung gegeben, dir Speisen und Wein zu bringen. Ich stehe ganz zu deiner Verfügung.»

«Zu meiner … meiner Verfügung?», flüsterte Cirina, ihn misstrauisch beäugend.

Seine schnelle, Silben verschluckende Sprechweise, sein blondes Haar und seine helle Haut machten ihn als Fremden kenntlich. Cirina legte den Kopf schief und betrachtete ihn abwägend. Was hatte er mit seiner Bemerkung bezweckt? Er wollte damit doch nicht etwa andeuten … Von plötzlichem Mutwillen erfasst, lächelte Cirina ihn an.

«Ach, wirklich? Und was schlagt Ihr vor, auf welche Weise soll ich über Euch verfügen soll, mein Herr?»

Robert trat vor und musterte sie aufmerksam. Seine Augen zeigten ein tiefes, unergründliches Blau, wie der Himmel über der Wüste. Er stand so dicht vor ihr, dass sie die Wärme seines hellhäutigen Körpers spürte und den Limonenduft seiner Haut schnupperte. Zu ihrer Überraschung reagierte ihr Körper auf die Nähe, ihre Nippel versteiften sich, ihre Wonnelippen wurden schwer und feucht, als hätte er sie berührt. Sie schwankte ihm ein wenig entgegen.

«Ganz wie es dir beliebt, Cirina», murmelte er mit rauer Stumme.

Es hatte etwas Berauschendes, dass ein Wildfremder ins Zimmer kam und sich anbot, dachte Cirina träumerisch, insbesondere, wenn der Fremde so hübsch und einnehmend wie dieser Robert war. Sie hatte erwartet, sie selbst werde hier anderen Lust bereiten, und nicht damit gerechnet, dass jemand ihr zu Gefallen sein werde. Aus einem jähen Impuls heraus trat sie dicht vor ihn, stellte sich auf die Zehenspitzen und drückte ihm die Lippen auf den Mund.

Robert schloss sie augenblicklich in seine starken Arme und küsste sie leidenschaftlich. Als ihr Antonios vorwurfsvolles Gesicht vor Augen trat, runzelte sie die Stirn. Warum sollte sie in einem solchen Moment an ihn denken, obwohl er ihr noch nie eine solche Gunst erwiesen hatte? Außerdem war es höchst unwahrscheinlich, dass er seit seiner Ankunft im Palast die ganze Zeit allein geschlafen hatte! Ihre Bedenken entschieden beiseite schiebend, beschloss Cirina, das Beste aus dem unerwarteten Angebot zu machen und neue Erfahrungen zu sammeln.

Ihr Blut geriet in Wallung, als Robert über ihren zarten Gaumen leckte und an ihrer Zunge saugte. Sein fester, kräftiger Körper presste sich an ihren weicheren, runderen Leib. Ihn zu spüren machte ihr seine Männlichkeit in höchstem Maße bewusst.

Als sie den Kopf in den Nacken legte, löste sich Cirinas kunstvolle Frisur, und das Haar fiel ihr wie ein Seidenschal in Wellen über Gesicht und Schultern. Robert fing es mit den Händen auf und vergrub das Gesicht darin, wickelte sich die pechschwarzen Locken mit einem bewundernden Gemurmel um sein blondes Haar.

«So wunderschön», flüsterte er, «so weich und duftend.»

Cirina wurde schwindelig, und sie hielt sich an seinen Schultern fest. Mit einem leisen Lachen hob Robert sie mühelos hoch und trug sie zur Liege am offenen Fenster. Cirina fühlte sich so leicht wie eine Feder, als er sie behutsam auf die Seidenkissen bettete. Die Mittagssonne strömte durch das Fenster und badete sie in ihrem goldenen Licht, während sie auf dem Rücken liegend zusah, wie Robert neben der Liege niederkniete.

Wie kam es nur, dass ihr in der Karawanserei die Vorstellung, mit Wildfremden zu schlafen, zuwider gewesen war, während sie diesen Robert begehrte? Vielleicht deshalb, weil nur wenige Reisende so schön waren wie er, sagte eine leise, ironische Stimme in ihrem Hinterkopf. Und das nach einer langen, anstrengenden Reise durch den Wüstensand!

«Wie bist du hierher nach Shang-tu gekommen?», fragte sie mit belegter Stimme, als er ihr über den nackten Arm streichelte.

«Ich wurde vor vielen Jahren in Konstantinopel gefangen genommen», antwortete er zerstreut. Er strich mit den Fingern über ihre Hüfte und entlockte ihr damit einen lustvollen Seufzer.

«Woher kommst du?»

Er sah sie an, zuckte mit den muskulösen Schultern und drückte seine Lippen auf den Streifen nackter Haut auf ihrem Bauch.

«Von einer kleinen Insel in weiter, weiter Ferne.»

«Hast du dir nie gewünscht, nach Hause zurückzukehren?», hakte Cirina nach, obwohl ihr das Sprechen immer schwerer fiel, da Roberts kitzelnde Lippen sich auf ihren geschmückten Nabel zubewegten.

«Hm. Nein.»

Seine Stimme klang gedämpft an ihrer Haut, doch Cirina wollte gern mehr erfahren.

«Warum nicht?», stöhnte sie.

Robert hob den Kopf und sah sie an. Sein Blick wirkte benommen, und Cirina konnte erkennen, dass ihm ihre Fragerei allmählich lästig wurde. Warum hatte er nur solche Eile, sie zu verführen?

«Als ich mich den Kreuzfahrern anschloss, war ich eigentlich noch ein Junge. Ich hatte noch keine Erfahrung mit einer Frau gemacht. Als ich von den Ungläubigen gefangen genommen wurde, hatte ich zunächst keinen sehnlicheren Wunsch, als nach Hause zurückzukehren – oder zu sterben.»

Cirina verzog das Gesicht und stellte sich den jungen, unerfahrenen Knaben vor, der sich voller Heimweh den Tod wünschte. Robert lächelte sie voller Zärtlichkeit an, beugte sich vor und streifte mit seinen Lippen über ihren Mund.

«Und jetzt? Sehnst du dich immer noch nach deiner Heimat?»

Er schüttelte den Kopf, und die blonden Locken fielen ihm in die Stirn, sodass er wieder ein wenig dem Knaben glich, der er einmal gewesen war.

«Ich will nicht mehr nach Hause. Jetzt lebe ich hier, in Xanadu.»

Sie hätte ihn gern nach dem Grund gefragt. Robert aber gab ihr keine Gelegenheit dazu. Er drückte sie sanft auf die Kissen nieder und verschloss ihren Mund mit seinen Lippen, sodass sie nicht weiterreden konnte. Kurz darauf hatte Cirina alle Fragen vergessen, und sie überließ sich ihren Empfindungen.

Und was für Gefühle das waren! Welle um Welle reiner, unverfälschter Lust durchströmte sie von den Fußspitzen bis zum Scheitel und schlug über ihr zusammen. Robert liebkoste eifrig ihre Brüste, ihre Lippen und die empfindsame Stelle hinter dem Ohr, bis sie vor Verlangen nicht mehr klar denken konnte.

Zu ihrer Enttäuschung hielt er sich irgendwie zurück. Er intensivierte seine Liebkosungen, seine Finger kamen ihrem Lustbrunnen immer näher, doch wenn das Verlangen gar zu groß wurde, zog er die Hände zurück, und seine Bewegungen wurden langsamer. Nach einer Weile geriet sie nahezu außer sich.

«Oh! Ooh, bitte, *bitte!*», stöhnte sie, während seine Finger ihren Schamhügel liebkosten.

Von seiner Zurückhaltung entnervt, streifte Cirina in der Hoffnung, der Anblick ihres sorgfältig herausgeputzten Geschlechts werde seine Leidenschaft wecken, energisch den Stoff von ihrem Unterleib.

Robert aber war anscheinend aus härterem Holz geschnitzt, denn er betrachtete sie lediglich belustigt und streichelte mit dem Handrücken über das seidige, schimmernde Haar, was in ihr das Verlangen verstärkte, die intimere Berührung seiner Fingerspitzen an ihrem geheimen Eingang zu spüren.

Er küsste sie erneut, leidenschaftlich und tief, und Cirina spreizte die Beine und entblößte die weiche, feuchte Haut ihres Geschlechts. Noch immer wollte er sie nicht dort berühren, wo sie es wollte. Stattdessen beschrieben seine Hände aufreizende Kreise auf der pfirsichzarten Haut an der Innenseite der Schenkel, ihrem Lustzentrum so nah und doch so fern.

Nahezu wahnsinnig vor Verlangen stöhnte Cirina auf und streckte die Hand nach ihren goldbestäubten Wonnelippen. Zu ihrem Verdruss fasste Robert sie beim Handgelenk und führte ihre Hand an seine Lippen.

«Nein, mein ungeduldiger kleiner Schatz – noch nicht.»

«Noch nicht?»

«Erst wenn du es dir verdient hast.»

Cirina legte verständnislos die Stirn in Falten. Ihre Haut

brannte, ihr Lustbrunnen verströmte den schweren, süßen Honig weiblicher Erregung. Er wollte ihr doch nicht etwa die ersehnte Erfüllung vorenthalten?

«W-womit?», stammelte sie mit heiserer Stimme.

«Öffne dich weiter, Cirina, entblöße den Kitzler – ja, so ist es gut», flüsterte er, während sie ihr Innerstes nach außen kehrte und mit ihrem verlangenden Geschlecht blindlings nach Erlösung durch seine Berührung schnappte.

In einem Winkel ihres lustvernebelten Bewusstseins bekam Cirina mit, wie die Tür aufging und sich wieder schloss. Sie hörte das Rascheln eines Seidengewands und roch schweres Moschusparfüm.

«Ah, Robert, wie ich sehe, hast du unsere kleine Wüstenblume schon vorbereitet!»

Cirina öffnete die Augen. Doch ihre Lider fielen sogleich wieder herab, als seien sie mit Gewichten beschwert, desgleichen öffneten sich erneut ihre Schenkel, die sie vorübergehend geschlossen hatte. Chabi, die Gemahlin des Kaisers, beugte sich über sie und lächelte verrucht und katzenhaft.

«So treffen wir uns also wieder, meine Kleine – unter solch reizenden Umständen!» Sie zog einen Stuhl zu der Liege, auf der Cirina, die Arme um Roberts Leib geschlungen, mit gespreizten Beinen lag, und grinste. «Bitte, macht nur weiter! Lasst euch nicht von mir stören!»

Cirina bemühte sich, einen klaren Kopf zu bekommen. Zunächst hatte sie befürchtet, Chabi werde zornig werden, weil sie von ihr in dieser Lage ertappt wurden. Vor Scham brannte ihr das Gesicht. Chabi aber wirkte nicht im Mindesten überrascht, ja, sie schien sogar erfreut über den Anblick, der sich ihr bot. Sie wollte doch wohl nicht dabei zuschauen, wie Robert sie liebkoste?

Als Roberts Finger ein letztes Mal über die zarten Wonnelippen streiften, stockte ihr der Atem. Ängstlich blickte sie Chabi an und sah, wie die kalten grünen Augen sich nachdenklich verengten. Sie erschauerte und fragte sich, was der Frau wohl durch Kopf ging.

Robert verschmierte jetzt ihren Saft auf den Wonnelippen und öffnete sie behutsam mit zwei Fingern einer Hand, als stellte er sie vor Chabi zur Schau. Nach und nach wurde Cirina klar, dass er die ganze Zeit auf Chabis Anweisung hin gehandelt hatte. Verletzt versuchte sie, sich ihm zu entziehen. Während Robert sie festhielt, blickte er sich fragend zu seiner Herrin um.

«Wehr dich nicht, Kleine», befahl Chabi mit trügerisch sanfter Stimme. «Ich möchte, dass du mir ein Geschenk machst – das Geschenk deiner Hingabe. Hast du mich verstanden?»

Als Cirina nicht sogleich antwortete, begann Robert, den kleinen, empfindlichen Knubbel im Schnittpunkt der Schamlippen zu streicheln. Er versteifte sich augenblicklich, und Cirina durchrieselte es heiß und kalt, als sie dem Orgasmus gefährlich nahe kam.

«Ich – ich habe verstanden!», keuchte sie.

Chabi lächelte kühl und gab Roberto ein Zeichen, er solle die Stimulation abbrechen.

«Gut. Du musst lernen, Cirina, dass deine Lust mir gehört, solange du hier bist. Du darfst erst dann zum Höhepunkt kommen, wenn ich es dir gestatte – hast du mich verstanden?»

Diesmal versagte Cirina die Stimme. Sie nickte mit zusammengebissenen Zähnen, denn sie war noch immer von einem köstlichen Lustgefühl in Anspruch genommen.

Chabi lächelte erneut. Sie reichte Robert etwas, das wie eine Adlerfeder aussah.

«Fang an», sagte sie und lehnte sich entspannt zurück.

Cirina schloss das Blut in die Wangen vor Scham, sich so lüstern vor dieser mit allen Wassern gewaschenen Frau zur Schau zu stellen. Bei der ersten Berührung der weichen Feder an ihren Schamlippen bewegte sie unwillkürlich die Hüften. Als Chabi die Stirn runzelte, begriff Cirina, dass sie sich nicht wieder gehen lassen durfte. Als die Feder erneut über die feuchten Furchen ihres Geschlechts streifte, war sie vorbereitet und zwang sich, den Unterleib still zu halten.

«Schon besser», meinte Chabi leise. «Öffne sie noch weiter, Robert – ich will sehen, wie groß ihr Verlangen ist.»

Cirina schloss beschämt die Augen, als ihre Beine weiter geöffnet wurden und Chabi sich neugierig vorbeugte.

«Wie ich's mir gedacht habe», murmelte Chabi belustigt. «Sie ist triefnass! Reize sie mit der Feder, Robert, mal sehen, wie viel sie verträgt!»

Diesmal wirbelte Robert mit dem Ende der Feder um den harten Knubbel ihres Lustzentrums herum. Cirina meinte in Ohnmacht zu fallen, so intensiv waren die Empfindungen. Nur aus Angst vor Chabi biss sie sich fest auf die Unterlippe und hielt ihre Gefühle im Zaum.

«Ich glaube, sie wird dem Khan große Freude bereiten, meinst du nicht auch, Robert?»

«Ja, Hoheit», murmelte Robert mit belegter Stimme.

Es bereitete Cirina große Genugtuung, dass Robert auf sie reagierte, und wie zum Hohn öffnete sie sich noch weiter. Chabi musste sie jetzt kommen lassen, sie musste einfach! Cirina hatte das Gefühl, sie werde vor Lust platzen, wenn sie nicht bald zum Höhepunkt käme.

Als Cirina meinte, sie könne es nicht länger ertragen, verlor Chabi unerklärlicherweise das Interesse.

«Es reicht.»

Sie schnippte mit den Fingern, woraufhin Robert augenblicklich innehielt und sich erhob. Cirina blieb mit weit gespreizten Beinen liegen. Brust und Hals waren gerötet, so nah war sie dem Höhepunkt gekommen. Die beiden wollten doch nicht etwa weggehen? Einfach so?

Als Robert bedauernd auf ihren bebenden Körper niedersah und sich dann vor Chabis Augen zur Tür wandte, schloss Cirina langsam die Beine. Unwillkürlich schob sie die Hand zwischen die Schenkel und drückte die Finger an den steifen Knubbel, der in diesem Moment zu pulsieren begann.

«Wag es ja nicht!»

Als Chabi ihr mit dem Fächer aufs Handgelenk schlug, schnappte sie erschrocken nach Luft und legte die Hand schuldbewusst in den Schoß.

«Robert, sorg dafür, dass sie gebändigt wird. Du sollst dir merken, Kleine, dass deine Lust mir gehört.»

«Jawohl, Hoheit», flüsterte Cirina mit gesenktem Kopf.

In dieser Haltung verharrte sie eine kleine Ewigkeit, bis sie die weichen Schritte der beiden Sklavinnen vernahm. Hoffnungsvoll schaute sie hoch, doch die Zwillinge wichen ihrem Blick aus, als sie sie hochzogen und ihre Kleidung richteten. Eine der beiden schlug ihren Rock beiseite. Cirina riss erschrocken die Augen auf, als die zweite eine Art Geschirr zum Vorschein brachte, das aus zwei schmalen Lederstreifen bestand, dem Zaumzeug eines Pferdes nicht unähnlich. Bei der Göttin, was hatten sie mit ihr vor?

Cirinas Erregung verflog rasch, als man ihr das Lederzeug anlegte. Ein Riemen wurde um ihre Hüfte geschlungen, der andere zwischen den Pobacken nach unten geführt und verlief dann zwischen den Beinen bis aufwärts zum Bauch. Der Lederriemen war gerade breit genug, um ihre geschwollenen Schamlippen zu teilen. Als er deren Schnittpunkt erreichte, stellte sie fest, dass er an dieser Stelle geteilt war und beiderseits des Lustknubbels entlanglief, der selbst frei blieb. Cirina biss sich auf die Lippen, als die beiden Enden zwischen ihren Beinen stramm gezogen und am Bauch mittels zweier D-förmiger Lederschlaufen am Hüftriemen befestigt wurden.

Erst als sie zu gehen versuchte, wurde ihr bewusst, welch raffinierter Folter sie unterzogen wurde. Bei jeder Bewegung scheuerte der elastische Riemen an ihrer überreizten Haut, so stark, dass sie erregt blieb, jedoch nicht stark genug, um ihr die ersehnte Erleichterung zu verschaffen.

«Wie lange soll ich das Ding tragen?», fragte sie bockig, als sie von den normalerweise so überschwänglichen Zwillingen in ihr Zimmer zurückgeführt wurde. Die beiden Frauen wechselten Blicke, gaben aber keine Antwort, was Cirina beunruhigte.

Sie ließ die vergangene Stunde Revue passieren und versuchte herauszubekommen, womit sie Chabis Unmut geweckt haben könnte. Doch so sehr sie sich auch den Kopf zerbrach, abgesehen von der vollkommen natürlichen Regung, sich selbst zu befriedigen, nachdem Robert weggeschickt worden war, fiel ihr nichts ein.

Was hatte Chabi noch gesagt? Ihre Lust gehöre ihr? Allmählich dämmerte Cirina, wie das gemeint war, und ihr schauderte. Wie lange würde es dauern, bis Chabi ihr erlaubte, die aufgestaute sexuelle Spannung abzubauen? Sie fragte sich ernsthaft, wie lange sie das aushalten konnte.

Sie trat ans Fenster und blickte hinaus. Die Sonne schien und tauchte den Weg unterhalb des Balkons in goldenes Licht. Aus der Ferne drang Jagdlärm herüber. War Antonio vielleicht auch dort draußen? Auf einmal fühlte sie sich mutterseelenallein.

Eingedenk des Versprechens, das sie ihm gegeben hatte, hob Cirina das rote Tuch auf, das sie zuvor achtlos fallen gelassen hatte, und drapierte es unauffällig in den Zweigen. Hoffentlich würde es von keinem zufälligen Passanten bemerkt werden.

Ob Antonio wohl wie versprochen kommen würde? Als sie sich vom Fenster abwandte, wünschte sie sich nichts sehnlicher. Nach der deprimierenden Begegnung mit Robert und Chabi wollte sie so geliebt werden, wie Antonio es getan hatte.

All die lieblosen Gedanken, die ihr zuvor durch den Kopf gegangen waren, verflüchtigten sich, als sie sich aufs Bett legte und sich vorstellte, wie es sein würde, wenn er bei ihr wäre. Er würde ihre erhitzte Haut streicheln und liebkosen, ihr unverständliche zärtliche Worte ins Ohr flüstern und ihr Gesicht und ihren Hals küssen. Leise vor sich hinmurmelnd würde er an ihren prallen Brüsten saugen und dann zu ihrem Lustbrunnen hinunterwandern, der von seinen Berührungen bereits warm und feucht geworden wäre.

Bei diesem Gedanken schwollen Cirinas zarte Blütenblätter an und riefen ihr das Lederzeug in Erinnerung, das sie fesselte. Sie fasste sich zwischen die Beine und berührte mit den Fingerkuppen vorsichtig die angeschwollene Knospe. Als sie begriff, dass sie zu überreizt war, um sie zu berühren, traten ihr Tränen in die Augen. Das Lederzeug war eine wahrhaft heimtückische Vorrichtung, denn es hielt den Lustknubbel aufrecht, bot aber keinen Raum, es beiseite zu schieben oder den Druck zu mildern.

Cirina zog die Knie an die Brust, schlang die Arme um die Beine und schloss die Augen. Sie fühlte sich erschöpft. Der Schlaf versprach willkommene Erholung von dem Gefühlsaufruhr, der in ihr tobte.

Als Cirina die Augen wieder aufschlug, dämmerte es bereits. Obwohl sie mehrere Stunden geschlafen hatte, fühlte sie sich noch immer schläfrig. Deutlich spürte sie das Lederzeug, das in ihren Körperfalten ruhte und durchtränkt war von ihren Säften – nicht sonderlich lästig, aber doch irgendwie *vorhanden*.

Auf einmal wurde ihr bewusst, dass etwas sie aufgeweckt hatte. Ein Lufthauch vielleicht, kaum wahrnehmbar, aber doch deutlich genug, um ihr zu signalisieren, dass sie nicht mehr allein war. Erschrocken setzte Cirina sich auf und schaute sich um.

Der Raum war jetzt in Schatten gehüllt und wirkte beinahe düster. Sie spähte umher, ließ keinen Winkel aus. Die Zwillinge hatten offenbar irgendwann nach ihr gesehen, denn auf dem Nachtschränkchen stand ein Tablett mit Brotscheiben und kaltem Braten. Daneben befand sich ein Krug mit gesüßtem Limonensaft. Cirina lief das Wasser im Mund zusammen.

Trotzdem spitzte sie nach wie vor die Ohren, denn irgendetwas stimmte nicht. Als ihr Blick zum Fenster wanderte, schrie sie unterdrückt auf. Über der Brüstung tauchte ein Männerkopf auf, dann folgte der restliche Körper.

«Cirina?», flüsterte der Mann.

Als sie Antonios Stimme erkannte, wurde Cirina vor Erleichterung beinahe ohnmächtig.

«Hier bin ich!», rief sie mit klopfendem Herzen leise aus.

«*Cara!*»

Er setzte sich auf den Rand der Liege und schloss sie in die Arme, als habe er sich den ganzen Tag lang auf diesen Moment gefreut. Er überschüttete sie mit Küssen, streichelte immer wieder über ihren Rücken und fuhr ihr mit den Fingern durchs Haar, als wollte er sich aufs Neue mit der Beschaffenheit ihres Körpers vertraut machen.

«Ach, Cirina! Wie sehr habe ich mich danach gesehnt, dich wieder in den Armen zu halten! Seit ich dich am Eingang des großen Saals gesehen habe –»

«Pst!» Cirina legte ihm die Hand auf den Mund. Sie

wollte keine gut gemeinten Erklärungen und Halbwahrheiten von ihm hören. Sie verlangte nach nichts weiter als nach Antonios Trost, etwas Zärtlichkeit und, sollte er dazu bereit sein, nach Erleichterung von der quälenden sexuellen Erregung.

Sie lächelte ihn im Halbdunkel an, schlang ihm die Arme um den Hals und presste ihren Oberkörper an ihn. Sie hob das Gesicht, bedeckte seine Lippen mit leckenden Küssen und teilte sie ein wenig. Mit dem Mund fing sie seinen Seufzer auf, dann fuhr sie mit der Zunge über die zarte Innenseite der Lippe.

Antonio war erschrocken über ihre Leidenschaft. Nach einer Weile aber öffnete er unter dem Druck von Cirinas Lippen stöhnend den Mund und erlaubte es ihrer Zunge, in die warme, nasse Mundhöhle vorzudringen. Auch er erkundete mit der Zunge ihren Mund.

Als Antonio von ihrem süßen Speichel trank, verspürte Cirina ein Ziehen tief im Unterleib und wand sich unbehaglich, da sich der Lederriemen um ihre Schamlippen straffte. Ihre frei beweglichen Brüste wogten gegen Antonios harte Brust, und ihre Haut sehnte sich nach der Berührung seiner Lippen.

Antonio wich ein Stück zurück und sah ihr fragend in die Augen. Als habe er ihre Gedanken gelesen, streifte er das hauchdünne Gewand von ihren Schultern und vergrub sein Gesicht in der warmen, duftenden Spalte zwischen ihren Brüsten. Cirina erschauerte, als seine kühlen Lippen über ihre erhitzte Haut wanderten und sich langsam, aber stetig den beerenbraunen Spitzen näherten, die sich ihm verlangend entgegenreckten.

Als er eine der Spitzen in den Mund nahm und sie auf der Zunge rollte, warf sie den Kopf in den Nacken. Ihr langes Haar streifte über den Boden, als sie den Rücken nach hinten bog und ihm die Brust noch weiter entgegenreckte.

«Ach, Antonio!», flüsterte sie. «Wie froh ich bin, dass du hier bist!»

Er küsste sie leidenschaftlich, umfasste ihre Brüste mit seinen zärtlichen Händen und hauchte Küsse auf die umschattete Haut an der Unterseite. Seine Lippen streiften über ihre Hüfte und die sanfte Wölbung ihres Bauchs, umkreisten den juwelengeschmückten Nabel und hielten am Lederriemen inne, der ihre Taille umschloss.

«Was ist denn das, Cirina, *cara*?», fragte er und fuhr mit der Fingerspitze daran entlang.

Cirina schüttelte den Kopf. Dass sie ihm jetzt eine Erklärung schuldete, war ihr peinlich. Mit niedergeschlagenem Blick zog sie die Röcke beiseite und enthüllte das Lederzeug. Antonios scharfes Einatmen ließ sie zusammenzucken.

«Wer hat dir das angetan?»

«Chabi, die Gemahlin des Khans», wisperte sie. «Das soll mich davon abhalten, mir ... mir ...» Mir eigenhändig Lust zu bereiten, hatte sie sagen wollen, brachte den Satz jedoch nicht über die Lippen. Antonio hatte seinen Inhalt anscheinend schon erraten, denn er zog mit finsterer Miene die Brauen zusammen.

«Aber das ist barbarisch! Ich schneide das ab.»

«Nein! Bitte nicht, Antonio! Stell dir vor, was passiert, wenn das bemerkt wird.»

Ihr Aufschrei ließ ihn innehalten. Stattdessen streifte er mit der Fingerspitze über den Riemen. Als der erste Zorn verflogen war, schien ihn die Vorrichtung sogar zu faszinieren.

«Darf ich mal sehen ... ah, was für ein teuflischer Geist hat das wohl ersonnen?»

Cirina schwieg; sie wussten beide, dass dafür nur eine Person in Frage kam. Chabis Name hing unausgesprochen im Raum; es war beinahe so, als wäre sie körperlos anwesend. Cirina spürte, dass Antonios Erregung zunahm, und wunderte sich. Jedoch nur kurz, folgte er doch dem Verlauf des Doppelriemens, der sich unmittelbar über dem Schnittpunkt ihrer Schamlippen mit seinem Gegenstück vereinigte.

«Damit musst du ja ständig in einem Zustand der Erregung sein.»

Cirina nickte beschämt.

«Ständige Bereitschaft», sagte er mit belegter Stimme.

Cirina lugte scheu zwischen den Laken hervor. Aus seiner Gesichtsrötung und seinem beschleunigten Atem schloss sie, dass ihn der Anblick der Vorrichtung mächtig erregte.

«Arme Cirina», fuhr er leise und atemlos fort. «Trägst du das schon lange?»

Sie nickte, traute sich aber nicht zu sprechen. In Wahrheit spürte sie, wie das Innere ihres Lustbrunnens als Reaktion auf seine Worte und seine Berührung anschwoll, und sie sehnte sich mehr als zuvor nach der Erleichterung, die ihr bislang vorenthalten worden war.

«Zu viel Druck ist bestimmt schmerzhaft», meinte Antonio nachdenklich, «aber du musst zum Höhepunkt kommen, wenn du dich wieder wohler fühlen willst. Lass dir von mir helfen, Cirina.»

Er senkte den Kopf und steckte die Zunge unter einen der Riemen, der von ihrer Hüfte nach unten führte. Cirina bekam am ganzen Körper eine Gänsehaut, als er sich dem Zentrum ihrer Qual näherte. Zitternd legte sie sich auf die Seidenkissen zurück, ließ ihre Schenkel auseinander fallen und forderte ihn damit zum Weitermachen auf.

Als Antonio so sanft, dass sie es zunächst kaum spürte, an der angeschwollenen Knospe zu lecken begann, seufzte sie zügellos.

Hin und her, hin und her bewegte sich seine Zunge,

reizte und liebkoste den schwellenden Lustknubbel. Von seinem Speichel und ihrem Saft wurde das Leder schwer und glitschig. Es lockerte sich ein wenig. Wenn es später trocknete, würde es sich erneut spannen, doch das war Cirina im Moment gleichgültig. Alles, worauf es ihr ankam, war die stetige, unbeirrbare Jagd zum Gipfel der Lust.

«Oh! O ja!», flüsterte sie, als die ersten Lustwellen einsetzten.

Als Antonio spürte, wie ihr Geschlecht an seinen Lippen zu flattern begann, verstärkte er den Druck auf den angeschwollenen Knubbel und schlug mit der Zunge dagegen, bis Cirina ihn mit einem Aufschrei aufzuhören bat.

Sie keuchte, ihr Mund war weit geöffnet, ihre Augen halb geschlossen. Er schloss sie in die Arme, legte sich neben sie auf die Pritsche und streichelte ihr Haar, hauchte Küsse auf ihre Augenlider, ihre Schläfen und ihre bebenden Lippen. Allmählich fasste Cirina sich wieder und erwiderte seine Liebkosungen.

«Alles in Ordnung, *cara mia*?», erkundigte Antonio sich nach einer Weile.

Cirinas Mund und Zunge waren trocken, und das Sprechen fiel ihr schwer.

«Ja», flüsterte sie mit rauer Stimme. «Aber soll ich dich nicht auch befriedigen?»

Antonio lachte leise in ihr Haar.

«Ein andermal, *cara* – heute reicht es mir, dich in den Armen zu halten und zu wissen, dass du befriedigt bist.»

Lächelnd drückte Cirina die Lippen auf die weiche Haut an seinem Hals.

«Ich bin froh, dass du gekommen bist, Antonio», wisperte sie.

«Ich auch. Ich wünschte nur, ich könnte bei dir bleiben, aber ich mache mir Sorgen, man könnte uns entdecken. So Gott will, werde ich dich morgen wieder besuchen.»

So sehr sie es auch bedauerte, wusste Cirina doch, dass es töricht gewesen wäre, ihn noch länger bei sich zu behalten. Antonio hatte Recht, sich Sorgen zu machen – sie wagte erst gar nicht sich vorzustellen, wie Chabi reagieren würde, wenn sie von dem heimlichen Stelldichein erführe.

Widerstrebend geleitete sie ihn zum unvergitterten Fenster. Auf dem Balkon küssten sie sich und flüsterten einander Versprechungen ins Ohr, dann lösten sie sich voneinander.

«Wenn die Luft rein ist, binde ich das Halstuch wieder an den Zweig», versprach Cirina.

«Ich werde danach Ausschau halten. Pass auf dich auf, Cirina. Was morgen auch geschehen mag, du weißt, ich bin in deiner Nähe und denke an dich. Wir werden es schon irgendwie schaffen, gemeinsam von hier zu verschwinden.»

Bei diesen Worten machte Cirinas Herz einen Freudensprung. Besorgt schaute sie zu, wie er seine langen Beine über die steinerne Brüstung schwang.

«Sei vorsichtig!», rief sie ihm leise nach.

Als er den Boden erreicht hatte, schaute Antonio lächelnd zu ihr hoch und hob zum Abschied die Hand. Cirina erwiderte erleichtert den Gruß. Beiden entging, dass sie von einer zwischen den Bäumen versteckten Gestalt beobachtet wurden. Als Antonio Cirina ein letztes Mal zuwinkte, eilte der heimliche Beobachter davon.

7. Kapitel

Chabi stürmte in ihre Gemächer und verlangte, dass Mongor zu ihr geschickt werde. Während sie auf das Erscheinen des Soldaten wartete, ging sie unruhig auf und ab. Ihre Gedanken überschlugen sich.

Was hatte sich der Venezianer nur dabei gedacht, sich mit der jungen Frau aus der Karawanserei zu treffen? Es war höchst unwahrscheinlich, dass sie einander erstmalig im Palast begegnet waren und gleich Freundschaft geschlossen hatten – sie waren erst wenige Tage hier und hatten fast ständig unter Beobachtung gestanden. Chabis Augen verengten sich, als sie an Cirinas Betreuerinnen dachte. Sollte sich herausstellen, dass sie ihre Pflichten vernachlässigt hatten, würde man sie schwer bestrafen müssen!

Wahrscheinlich aber hatten sich die beiden schon gekannt, bevor sie getrennt nach Shang-tu gekommen waren. Chabi blieb stehen und blickte nachdenklich zur Tür. Sollte das zutreffen, wäre das höchst verdächtig. Dass der Khan zwei Menschen, die einander kannten, gleichzeitig und auf getrennten Wegen in den Lustpalast einlud, war so unwahrscheinlich, dass es Chabis Misstrauen weckte.

Stirnrunzelnd vergegenwärtigte sie, welche Gefühle sie gehegt hatte, als sie feststellte, wohin Antonio wollte. Ganz zufällig war sie ihm gefolgt, als er sich zu Beginn der Abendunterhaltung vom Bankett davongestohlen hatte. Ihre Neugier war geweckt, wenngleich sie sich nicht im Traum hätte vorstellen können, dass er diese junge Frau besuchen würde.

Was mochte ihm wohl durch den Kopf gegangen sein,

als er feststellte, dass die junge Frau gefesselt war? Chabi lächelte grausam. Das hatte seiner Leidenschaft bestimmt einen Dämpfer aufgesetzt! Oder hatte das Lederzeug den Künstler in ihm erregt?

Chabi musste an die Skizzen denken, die der Venezianer dem Khan gezeigt hatte, als er vorgestellt worden war. Die Zeichnungen würden vielleicht weiteren Aufschluss über diese seltsame Wendung der Ereignisse geben. Chabi rief einen Diener herbei und befahl ihm, ihr unverzüglich Signor Ballereis Skizzenmappe zu bringen – möglichst ohne dass er etwas davon merkte.

Als sie wieder allein war, hatte sie Zeit im Überfluss, sich über den Vorfall Gedanken zu machen. Das Feuer, das durch ihre Adern gerast war, als Antonio auf den Balkon kletterte, hatte sie überrascht. Chabi war sich selbst gegenüber aufrichtig genug, um darin Eifersucht zu erkennen, doch sie erlag nicht der Täuschung, dass zärtliche Gefühle die Ursache sein könnten. Ganz im Gegenteil hatte sie sich darauf gefreut, Antonio Ballerei in die Position zu bringen, in der sie Männer am liebsten hatte – nämlich auf den Knien. Eine Liaison zwischen dem hochmütigen Venezianer und dem rehäugigen Wüstenmädchen könnte ihre Pläne zunichte machen. Und wenn es etwas gab, was Chabis Missfallen erregte, dann der Umstand, dass ihre Absichten durchkreuzt wurden!

Während sie im Schatten der Jakarandabäume wartete, schwelte sie vor Zorn. Irgendetwas ging da vor. Chabi nahm sich fluchend vor, die Sklavinnen für ihr Pflichtversäumnis zu bestrafen. Als Antonio den Rückweg über die Brüstung antrat, war ihre Wut bodenlos.

Die junge Frau hatte ihm etwas zugerufen; in ihrer Stimme schwang zufriedene Mattigkeit mit, als habe sie lustvolle Erfüllung gefunden. Keiner von beiden hatte bemerkt, wie Chabi sich entfernte.

Als die Tür aufging und Mongor angekündigt wurde, drehte sie sich auf dem Absatz um.

«Du hast dir viel Zeit gelassen!», fauchte sie.

«Ich bitte um Verzeihung, Hoheit», erwiderte Mongor mit einer tiefen Verneigung. Den Helm hielt er unter dem Arm.

Chabi bemerkte voller Genugtuung, dass er einen besorgten Eindruck machte, und das mit gutem Grund. Erst kürzlich hatte sie einen Soldaten, der ihren Unmut erregt hatte, öffentlich so heftig prügeln lassen, dass er um ein Haar gestorben wäre. Nachlässigkeit ließ Chabi niemandem durchgehen – sie hatte sich ihre Machtstellung schwer erkämpft und war entschlossen, sie mit allen Mitteln zu verteidigen.

«Ich werde veranlassen, dass du mehr zu tun bekommst. Das soll dich neuen Eifer lehren», sagte sie und lächelte, als er merklich erbleichte. «Vielleicht kannst du dich bewähren. Ich möchte mehr über die junge Frau erfahren, die du in der Nähe von Khotan entdeckt hast.»

Sie setzte sich, schlug die Beine übereinander, was ihre wohlgeformten Glieder zum Vorschein brachte, und nahm eine Frucht von einem Teller. Mongor blickte sie verständnislos an.

«Ich spreche von dem Wüstenmädchen – Cirina heißt sie, nicht wahr? Du hast sie doch ausgesucht?», fuhr Chabi ungeduldig fort.

«Jawohl, Hoheit, so war es.»

«Du warst für ihre Einstufung verantwortlich, oder?»

«Das stimmt, Hoheit.»

«Hmm. Dabei warst du möglicherweise etwas großzügig, aber vielleicht kommt es ja hin. Hast du sie selbst schon ausprobiert?»

«Nein, Hoheit, das habe ich nicht!»

Mongor machte ein bestürztes Gesicht. Sich mit einer

für den Khan bestimmten Frau einzulassen, war ein todeswürdiges Vergehen. Chabi fragte sich, ob der Venezianer die gleiche Kühnheit unter Beweis gestellt hätte, wenn ihm dieser Umstand bekannt gewesen wäre. Die Soldaten aber kannten den Erlass. Dass sie seine Integrität in Zweifel gezogen hatte, war ein ernster Anlass zur Sorge, und Mongor war entsprechend verunsichert. Er hatte den Blick niedergeschlagen und spielte mit seinem Schnurrbart.

«Aber du hättest gern, nicht wahr?», hakte Chabi aus einer Eingebung heraus nach.

Mongors Gesichtsfarbe wurde noch dunkler; offenbar hatte sie richtig geraten.

«Ich bin dem Khan bedingungslos ergeben, Hoheit», entgegnete er mit bewundernswerter Würde.

Chabi musterte ihn nachdenklich. Es könnte sich irgendwann als günstig für sie erweisen, dass Mongor die junge Frau begehrte.

«Deine Ergebenheit soll belohnt werden, Mongor», sagte sie milde. «Ich will wissen, woher die junge Frau Signor Ballerei, den Venezianer, kennt. Du weißt, wen ich meine?»

«Den Künstler, Hoheit?»

«Ja. Wo könnten sie einander begegnet sein?»

Mongor schaute verwirrt drein.

«Das ist mir schleierhaft, Hoheit. Die junge Frau wurde unterwegs gut bewacht.»

«Willst du damit andeuten, sie hätten sich erst unter dem Dach des Khans kennen gelernt?»

«Nein, nein», entgegnete Mongor eilig. «Nicht einmal im Traum würde mir so etwas einfallen! Ich wollte nur sagen, dass meine Männer strikte Anweisungen hatten. Wenn sich uns ein Europäer genähert hätte, wäre ihnen das aufgefallen.» Mongor wurde immer leiser, als wäre ihm auf einmal bewusst geworden, wie unzureichend seine Antwort war.

«Wie auch immer», sagte Chabi ungeduldig, als ihr Diener mit Antonios Mappe ins Zimmer trat. «Ich könnte mir vorstellen, dass uns das hier weiterhelfen wird.»

Chabi legte die Mappe auf den Tisch und winkte Mongor zu sich heran. Als sie die Skizzen einer jungen Frau fanden, die Cirina auffallend ähnlich sah, sog dieser scharf den Atem ein.

«Überzeugt dich das, Mongor?», fragte Chabi zornig.

Sie wandte sich ihm zu und bedeutete dem Diener, die Mappe wegzuschaffen. Obwohl sie nach außen hin so kühl und beherrscht wirkte wie eh und je, kochte es in ihr. Als spüre er, dass er zur Zielscheibe ihres Zorns zu werden drohte, wich Mongor einen Schritt zurück.

«Es ist, wie Ihr gesagt habt, Hoheit: Der Europäer und das Wüstenmädchen kennen einander. Aber ich schwöre, dass ich, als die junge Frau in meiner Obhut war, nichts davon gemerkt habe. Sie müssen sich begegnet sein, bevor wir sie gefunden haben.»

«Vorher?»

«Ja, Hoheit – Ballerei ist mit den Polos zusammen gereist. Ich könnte ihren Weg zurückverfolgen und herausfinden, ob sie in der Karawanserei eingekehrt sind.»

«Tu das, Mongor. Aber behalt es für dich. Ich möchte nicht, dass der Khan zu hören bekommt, jemand habe sich mit seinem neuen Spielzeug vergnügt, bevor er selbst es ausprobieren konnte!»

«Ihr könnt Euch auf mich verlassen, Hoheit. Ich werde Euch so bald wie möglich Bericht erstatten.»

Mongor zog sich unter Verneigungen zurück und drehte sich erst um, als er die Tür erreicht hatte. Kaum hatte er sie hinter sich geschlossen, nahm Chabi eine kostbare Vase vom Tisch und schleuderte sie mit aller Kraft gegen die Tür. Die beiden sollten es ihr büßen, dass sie ihrer gespottet hatten! Die Vase zerschellte in tausend blaue Porzellanscherben.

Am nächsten Morgen wurde Cirina von einer ihr unbekannten Frau geweckt.

«Wo sind denn die Zwillinge?», fragte sie, als die Neue ihr ein schlichtes weißes Hemd reichte.

Die junge Frau gab keine Antwort, sondern bedeutete Cirina mit Gesten, sie solle sich beeilen. Cirinas Magen krampfte sich zusammen, als sie durch den Park zum Lustpalais eilte. Gärtner hielten mit der Arbeit inne und schauten der halb nackten Cirina lüstern nach.

Das Lustpalais war eigentlich nichts weiter als eine große Jurte – ein mit Tierhäuten bespannter Bambusrahmen –, hatte aber kaum Ähnlichkeit mit den Zelten, die Cirina kannte. Kein Lüftchen konnte bis ins Innere vordringen, denn die Wände bestanden aus Seide und Tierhäuten, der Boden war mit Fellen bedeckt.

In der Mitte der Jurte stand ein großer Holzstuhl, der offenbar bald besetzt werden würde, denn ein kleines Heer von Sklavinnen war damit beschäftigt, ihn mit seidenbezogenen Kissen und weichen Fellen auszustatten. Offenbar würde schon bald der Khan in Begleitung eines Trupps von Leibwächtern erscheinen.

Cirina, die man wenige Schritte vor dem Thron stehen gelassen hatte, beobachtete das Eintreten des Khans hinter ihren gesenkten Wimpern. Aufgrund seines Körperumfangs ging er langsam. Zwei Männer halfen ihm beim Platznehmen, zwei weitere rückten die Kissen zurecht, die ihn stützten. Speisen und Getränke wurden auf einem Tischchen in seiner Reichweite abgestellt.

Als er es sich bequem gemacht hatte, trat Chabi ein. Mit Ausnahme des Khans vollführten alle Anwesenden eine tiefe Verneigung, als sie sich dem Thron näherte. Cirina tat es den anderen nach und vernahm das Rascheln von Chabis Seidenröcken. Am Thron angelangt, erwies Chabi ihrem Gemahl die Ehre und wandte sich dann zu Cirina um.

«Mädchen – trete vor den Kaiser», sagte sie gebieterisch.

Eingedenk der Behandlung, die sie bei der letzten Begegnung mit dem Khan gezwungenermaßen über sich hatte ergehen lassen, gehorchte Cirina widerwillig. Diesmal aber schenkte Kublai ihr kaum einen Blick. Sein Interesse galt vielmehr der Pergamentrolle, die sein Generalstabschef vor ihm ausgerollt hatte.

«Mach nur weiter, mein Juwel», meinte er zerstreut zu Chabi und winkte matt in Cirinas Richtung.

Chabis wunderschönes Gesicht verzerrte sich kurz vor Wut, doch sie beherrschte sich sofort.

«Wie Ihr wünscht, Herr», murmelte sie mit einer Verneigung.

Cirina wurde zu einem runden Sofa neben dem Thron geführt.

«Zieh dich aus», befahl Chabi.

Cirina zögerte; es war ihr peinlich, sich vor den Augen so vieler Männer zu entkleiden. Dass sie kaum beachtet wurde, machte das Ganze noch demütigender.

«Hoheit –»

«Wagst du es, mir zu widersprechen?»

Nach einem Blick in das Smaragdfeuer von Chabis Augen schüttelte Cirina den Kopf. Ohne sich weitere Gedanken zu machen, fasste sie den Saum des Hemdes und zog es sich über den Kopf. Nackt und offen blickte sie fragend Chabi an und wartete auf weitere Anweisungen.

«Leg dich nieder», befahl Chabi in gelangweiltem Ton, «und bereite dir zum Vergnügen des Khans Lust.»

Cirina blinzelte; sie meinte, nicht richtig gehört zu haben. Sie sollte doch nicht etwa …? Als sich ihre Blicke trafen, wurde Cirina klar, dass Chabi tatsächlich von ihr verlangte, sich auf Kommando eigenhändig zum Höhepunkt zu bringen.

Zitternd schickte sie sich an zu gehorchen.

«Was ist mit dem Lederzeug, Hoheit?», fragte sie, denn sie hielt es für nötig, Chabi daran zu erinnern.

«Ah, ja. Dann ist es also noch unversehrt?», meinte sie mit boshaftem Unterton und ließ den Blick über die Lederriemen wandern. Cirina dankte im Stillen den Göttern dafür, dass sie ihr am Vorabend die nötige Weisheit geschenkt hatten, Antonio daran zu hindern, die Riemen zu durchtrennen.

«Gewiss, Hoheit», flüsterte sie.

Chabi beäugte sie skeptisch. Cirina hatte das unangenehme Gefühl, Chabi wisse, dass sie am Abend zuvor zum Höhepunkt gekommen war. Die Vermutung war zwar lächerlich – wie hätte Chabi hinter ihr Geheimnis kommen sollen? –, dennoch lief es Cirina kalt über den Rücken.

«Nimm die Riemen ab», befahl Chabi der Sklavin, die unauffällig neben dem Sofa wartete.

Die junge Frau zog die Lederriemen durch die D-förmigen Schlaufen und pellte das geölte Leder von Cirinas Geschlecht. Als sie dabei über den Lustknubbel streifte, schnappte Cirina unwillkürlich nach Luft. Das veranlasste Chabi, belustigt die Brauen zu heben. Sie wartete, bis Cirina nackt vor ihr stand, dann schnippte sie ungeduldig mit den Fingern.

«Fang an.»

Cirina legte sich auf die Felle nieder. Sie zitterte und war sich ihrer Verletzlichkeit überdeutlich bewusst. Chabi stand neben ihrem Kopf und beobachtete sie, während Kublai Khan gleich neben dem Sofa zusammen mit seinem

Generalstabschef über dem Schriftstück brütete. Hinter dem Thron standen zwei bewaffnete Soldaten in Habachtstellung. Ihre Miene war undurchdringlich. Zwei weitere Soldaten standen zur Seite des Throns und blickten zur Wand.

Da sie Chabis Ungeduld spürte, streichelte Cirina über die Außenseite der fest geschlossenen Schenkel. Sie stöhnte leise und voller Scham.

«Herrin – ich kann nicht!», flüsterte sie ängstlich.

Chabi bückte sich und legte die Lippen an Cirinas Ohr. Ihre Stimme klang plötzlich anders, sanft und einschmeichelnd. Ihre verführerischen Worte sandten kleine Lustschauer durch Cirinas Körper.

«Doch, du kannst, meine Kleine. Du willst es doch selbst – du glühst ja geradezu!»

Ja, es stimmte, Cirina war tatsächlich heiß. Das Lederzeug hatte in der Nacht die zarte Haut ihres Lustbrunnens gereizt und den Wunsch in ihr geweckt, sich zu berühren, und das umso mehr, als es ihr verboten war. Ihr Mund war trocken, und sie befeuchtete die Lippen mit der Zunge, während Chabis Einflüsterungen allmählich Wirkung zeigten.

«Tu es – schenk mir deine Lust.» Chabis zischelndes Flüstern vibrierte in Cirinas Körper nach. Die Worte liebkosten ihre nackte Haut und bewirkten, dass die feinen Härchen sich sträubten.

Als Chabi sich wieder aufrichtete, vermisste Cirina auf einmal die Wärme ihrer Lippen am Ohr. In der Jurte war es warm und – abgesehen von den leisen Männerstimmen am Thron des Khans – sehr, sehr still. Die Stimmen aber waren vollkommen abgetrennt von ihr, als kämen sie aus einer anderen Welt.

Schenk mir deine Lust. Die Worte hallten in Cirinas Kopf nach und erregten sie. Sie atmete mehrmals tief durch, versuchte ihre Atmung zu regulieren, sich zu beruhigen. Nach einer Weile wurde sie kühner, legte die Hände flach auf die weiche Haut ihrer Beine, ließ sie hinaufwandern und streichelte sich den Bauch, der leicht erbebte. Dann streifte sie mit der flachen Hand über die beiden hervorspringenden Hüftknochen und liebkoste die hübsche Einbuchtung ihrer Taille.

Chabi störte es anscheinend nicht, dass sie sich Zeit ließ, deshalb konzentrierte sie sich darauf, die empfindsamen Nerven zu wecken, streichelte über die Rippen und die sanfte Schwellung der Brüste. Zu ihrer Verwunderung stellte sie fest, dass die Nippel sich bereits verhärtet hatten und keck gegen ihre Handflächen drückten. Langsam, ganz langsam streichelte sie kreisförmig über ihre Brüste, deren Spitzen anschwollen und sich versteiften.

Als sie es endlich wagte, zu den Männern an der anderen Seite des Raums hinüberzusehen, bemerkte Cirina, dass keiner sie beachtete. Als die Augen des nächststehenden Soldaten in ihre Richtung wanderten, lächelte Cirina inwendig. Was wäre wohl nötig, um die teilnahmslosen Soldaten oder gar den Khan auf sich aufmerksam zu machen? Was musste sie tun?

Nach und nach machte ihre Verlegenheit Mutwillen Platz. Auf einmal erschien es ihr verlockend, die Aufmerksamkeit der Männer auf sich zu lenken, und sie war bereit, sich der Herausforderung zu stellen. Ein Seufzen drang über ihre geöffneten Lippen. Sie bog den Kopf zurück und zwirbelte eine Brustwarze zwischen Daumen und Zeigefinger.

Als sie aus dem Augenwinkel bemerkte, dass der Soldat den Kopf in ihre Richtung drehte, strömte neue Kraft durch ihre Adern. Ermutigt zog sie sanft an dem elastischen Nippel und ließ ihn zurückfedern.

Zahllose winzige Schweißperlen brachen aus ihren Poren, sodass sich ein feiner Film aus Schweiß auf ihrer Haut bildete, der ihr ein schimmerndes Aussehen verlieh. Cirinas Herzschlag beschleunigte sich, als sie mit den Händen zum Bauch wanderte.

Mit lustvoller Langsamkeit kreiste sie immer wieder mit der Hand über ihn, bis die Bewegung vom Venushügel und ihren empfindlichen Lippen aufgenommen wurde, die in Erwartung ihrer Finger anschwollen und sich öffneten. Ihre Fingerspitzen streiften das seidige Schamhaar, als sie über den Spalt zwischen ihren Schenkeln fuhr.

Am Rande ihres Bewusstseins bekam sie mit, dass die gedämpfte Unterhaltung aufgehört hatte und alle Augen auf sie gerichtet waren. Wenngleich sie sich nicht zu vergewissern traute, ob ihr Instinkt richtig lag, spielte sie vor ihrem imaginären Publikum, drehte den Kopf zur Seite und öffnete leicht den Mund. Sie drückte eine Fingerspitze gegen die weichen Lippen, schob den Finger langsam in den Mund und saugte daran.

Als sie den Mund öffnete und den Finger über die Zunge kreisen ließ, bevor sie ihn tief hineinschob, atmeten die Zuschauer scharf ein. Ermutigt von dem Beweis, dass sie die verdiente Aufmerksamkeit der Zuschauer zu erringen vermochte, teilte Cirina aufreizend langsam die Beine, aber nur ein bisschen. Dann ließ sie den vom Speichel nassen Finger langsam an ihrem Körper hinunterwandern und schob ihn zwischen die bereits feuchten Schamlippen.

Unwillkürlich stöhnte sie auf, als sie über den anschwellenden Lustknubbel streifte. Wenn sie nicht vorzeitig zum Höhepunkt gelangen wollte, musste sie ihm zunächst ausweichen. Stattdessen kitzelte sie die Lippen und steckte den Finger versuchsweise in die warme, feuchte Mündung ihres Lustkanals, badete ihn in dem hervorsickernden dicken Honig.

Sie veränderte leicht die Haltung und führte mutwillig

den Finger erneut an die Lippen. Sie kostete vom süßen Moschussaft, öffnete weit den Mund und führte den Finger ein. Ein zitterndes Seufzen sagte ihr, dass sie ihr Publikum gefangen hatte.

Sie gab ihrem plötzlichen, unerklärlichen Wunsch nach, den Zuschauern die anfänglich so widerwillige Vorführung unvergesslich zu machen, und rekelte sich genüsslich wie eine Katze in der Sonne. Anschließend zog sie die Knie an die Brust, wobei sich der zarte Knubbel zwischen den Schamlippen mit einem Ziehen bemerkbar machte. Alle Blicke waren auf ihre weiche, rosige Öffnung gerichtet.

Mittlerweile herrschte eine erwartungsvolle Anspannung in der Jurte, von der Cirina noch mehr angespornt wurde. Langsam streckte sie ihre schlanken goldbraunen Beine bis zu den Fußspitzen und öffnete sie dann langsam, sodass sich ihre Schamlippen teilten.

Jetzt konnten die Zuschauer alles sehen. Ihre intimste Stelle war entblößt, und sie meinte, die Hitze der Blicke zu fühlen. Sie schloss die Augen, krümmte den Rücken und schüttelte den Kopf, sodass ihr langes Haar wie ein Seidenvorhang auf den fellbedeckten Boden fiel. Sie konnte sich gut vorstellen, was für einen Anblick sie in dieser Pose völliger Preisgabe bot, und das machte sie noch schärfer und ließ ihre Säfte noch reichlicher fließen.

Mit zitternden Händen langte sie sich zwischen die Beine und teilte die angeschwollenen Lippen, spürte, wie die warme Luft die innersten Bereiche küsste. Langsam zog sie den benetzten Mittelfinger der rechten Hand wieder heraus und verschmierte den Saft an der Stelle, wo die Lippen zusammentrafen.

Schon bei der ersten Berührung der warmen, feuchten Fingerspitze begann der kleine Knubbel wie ein kleines Herz lustvoll zu pulsieren. Cirina nahm die Zuschauer in der Jurte kaum mehr wahr. Nun zählte nur noch ihre

Lust. Gleichmäßig ließ sie den Finger um die schwellende Knospe kreisen und schwelgte in den Lustwellen, die sie durchströmten.

Ihr Atem war flach geworden, und sie keuchte leicht, mit offenem Mund, die Beine weit gespreizt. Die Fellunterlage machte sich heiß an ihrer Haut aus, aber sie nahm ihren Schweiß und den intimen, weiblichen Saft ihrer Spalte auf.

Rastlos stemmte sie die Hüften hoch und drückte den kleinen Lustknubbel heraus, öffnete sich weiter, als sie je für möglich gehalten hätte, und bot den Anblick ihres pulsierenden Inneren den Zuschauern dar.

Obwohl Cirina sich immer schneller und leidenschaftlicher rieb, kam sie doch nicht zu einer Klimax. Sie wollte zum Höhepunkt kommen, wollte die Beine auseinander reißen und im Sinnestaumel schreien. Ihre ganze Wahrnehmung konzentrierte sich auf ihr Lustzentrum. Für sie gab es nur noch das kleine Herz und die Empfindungen, die es in ihr auslöste und die wie ein sengender Wüstensturm durch sie hindurchtobten. Ihr Mittelfinger trommelte immer fester gegen die Lippen, bis er schließlich die kleine Knospe traf.

Tapp-tapp-tapp – Cirina krümmte sich zusammen, sodass sie halb saß; ihr ganzer Körper strebte dem Höhepunkt entgegen.

«Ah!», schrie sie, als der Orgasmus sie überschwemmte.

Sie streckte die Beine in die Luft, presste den Handballen auf das pulsierende Herz und warf den Kopf hin und her, gefangen in einem Wirbelsturm reiner Ekstase. Nichts nahm sie mehr wahr als die Wellen der Lust, die durch ihren Körper jagten.

Der Orgasmus hörte gar nicht mehr auf. Als er irgendwann verebbte, sackte Cirina erschöpft auf die Felle nieder.

Sie atmete schwer und war schweißnass, das Haar klebte ihr an der Stirn, und in ihrer Schatztruhe spürte sie einen angenehmen Schmerz.

Eine Weile blieb sie still liegen, während ihr Herzschlag sich beruhigte und ihr Körper abkühlte. Nach und nach nahm sie wieder die Umgebungsgeräusche wahr – ein anerkennendes Gemurmel, den schweren Atem eines Soldaten, der um Selbstbeherrschung rang. Sie hatte es geschafft – alle hatten ihr zugeschaut! Ein breites, zufriedenes Lächeln breitete sich über ihr Gesicht, als sie sich ihren Triumph vergegenwärtigte.

Dann öffnete sie die Augen und begegnete dem harten grünen Blick Chabis, der ihr neu gewonnenes Selbstvertrauen sogleich wieder erschütterte. In der Miene der Kaiserin spiegelten sich Erstaunen und Wut, gemischt mit widerwilliger Bewunderung. Da Cirina meinte, Chabi wolle sich auf sie stürzen, versteifte sie sich und erspannte sich erst wieder, als Kublai Khan seine Frau zu sich rief.

«Was meinst du, Chabi, meine Liebe?», sagte er mit einem pfeifenden Lachen. «Hast du endlich jemanden gefunden, den du nicht auf dem Altar deiner Eitelkeit zu zerbrechen vermagst?»

Cirina beobachtete aufmerksam, wie Chabi die Schultern zurücknahm und den Kopf hob.

«Ganz im Gegenteil, Herr», erwiderte sie so mutig, dass Cirina ihr unwillkürlich Respekt zollen musste. «Sie wird umso unterhaltsamer sein. Wie mein Herr weiß, bricht irgendwann jede.»

Kublai musterte Cirina nachdenklich.

«Pass auf, Chabi, dass du nicht das zerstörst, was verdient, gefördert zu werden.»

Mit einem Fingerschnippen entließ er die beiden Frauen, der Zerstreuung auf einmal überdrüssig geworden. Chabi trat zum Sofa, auf dem Cirina noch immer nackt ausgestreckt lag. Cirina schreckte vor der kaum verhohlenen Wut in Chabis Gesicht zurück.

«Schaff sie hier raus!», fauchte sie die Sklavin an, die in der Nähe gewartet hatte.

Cirina wurde in ein Seidengewand gehüllt und eilig aus der Jurte geführt. Obwohl Chabis Zorn ihr Angst machte, vermochte er ihrem Triumphgefühl doch nichts anzuhaben, und sie entfernte sich mit hoch erhobenem Kopf.

Chabi war außer sich. Sie kehrte zu ihren Gemächern zurück, ließ Wein bringen und begann, ihre Rache zu planen. Niemand machte sie vor dem Khan ungestraft lächerlich! Ah, aber die junge Frau hatte einen wahrhaft prachtvollen Anblick geboten! Wären sie allein gewesen, hätte Chabi sie an Ort und Stelle in die Arme geschlossen und sie über die Grenzen der Lust hinweg zu einem anderen, dunkleren Ort geführt, an dem nur die wahrhaft Sinnlichen Erfüllung fanden! Sie zweifelte daran, dass Cirina das Zeug dazu hatte.

Ihr Zorn aber überwog das Verlangen, sie zu besitzen. Es musste doch möglich sein, der jungen Frau eine Lektion zu erteilen und ihr klar zu machen, dass sie sich ihrem Willen unterwerfen musste. Das machte die Macht der Kaisergemahlin aus, und Chabi war nicht gewillt, sie von einem geilen Wüstenmädchen aushöhlen zu lassen. Ganz im Gegenteil!

Antonios Schritte stockten, als er sich Chabis Gemächern näherte. Die Aufforderung, bei ihr zu erscheinen, hatte ihn erreicht, als er sich gerade zu Cirina hatte begeben wollen. Nun hatte er es eilig, das Gespräch hinter sich zu bringen. Der Gedanke, dass Cirina in ihrem Zimmer auf ihn wartete, versetzte seine Nerven in angespannte Erregung. Mit etwas Glück würde es ihm heute gelingen, sie von dem teuflischen Lederzeug zu befreien und sie zu lieben, wie es sich gehörte. Zunächst aber wollte er die Unterredung so kurz wie möglich halten.

Als man ihn in Chabis Gemach führte, wurde ihm sogleich klar, dass der Besuch länger dauern würde. Ihm sank der Mut.

«Ihr habt nach mir verlangt, Hoheit?»

«Signor Ballerei!» Sie lächelte ihn an, doch er traute ihrer Freundlichkeit nicht. «Kommt her – trinkt einen Schluck Kumyss mit mir. Ich möchte mehr über Euch erfahren.»

Antonio zögerte. Er fürchtete diese Frau. Doch hätte er ihr die Bitte abgeschlagen, hätte er sich und Cirina in Todesgefahr gebracht. Deshalb nahm er lächelnd Platz und machte es sich auf den dicken Seidenkissen am Boden bequem.

«Habt Ihr Sehnsucht nach Eurer Heimat und Eurer Familie?»

«Ein wenig schon, wenngleich ich keine nahen Verwandten habe», antwortete er und nahm mit einem Kopfnicken den Becher entgegen, den sie ihm reichte.

«Keine Frau? Das wundert mich aber! Ein Edelmann wie Ihr gilt bei den venezianischen Müttern doch wohl als ausgezeichnete Partie?»

Antonio musste bei der Vorstellung lächeln.

«Also wirklich, Hoheit – Ihr schmeichelt mir!»

«Wohl kaum. Ihr habt viele Qualitäten.»

Antonio rührte sich nicht, als Chabis volle Lippen zart wie Kinderatem über seinen Mund streiften. Er begehrte diese Frau, das konnte er nicht leugnen, doch er fürchtete sie auch. Seine Angst war stärker als sein Verlangen, und deshalb verhielt er sich vollkommen passiv. Erst als sie seinen Arm zärtlich hinabfuhr und mit der Hand anzüglich über seinen Schoß streifte, reagierte er.

«Hoheit», murmelte er, «ich flehe Euch an, denkt an Euren Gemahl –»

«An meinen Gemahl?» Chabi setzte sich aufrecht hin und musterte Antonio verwundert. «Glaubt Ihr etwa, der Khan habe etwas dagegen, dass ich mich amüsiere? Dem Kaiser geht mein Wohlbefinden über alles!», erklärte sie mit unangemessener Heftigkeit.

Antonio verspürte unwillkürlich Mitgefühl mit ihr.

«Das mag schon sein», meinte er beschwichtigend, «aber vielleicht würde er es ja unfreundlich aufnehmen, sollte er erfahren, dass seine Lieblingsfrau ausgerechnet mich als Empfänger ihrer Zärtlichkeiten auserwählt hat. Ich bin dessen unwürdig.»

Chabi lächelte schmallippig.

«Glaubt Ihr etwa, das würde ihm auffallen, jetzt, da er eine neue Gespielin hat? Habt Ihr unsere kleine Wüstenblume schon mitbekommen? So frisch und unschuldig – ich glaube, Cirina wird Kublai eine Weile beschäftigen.»

Sie lächelte grausam, während Antonio erbleichte.

«Ich … ja, ich habe sie schon wahrgenommen», flüsterte er.

«Ich wünschte, Ihr hättet sie heute sehen können! Der Khan war von ihrer Zügellosigkeit sehr beeindruckt. Die Soldaten, die dabei zugeschaut haben, wie sie sich öffentlich Lust bereitete, konnten sich kaum beherrschen. Aber Signor Ballerei – ist Euch nicht wohl?» Sie legte ihm sanft die Hand aufs Knie und beugte sich mit besorgter Miene vor. «Ihr seid ja ganz blass geworden!»

«Es … es ist sehr warm hier drinnen, Hoheit», quetschte Antonio hervor.

Die Qualen, welche die von Chabi heraufbeschworenen Vorstellungen bei ihm auslösten, vermochte er kaum zu verbergen: Cirina hatte sich vor dem Khan präsentieren müssen. Schlimmer noch, Chabi hatte angedeutet, Cirina habe sogar freiwillig an einer solchen Barbarei teilgenommen! Allerdings war er überzeugt, dass Chabis vergiftete Worte allein dazu gedacht waren, ihm Schmerz zu bereiten, und er fragte sich, was sie wohl damit bezweckte. Sie aber war noch nicht fertig.

«Es ist wirklich schade, dass sie für den Khan bestimmt ist. So viele würden sich gern mit ihr vergnügen. Erst gestern habe ich einen Soldaten auspeitschen lassen, weil er es gewagt hat, im Vorbeigehen ihren Rocksaum zu berühren. Hätte er sie verführt, was zweifellos seine Absicht war, wäre ich gezwungen gewesen, ihn hinrichten zu lassen.»

Antonio sah ihr in die Augen. Ihm wurde klar, dass sie ihn warnen wollte. Aber woher wusste sie, dass er sich mit Cirina getroffen hatte? Er war doch so vorsichtig gewesen.

«Hoheit», setzte er an, doch in diesem Moment wurde die Tür geöffnet, und ein Diener eilte herein.

Chabi sprang zornentbrannt auf.

«Wie kannst du es wagen, unaufgefordert einzutreten!», fauchte sie den bedauernswerten jungen Mann an.

Er verneigte sich so tief, dass seine Stirn den Boden berührte, und sprudelte etwas Unverständliches hervor. Antonio bekam jedoch mit, dass es offenbar dringlich war. Chabi warf ihm einen enttäuschten Blick zu, dann eilte sie hinaus. Verdutzt blickte Antonio ihr nach.

8. Kapitel

Cirina erwartete ihn bereits, als er sich ihrem Zimmer näherte.

«Antonio! Antonio! Hier bin ich!», flüsterte sie im Gebüsch.

Überrascht drehte er sich um und erblickte im Dunkeln ihr lächelndes Gesicht.

«Es ist mir gelungen, mich davonzustehlen – niemand wird merken, dass ich fort bin. Was hältst du davon, wenn wir einen kleinen Spaziergang im Garten unternehmen?»

Antonio blickte sich unruhig um. Überall witterte er Chabis Spione, doch die Verlockung, mit Cirina im verwunschenen Garten zu lustwandeln, war gar zu groß. Er eilte zu ihr in den Baumschatten, schloss sie in die Arme und küsste sie leidenschaftlich.

«Ich dachte schon, du würdest gar nicht mehr kommen!», sagte sie mit einem ungewohnt vorwurfsvollen Unterton, als sie sich voneinander lösten.

«Chabi hatte mich zu sich bestellt, und so konnte ich nicht eher kommen.»

Cirina musterte ihn bestürzt.

«Chabi interessiert sich für dich? Sei nur auf der Hut, Antonio, ich habe gehört, dass sie Männer, die ihr gefallen, gerne missbraucht!»

Antonio musste daran denken, dass Chabi ihm erzählt hatte, Cirina habe den Kaiser ‹unterhalten›. Obwohl er sich bemühte, nicht daran zu rühren, wurde er von seinen Vorstellungen darüber verfolgt. Auch jetzt setzten sie ihm wieder zu.

«Ach, wirklich? Ich habe auch interessante Neuigkeiten erfahren – Kublai Khan soll ganz vernarrt in seine ‹kleine Wüstenblume› sein», sagte er, Chabis leisen, verführerischen Tonfall nachahmend. «Angeblich hat sie sich ihm sogar freiwillig ergeben.»

Cirina starrte ihn verletzt an.

«Glaubst du etwa, ich wäre hier, wenn man mich gefragt hätte?»

«Natürlich nicht», erwiderte er gereizt, «aber es enttäuscht mich, dass du so bereitwillig gehorcht hast. Ich hätte etwas anderes von dir erwartet.»

Ohne zu überlegen, holte Cirina mit der Hand aus und versetzte Antonio eine kräftige Ohrfeige. Das Klatschen hallte überlaut in der samtigen Dunkelheit wider. Einen Moment lang fixierten sie einander stumm. Dann spiegelte sich Cirinas Bestürzung in Antonios Augen. Sie begann zu zittern, während seine anfängliche Verblüffung sich allmählich in Wut verwandelte. Erschrocken machte sie auf dem Absatz kehrt und lief fort.

«Cirina!»

Seine schweren Schritte kamen immer näher. Sie rannte schneller und vergaß alle Vorsicht. Die nebeneinander aufgereihten Springbrunnen nahm sie kaum wahr; sie eilte durch sie hindurch, und das Wasser toste in ihren Ohren.

Was in aller Welt war nur in sie gefahren? Bis jetzt hatte sie noch nie jemanden geschlagen! Seine Missbilligung aber hatte sie zornig gemacht und ihre angeborene Gutmütigkeit in den Hintergrund gedrängt.

Bei dem Gedanken an die Haltung, die er daraufhin eingenommen hatte, flammte ihr Zorn neu auf. Sie blieb unvermittelt stehen und drehte sich so plötzlich zu ihm um, dass er beinahe gegen sie gerannt wäre. Seine Miene war wutentbrannt, auf seiner hellhäutigen Wange sah man den Abdruck ihrer Hand. Ungeachtet dieses Beweises ihrer Unbeherrschtheit funkelte Cirina ihn wütend an.

«Wie kannst du es wagen!», zischte sie und ballte die Fäuste so fest zusammen, dass sich die Fingernägel in ihre Handflächen gruben. «Welches Recht hast du, über mich zu urteilen! Du weißt gar nicht, wie viel Mut es erfordert hat, auf Chabis Spiel einzugehen. Sei meinetwegen angewidert, aber du bist ein Narr, wenn du nicht wahrhaben willst, dass ich gewonnen habe – indem ich verloren habe, habe ich gewonnen!»

Das Blut pochte in Antonios Schläfen, und während er ihre atemlose Tirade anhörte, kniff er die Lippen zu einem schmalen, bleichen Strich zusammen. Er packte Cirina bei den Schultern und schüttelte sie.

«Wie kannst du so etwas sagen?», fauchte er. Sein Gesicht war dem ihren nun so nah, dass sie seinen heißen Atem auf ihrer Wange spüren konnte.

«Weil es wahr ist!»

«Nein! Das redest du dir bloß ein. Du hast dich vorsätzlich vor diesen gottlosen Unholden erniedrigt – bäh!»

Er drehte das Gesicht weg, denn Cirina hatte ihn angespuckt.

«Sohn eines ungewaschenen Schweins!», kreischte sie. In diesem Moment hasste sie ihn mit jeder Faser ihres Wesens.

«Hure!»

«Lass mich los, du europäischer Barbar! Oh!»

Plötzlich drückte Antonio seinen Mund auf den ihren und erstickte ihre Worte. Wütend wehrte sie sich, hämmerte mit den Fäusten auf ihn ein, zog ihn am Haar und zerkratzte ihm das Gesicht. Antonio aber war viel kräftiger als sie und sog lediglich scharf den Atem ein, als sie ihm die Haut zerkratzte.

Da sie seine Zunge widerlich fand und die Leidenschaft, die sich unter der Wut regte, nicht wahrhaben wollte, wehrte Cirina sich noch heftiger. Sie drückte ihn gegen die halbhohe steinerne Brüstung eines Springbrunnens und brachte ihn aus dem Gleichgewicht.

Als sie spürte, dass sie im Vorteil war, sammelte sie all ihre Kräfte und stieß ihn über die Brüstung. Da er aber nicht losließ, fielen sie beide mit einem lauten Platschen ins Becken.

Das kalte, klare Wasser drang ihr in Nase und Ohren. Prustend tauchte sie wieder auf und klammerte sich an Antonio, von dem sie sich eben noch hatte losmachen wollen. Als sie die Augen aufschlug, sah sie sein nasses Haar, das am Schädel klebte, und sein verdutztes Gesicht. Unwillkürlich brach sie in Gelächter aus.

«Ach, Antonio! Es tut mir Leid.»

Er schüttelte wie ein nasser Hund den Kopf, dass die Tropfen nur so stoben. Cirina kreischte auf und wollte durchs hüfthohe Wasser zum Beckenrand waten, doch er war schneller. Er packte sie am Arm und zog sie unter Wasser. Als sie sich aufrichten und nach Luft schnappen wollte, stellte sie fest, dass Antonio ihren Kopf niederdrückte.

«Nicht!», keuchte sie, als er sie endlich losgelassen hatte und sie wieder aufgetaucht war. Sie spritzte ihn an, doch schon war er wieder untergetaucht.

Als sie erneut an die Oberfläche kam, lachte er. Zu ihrer Verwunderung wurde ihr davon ganz leicht ums Herz. Es hatte ihr wehgetan, ihn zornig zu sehen, und sie erwiderte sein Lachen. Dass ihr das nasse Gewand am Leib klebte, störte sie nicht.

Auf einmal verflüchtigte sich Antonios Lächeln, und sein Blick verdunkelte sich. Cirina spürte seine Anspannung und ließ die Schultern hängen. Es war, als fühle sie seinen Herzschlag und merke, wie das aufgewühlte Wasser an seiner Haut leckte. Während sie atemlos nach Luft rang, watete Antonio ihr entgegen.

Als er sie diesmal in die Arme schloss, lag weder Zorn noch Verspieltheit darin. Er fasste sie bei den Hüften und hob sie hoch, bis ihr Nabel vor seinem Gesicht zu stehen kam. Cirina seufzte, als er die Wassertropfen von ihrer Haut ableckte und sie in die Mitte des Springbrunnens trug.

«Ah!», rief sie aus, denn das Wasser prasselte auf ihr Gesicht und ihre Brüste nieder und bildete einen durchscheinenden Vorhang, der sie von Antonio trennte. Dann trat auch Antonio durch den Vorhang. In der Mitte befand sich eine Steinsäule, die so massiv war, dass er sie dagegenlehnen konnte. Vom herabfallenden Wasser vor neugierigen Blicken geschützt, küsste Antonio ihren Hals, die Halsgrube und die schwellenden Brüste unter dem nassen Gewand.

Über seine Schulter hinweg sah sie verschwommen weitere Springbrunnen und dahinter Bäume. Eine weiße Stute blieb gerade am Beckenrand stehen, trank und trabte dann weiter. Sie schüttelte den edlen Kopf und beachtete die beiden Liebenden gar nicht, die einander an der nassen Kleidung zerrten.

Noch nie zuvor hatte Antonio sie mit solcher Leidenschaft geliebt. Es war, als habe er Angst, entdeckt zu werden, bevor er Befriedigung finden könnte. Cirina erwiderte seine leidenschaftlichen Zärtlichkeiten. Ihre Hände wanderten verlangend über seine breite Brust und hinunter zum steifen Schwanz, der gegen ihren Bauch drückte.

Obwohl sie vor dem herabprasselnden Wasservorhang weitgehend geschützt waren, wehte der schwache Wind doch hin und wieder ein wenig Gischt heran, sodass sie ständig benetzt wurden. Die Steinsäule an ihrem nassen Rücken fühlte sich kühl an, und Cirina presste sich dagegen, als Antonios Lippen die warme, feuchte Haut zwischen ihren Schenkeln suchten und fanden. Ihre Beine gaben nach, als gehörten sie nicht mehr zu ihr, und sie sank gegen die Säule, ließ sich bereitwillig von ihr stützen. Sie legte den Kopf in den Nacken, öffnete den Mund, fing den kühlen Gischt mit der Zunge auf und ließ ihn langsam die Kehle hinunterrinnen.

Antonio stöhnte auf, als er sie so sah. Er vergrub den Kopf zwischen ihren Brüsten und saugte an deren kecken Spitzen. Abermals hob er sie an den Hüften hoch und pfählte sie mit seinem stolz gereckten Schaft, trieb ihn mit einem gedehnten Seufzer in ihren Lustbrunnen, sodass es ihr heiß und kalt über den Rücken lief.

Sie schlang ihm die Beine um die Hüfte und ließ das Becken kreisen, denn sie wollte ihn möglichst tief in sich spüren. Mit einem leisen, hingebungsvollen Seufzer lehnte sie sich gegen die Steinsäule. Er stellte sich breitbeinig hin, suchte im hüfthohen Wasser einen festen Stand, bewegte Cirina auf und nieder und stieß in sie hinein, sodass ihre Schambeine bei jeder Abwärtsbewegung gegeneinanderprallten.

Als sich in ihrem Lustzentrum der Druck aufbaute, umschloss Cirina ihn noch fester und spannte die Scheidenmuskeln an, als fürchtete sie, er könnte aus dem Rhythmus kommen und aus ihr herausgleiten. Als Antonio mit glasigem Blick zum Höhepunkt kam, traten seine Halssehnen hervor. In diesem Moment zog sich Cirinas Schoß zusammen, und die ersten Wellen der Lust schwemmten über sie hinweg.

Obwohl er ihr Gewicht bislang mühelos getragen hatte, raubte ihm der Erguss offenbar die Kraft. Als sie zum Höhepunkt kamen, verloren sie beide das Gleichgewicht und sanken aneinander geklammert, noch immer vereint, ins Wasser. Lachend hielt Cirina sich an ihm fest, küsste sein nasses Gesicht und schwelgte in dem Gefühl, mit den zarten Lippen über sein raues Kinn zu streifen.

«Komm – wir können hier nicht bleiben», sagte er nach einer Weile. Cirina hatte allerdings den Eindruck, er verlasse diese unverhoffte Idylle ebenso ungern wie sie.

Sie boten einen kläglichen Anblick. Ihre Kleidung war klatschnass, Cirinas Gewand hatte er in der Eile, zu ihrer nassen Haut vorzudringen, zerrissen. Um nicht gesehen zu werden, eilten sie durchs Gebüsch und näherten sich dem Palast auf verschlungenen Wegen.

Vor Cirinas Fenster küssten sie sich leidenschaftlich.

«Wie willst du in dein Zimmer kommen?», fragte Antonio besorgt.

«Ich werde versuchen, mich an der Wache vorbeizustehlen – in diesem Zustand traue ich mich nicht, hochzuklettern.»

Grinsend umfasste Antonio eine ihrer vollen Brüste und drückte sie zärtlich zusammen.

«Bei allem, was heilig ist, am liebsten würde ich mit dir kommen!»

«Das darfst du nicht!», erwiderte Cirina beunruhigt. «Wenn Chabi davon erfährt –»

«Pst!», machte Antonio und legte ihr den Zeigefinger auf die Lippen. «Chabi wurde vom Kaiser nach Peking bestellt. Einstweilen sind wir vor ihr sicher.»

Obwohl sie mit Erleichterung vernahm, dass Chabi nicht mehr in Shang-tu weilte, war ihre Besorgnis keineswegs zerstreut.

«Aber es gibt hier viele, die uns verraten könnten – wir müssen vorsichtig sein!»

Antonio ergriff ihre Hand und führte sie an die Lippen.

«Hab keine Angst, *mi amore*, morgen besuche ich dich wieder. Wirst du auf mich warten?»

«Immer», versprach ihm Cirina.

Seine Lippen streiften erneut über ihre Fingerknöchel.

Dann huschte sie davon und eilte leichtfüßig zum Nebeneingang, durch den sie auch nach draußen gelangt war. Als sie hindurchschlüpfte, drehte sie sich um und wäre beinahe in Ohnmacht gefallen, denn auf einmal trat ein Mann aus dem Schatten hervor.

«Mädel, wo bist du gewesen?», fragte er mit tiefer, nicht unfreundlicher Stimme.

«M-Mongor?», stammelte Cirina verunsichert.

Der Soldat, der sie aus der Karawanserei nach Shangtu gebracht hatte, trat an ihr vorbei, blickte nach draußen und wandte suchend den Kopf hin und her, als erwartete er, irgendwo Antonio zu erblicken. Dann schloss er hinter sich die Tür, drehte sich zu Cirina um, musterte ihr Gewand und schließlich ihre geröteten Wangen und strahlenden Augen.

«Mach schnell», sagte er und fasste sie beim Ellbogen. «Ich werde warten, während du die nassen Kleider ausziehst, und sie anschließend wegwerfen.»

Cirina rannte mit ihm zusammen die Treppe hoch. In ihrem Zimmer entkleidete sie sich vor ihm ohne Scham, denn er hatte sie bereits nackt gesehen. Mongors Blick huschte über ihre schlanke Gestalt, während sie sich abtrocknete und in ein Seidengewand hüllte.

Cirina reichte ihm die zerrissenen und nassen Kleidungsstücke und fragte: «Warum hilfst du mir?»

Der große Tatar runzelte die Stirn, als habe er sich bereits das Gleiche gefragt und keine Antwort darauf gefunden.

«Stell keine Fragen», sagte er kurz angebunden. «Aber dir sollte klar sein, dass du dich in Gefahr bringst. Es ist nicht gut, sich mit Chabi anzulegen.»

Cirina musterte ihn nachdenklich. Was hatte er eigentlich da unten gemacht? Hatte Chabi ihn vielleicht damit beauftragt, ihr nachzuspionieren?

Das war durchaus wahrscheinlich, trotzdem kam Cirina zu dem Schluss, dass sie sich deshalb keine Sorgen zu machen brauche. Wichtig war nur, dass er ihr bereitwillig geholfen hatte, obwohl er sie wegen Ungehorsam hätte auspeitschen können.

«Ich habe verstanden, Herr», sagte sie leise, «aber ich möchte dir trotzdem danken.»

Mongor brummte etwas Unverständliches, deutete eine Verneigung an und machte auf dem Absatz kehrt. Wortlos ging er hinaus und nahm die nassen Beweise ihrer Springbrunnen-Eskapade mit.

Kublai Khans überstürzte Abreise nach Peking hatte die Polos überrascht.

«Bei allem, was heilig ist», ließ Marco vernehmen, als er davon erfuhr, «wie lange sollen wir denn noch hier bleiben?»

«Gefällt es dir hier etwa nicht, mein Neffe?», fragte Maffeo verschmitzt und hörte auf, die herabbaumelnden Brüste der nackten Sklavin zu streicheln, die ihm die Füße massierte.

Marco lächelte kläglich und zauste der jungen Frau, die auf seinem Schoß eingeschlafen war, das Haar.

«Doch, es gefällt mir – nur allzu gut! Aber ich habe gehört, in Venedig braue sich ein Krieg zusammen. Was würde ich dafür geben, wenn wir zurückkehren und gegen die Genueser kämpfen könnten! Was meinst du dazu, Antonio?»

Antonio, der gerade an Cirina dachte, schreckte zusammen.

«Du hast Recht, Marco, zu Hause werden wir gebraucht. Aber wie willst du den Kaiser dazu bewegen, uns ziehen zu lassen?»

Die Polos rutschten unbehaglich auf den Kissen umher.

«Wir sind hier keine Gefangenen, Antonio», erklärte Niccolo mit mildem Tadel.

«Mag sein, aber ohne Kublai Khans Segen würden wir wohl nicht weit kommen.» Antonio wandte sich lächelnd Marco zu, der ihn nachdenklich musterte. «Was geht dir durch den Sinn, mein Freund?»

Marco schüttelte den Kopf. «Ich frage mich nur, was dich veranlasst hat, ans Abreisen zu denken. Könnte es sein, dass die Reize der hübschen Cirina bereits zu verblassen beginnen?»

Antonios Miene verdüsterte sich. «Nein. Am liebsten würde ich sie mitnehmen.»

Seine Bemerkung überraschte ihn ebenso sehr wie die Polos, denn seine Absicht war ihm erst in diesem Moment bewusst geworden. Cirina nach Venedig mitzunehmen war sein sehnlichster Wunsch – dann würde ihm zu seinem Glück nur noch der byzantinische Rubin fehlen! Der Rubin. Anstatt sich aussichtslosen Träumereien hinzugeben, wie er Cirina mitnehmen könnte, sollte er sich allmählich der Aufgabe zuwenden, die ihn all die Jahre über beschäftigt hatte. Allerdings musste er sich schweren Herzens eingestehen, dass der Juwel von Xanadu sich in eine Frau verwandelt hatte und dass der Rubin ihm im Vergleich mit ihr so wertlos wie eine Murmel erschien.

«Aber das geht nicht, Antonio», sagte Marco mit ganz untypischer Sanftheit.

«Nein, natürlich nicht.» Antonio grinste, um seine Verlegenheit zu verbergen. «Sag mir Bescheid, wenn der Khan dir wieder mal eine Audienz gewährt, Marco, mein Schwertarm ist schon ganz eingerostet!»

Die anderen lachten, und der peinliche Moment war vorbei. Als er am Abend neben der schlafenden Cirina auf dem Bett lag, dachte er erneut daran, wie er den Rubin vom Thron des Kaisers an sich bringen könnte.

Sie hatten sich mit anrührender Zärtlichkeit geliebt und sammelten nun, ineinander verschlungen und liebessatt, Kraft für eine neue Vereinigung.

Müßig streichelte Antonio mit der Fingerspitze vom Schlüsselbein zwischen den Brüsten entlang zu ihrem Nabel, den er so lange umkreiste, bis es sie kitzelte und sie seine Hand umfing.

«Hör auf! Was geht dir durch den Kopf, das dich von mir fern hält?», fragte sie schläfrig.

«Wie meinst du das?»

«Du liegst zwar neben mir, aber mit den Gedanken bist du woanders. Vielleicht bei einer anderen Frau?»

Antonio musterte sie überrascht, dann lachte er leise in sich hinein. Sie runzelte die Stirn.

«Was ist daran so komisch? Glaubst du etwa, ich scherze, wenn ich sage, es gefällt mir nicht, wenn du an eine andere denkst?»

Als Antonio merkte, dass sie ernstlich eingeschnappt wäre, wenn er sie nicht rasch beruhigte, wollte er ihr einen Kuss auf die Lippen hauchen. Sie aber drehte den Kopf weg, sodass er stattdessen ihre Wange küsste. Er seufzte.

«Wie kommst du darauf, ich würde an eine andere Frau denken, wenn ich dich in den Armen halte? Cirina, verglichen mit dir sind selbst die schönsten Frauen die Töchter von Kamelen!»

Als Cirina kicherte, entspannte er sich. Der Wunsch, sich ihr anzuvertrauen, wurde übermächtig. Seine Liebe zu ihr machte ihn unbesonnen.

«Du hast Recht, *cara mia* – ich war mit den Gedanken woanders. Verzeih mir. Aber eine anders geartete Kostbarkeit als eine Frau lenkt mich von dir ab.»

Cirina stützte sich auf den Ellbogen und musterte ihn interessiert.

«Ach. Und was ist das?»

Antonio streichelte ihr Haar und saugte mit den Augen die makellose Schönheit ihrer honigfarbenen Haut und ihrer weit aufgerissenen blauen Augen auf.

«Du darfst keinem Menschen je erzählen, was ich dir jetzt sage. Lächle nicht, Cirina – mein Leben könnte von deinem Stillschweigen abhängen.»

«Du kannst mir vertrauen, Antonio», versprach sie mit großem Ernst.

Er erzählte ihr die Geschichte des Rubins und erklärte ihr, welche Bedeutung er für seinen verstorbenen Vater und die ins Exil verbannten Byzantiner hatte. Während sie aufmerksam lauschte, schilderte er die alles bestimmende Suche seines Vaters nach dem Rubin, der schließlich mit dem bitteren Gefühl des Versagens gestorben war. Dabei hatte er den Eindruck, eine große Last werde von ihm genommen. Es war ihm gar nicht bewusst gewesen, wie sehr ihn das Geheimnis, das er seit seiner Reise mit Marco Polo mit sich herumschleppte, an ihm gezehrt hatte.

Als er geendet hatte, legte er den Kopf auf Cirinas Schoß, und sie streichelte seine Stirn. Es war eine tröstliche, beruhigende Liebkosung, und mit einem zufriedenen Lächeln schloss er die Augen. Nach einer Weile küsste sie ihn auf den Nasenrücken, als wollte sie ihn darauf vorbereiten, dass sie das Schweigen brechen wollte.

«Wie ist Kublai Khan in den Besitz des Rubins gelangt?», fragte sie.

«Das ist nicht bekannt. Sicher ist nur, dass er ihn nicht freiwillig herausrücken wird!»

«Aber wie willst du den Rubin stehlen, wenn er doch in den Thron des Kaisers eingelassen ist?»

Antonio grinste sie an.

«Also, das ist wirklich eine gute Frage, *mi amore*!»

9. Kapitel

Als Cirina das nächste Mal zum Khan in den großen Saal bestellt wurde, suchte ihr Blick sogleich nach dem Rubin. Es hatte ihr geschmeichelt, dass Antonio ihr sein Geheimnis anvertraut hatte, und seine Geschichte hatte ihr Interesse geweckt. Es bereitete ihr keine Mühe, den großen roten Edelstein ausfindig zu machen, der über dem kahlen Schädel des Kaisers funkelte. Wenn sie Antonio nur helfen könnte, ihn sich zu verschaffen – wie dankbar er ihr dann wäre! Und wie stolz auf sie.

«Tritt vor den Thron.»

Cirina zuckte zusammen, denn der Kaiser persönlich hatte sie angesprochen. Sie tat wie geheißen und schlug den Blick nieder aus Angst, der neben dem Thron stehenden Chabi könnte es auffallen, wenn sie den byzantinischen Juwel anstarrte.

Chabi und Kublai hatten sich sieben Tage in Peking aufgehalten. Während ihrer Abwesenheit war Entspannung in die Stadt eingekehrt, ganz so, als erwachte sie nur dann zum wirklichen Leben, wenn das Herrscherpaar woanders weilte. Cirina und Antonio hatten die Gelegenheit genutzt, ihr wechselseitiges Verlangen zu befriedigen, das zu Cirinas Überraschung mit jeder Begegnung stärker wurde, statt nachzulassen.

Die Aufforderung, vor dem Khan zu erscheinen, war am Vorabend ergangen und hatte böse Vorahnungen geweckt, die sie auch jetzt, da sie darauf wartete, dass der Kaiser das Wort ergriff, nicht abzuschütteln vermochte. Die beiden anderen anwesenden Frauen, eine Chinesin und eine Tatarin, waren beide Schönheiten. Wie Cirina nahmen sie eine unterwürfige Haltung ein, und Cirina vermutete, dass auch sie Lustsklavinnen des Khans waren.

Als der Kaiser erneut das Wort ergriff, versuchte sie, sich zu konzentrieren.

«Es wurde beschlossen, dass ihr drei Prinzessin Lei als Nebenbräute in unsere persischen Besitzungen begleiten sollt. In einer Woche werdet ihr aufbrechen. Es wird von euch erwartet, dass ihr uns bis dahin weiterhin Wohlgefallen bereiten werdet.»

Cirina hatte Mühe, die leise Stimme des kränkelnden Khans zu verstehen, doch das Wenige, das sie mitbekam, genügte ihr. «Jawohl, Hoheit», sagte sie, dann zog sie sich unter Verneigungen rückwärts gehend zurück.

Als sie zu ihrem Zimmer zurückeilte, passte Antonio sie ab. Ohne die besorgten Blicke ihrer Betreuerinnen zu beachten, klatschte Cirina in die Hände.

«Ich habe gehört, du seist in den großen Saal gerufen worden. Ich habe mir Sorgen gemacht», sagte er.

Obwohl ihr sein Eingeständnis zu Herzen ging, vermochte sie ihre Bedrückung nicht abzuschütteln. Sie berichtete ihm, was der Kaiser zu ihr gesagt hatte.

«Das verstehe ich nicht – was soll das bedeuten?»

Antonios Miene hatte sich verdüstert.

«Ich wollte es dir heute Abend genauer erklären. Kurz gesagt, wurde Marco Polo gebeten, die Prinzessin nach Persien zu bringen, wo sie mit dem dortigen mongolischen Herrscher vermählt werden soll. Offenbar wurdest du zusammen mit den beiden Frauen anderen Edelleuten als Anerkennung für Verdienste in der Schlacht geschenkt.»

«Aber dann bleiben wir zusammen, nicht wahr?», sagte Cirina. Die Freude darüber, dass sie mit Antonio zusammen reisen sollte, ließ ihre Sorge in den Hintergrund treten.

Antonio sah ihr tief in die Augen. In ihrem Blick lag so viel Liebe und Vertrauen. Wie sollte er ihr sagen, dass er würde flüchten müssen, wenn er den Rubin vom Kaiserthron gestohlen hätte? An der weiten, verschlungenen Reise, die Marco plante, würde er nicht teilnehmen können.

«Cirina, ich –»

«Signor Ballerei – welch unerwartete Freude!»

Als sie Chabis leise, verführerische Stimme vernahmen, sprangen sie schuldbewusst auseinander. Cirina sah ihr unter gesenkten Wimpern hervor ängstlich entgegen und stellte zu ihrer Verwirrung fest, dass Chabi keineswegs zornig war, obwohl sie sie miteinander flüsternd auf dem Gang ertappt hatte. Ein Lächeln lag auf ihrem Gesicht.

«Hoheit», sagte Antonio steif und verneigte sich.

«Eile auf dein Zimmer, meine Kleine – du musst dich für morgen ausruhen, es warten viele Genüsse auf dich. Und Ihr, Signor Ballerei – Ihr werdet mit mir zusammen Tee trinken.»

Antonio bedeutete Cirina mit einem wortlosen Blick, sie solle ohne Zögern gehorchen. Während er Chabi über den Gang folgte, wurde Cirina von bösen Vorahnungen überwältigt. Hätten ihre Dienerinnen, die auf keinen Fall das Missfallen Chabis erregen wollten, sie nicht entschlossen von der kleinen Kaiserin abgeschirmt, wäre sie ihr nachgelaufen.

Chabi spürte, dass Antonio ihr folgte, und sah sich deshalb absichtlich nicht nach ihm um. Sollte er ihr ruhig hinterhertrotten wie ein zahmer Hund! Als sie die Angst in Cirinas Augen gesehen hatte, wäre sie beinahe der Versuchung erlegen, deren schlimmsten Befürchtungen auf der Stelle wahr werden zu lassen.

Sie lächelte still in sich hinein, denn sie verfügte über mehr Selbstbeherrschung und Raffinement. Wenn sie den erstaunlich starken Willen des Wüstenmädchens schließlich brechen würde, wäre der Zusammenbruch absolut, total. Der Mann war lediglich ein Werkzeug, das ihr Zugang zu der jungen Frau bot. Es würde nicht schwer fallen, ihn dazu zu bringen, ihr sein Innerstes preiszugeben. Cirina war die Herausforderung, Cirina, die Chabi im Lustzelt in Anwesenheit des Khans gedemütigt hatte. Cirina musste bestraft werden.

Antonio beobachtete, wie die vorauseilende Chabi mit den Hüften wackelte. Allmächtiger, war das vielleicht ein Schreck gewesen, sie plötzlich dort stehen zu sehen! Zu seiner Überraschung hatte Chabi nicht zornig reagiert, obwohl sie ihm doch ernste Konsequenzen angedroht hatte, wagte er es, die Lieblingsgespielin des Khans anzurühren. Stattdessen hatte Chabi sie mit nachsichtiger Belustigung betrachtet, als brächte sie für ihr Treiben nur flüchtiges Interesse auf. Was sie jedoch mit der Einladung bezweckte, konnte er nicht einmal ahnen.

In ihrem verschwenderisch eingerichteten Gemach angelangt, bestellte Chabi Tee und forderte Antonio auf, sich auf die Seidenkissen zu setzen, die den Boden bedeckten.

«Gefällt Euch der Aufenthalt in unserem Palast?», fragte sie im Plauderton, als er es sich vor ihr bequem gemacht hatte.

«Gewiss, Hoheit, er gestaltet sich ausgesprochen interessant.»

Ihre vollen roten Lippen formten ein Lächeln.

«Werdet Ihr die Polos nach Persien begleiten?»

«Ja, Hoheit.»

«Und dann? Wollt Ihr wirklich nach Hause zurückkehren, um zu kämpfen?»

«Allerdings. Venedig liegt seit vielen Jahren mit Genua im Krieg – es wird Zeit, dem ein Ende zu machen.»

Chabi nickte zustimmend.

«Gut gesagt, Signor. Allerdings meine ich, wir sollten Euch mit etwas Wertvollerem entlassen als allein mit Eurem prahlerischen Stolz.»

«Hoheit?» Antonio runzelte die Stirn; er war bereit, an ihrer Bemerkung Anstoß zu nehmen, aber auch neugierig, was sie als Nächstes sagen würde.

Chabi lächelte schwach, als könnte sie seine Gedanken lesen. Sie beugte sich vor und senkte die Stimme zu einem leisen Flüsterton. Ihr lieblicher Atem streifte über seine Wange.

«Nur wer sein Ich preisgibt, wird wahre Erkenntnis finden.»

Antonio blinzelte verwirrt. Unter ihrem funkelnden, smaragdäugigen Blick fühlte er sich unbehaglich. Er rutschte unruhig auf den Kissen hin und her.

«Ich bedaure, Hoheit, aber ich verstehe nicht.»

Chabi lächelte unergründlich.

«Natürlich nicht. Aber glaubt mir, mein Freund, das findet sich. Bevor Ihr diesen Ort verlasst, das Paradies, das Ihr Xanadu nennt, werdet Ihr Euch weit besser kennen als bei Eurer Ankunft. Und dann werdet Ihr auch verstehen, was ich gemeint habe.»

In diesem Moment wurde der Tee gebracht. Die komplizierte Zeremonie des Einschenkens hinderte Antonio daran, weitere Fragen zu stellen. Er musste seine Ungeduld so lange bezähmen, bis er den bitteren Aufguss aus dem kleinen Becher geschlürft hatte. Chabi beobachtete ihn aufmerksam, redete aber erst dann weiter, als die Bediensteten das Teegeschirr abgeräumt und sich zurückgezogen hatten.

«Findest du mich anziehend, Antonio?», fragte sie.

Antonio stutzte. In seinem Kopf war ein seltsames Summen.

«Verzeihung – der Tee – könnte es sein, dass da eine Droge drin war?»

Anstatt über seine Frage zu erzürnen, lächelte Chabi. «Keine Angst, Signor, das ist nur ein harmloses Kraut, das der Entspannung förderlich ist. Kann es sein, dass Ihr ein wenig Angst vor mir habt? Fürchtet Euch nicht.»

Auf einmal war sie neben ihm, schob ihn auf die Kissen zurück und schmiegte ihren schlanken Körper an ihn. Das Zimmer stand auf dem Kopf und verschwamm vor seinen Augen. Er wollte das nicht; seit er sich täglich mit Cirina traf, hatte er kein Verlangen nach anderen Frauen mehr. Sein Körper aber verriet ihn.

Was immer im Tee gewesen war, es hatte eine starke Wirkung, machte ihn jedoch nicht bewusstlos. Er fühlte sich lediglich kraftlos. Arme und Beine waren schwer, sein Kopf fühlte sich an wie ein Stein. Er konnte sehen, hören und fühlen, nahm aber Geräusche und Bewegungen so gedämpft und verschwommen wahr, als sei er unter Wasser. Die körperlichen Empfindungen hingegen waren kristallklar und aufgrund der Beeinträchtigung der anderen Sinne eher gesteigert.

Chabi streichelte ihn am ganzen Leib und entkleidete ihn dabei. Als hätte er keine Kontrolle mehr über seinen Körper, ließ er sich Hemd und Kniehose ausziehen. Zu seiner Überraschung hatte er einen Steifen. Sein Schwanz sprang in die Höhe wie der eines geilen Jünglings.

Chabi lachte leise in sich hinein.

«Siehst du – ich erfülle dir lediglich deine geheimsten Wünsche!»

Mit ihren kleinen Händen streichelte sie am Schaft entlang, streifte mit dem scharfen, lackierten Fingernagel behutsam über den kleinen Schlitz. Antonio atmete schwer und spürte, wie ein Tropfen austrat, als sie die Spitze zusammendrückte. Er stöhnte.

«Entspann dich, genieße ...»

Chabi richtete sich auf und entkleidete sich. Antonio hob den Kopf und schob ein Kissen darunter, denn er wollte ihr zusehen. Ihr Körper war perfekt proportioniert; kleine, runde Brüste mit dunkelbraunen Spitzen, die noch ganz weich und rund waren. Ihr Bauch war flach und fest, ihre Hüften knabenhaft schmal. Ihre Beine waren zwar nicht besonders lang, aber wohlgeformt, die Haut schimmerte im Fackelschein.

Antonio befeuchtete seine trockenen Lippen mit der Zunge. Ihm war heiß, und die bunten Seidenstoffe an den Wänden und am Boden leuchteten im Fackelschein und tanzten vor seinen Augen.

Chabi umfasste die weichen Brustspitzen und liebkoste sie langsam mit Zeigefinger und Daumen. Sie dehnte die Nippel und zwirbelte sie, bis sie steif wurden und sich ihm lüstern entgegenreckten. Das hatte zur Folge, dass sich sein Hodensack fast schmerzhaft anspannte.

«Möchtest du mal kosten?», flüsterte Chabi ihm einladend zu.

Antonio nickte benommen. Chabi kniete sich über ihn und ließ eine volle Brust auf sein Gesicht niederbaumeln. Antonio öffnete weit den Mund und saugte an der steifen Warze. Sie hatte einen eigenartigen, aber köstlichen Zimtgeschmack, und er rollte sie genießerisch auf der Zunge.

Währenddessen liebkoste Chabi seinen angeschwollenen Schaft mit den Fingernägeln. Ihre Berührung war spielerisch und sanft, aber stets dicht an der Schmerzgrenze. Antonio schwindelte, als sie ihm die Brustwarze entzog und ihm die andere Brust in den Mund steckte. Er wollte sie berühren, Chabi aber stieß seine Hände beiseite.

«Warte noch», sagte sie in einem Ton, von dem ihm heiß und kalt wurde. Sie ging zu einem Tisch und holte einen länglichen, lackierten Kasten. Dann kniete sie neben

Antonio nieder. Seine Augen weiteten sich, als sie einen Gegenstand aus dem Kasten nahm und ihn vor seinem Gesicht schwenkte. Er bestand aus Elfenbein und war das exakte Ebenbild eines männlichen Glieds, bis hin zu den liebevoll geschnitzten Adern und der Vorhaut.

«Ist er nicht wunderschön?», schnurrte Chabi.

Antonio wusste nicht, was er sagen sollte. Wie in Trance beobachtete er, dass Chabi sich mit dem Gegenstand über Stirn und Nase bis zum Mund fuhr. Sie rieb über ihre geschlossenen Lippen, dann öffnete sie langsam den Mund und bezüngelte die geschnitzte Kerbe in der Eichel.

Antonios Schwanz zuckte mitfühlend. Er meinte zu spüren, wie die feuchten, weichen Lippen über seine Eichel streiften, sich in die kleine Öffnung zwängten und die Flüssigkeit heraussaugten. Sein Atem beschleunigte sich, als Chabi das Ding in den Mund nahm. Ihre Lippen weiteten sich um die dicke Spitze, ihre Wangen beulten sich, als sie sich den Dildo tiefer in den Mund schob. Dann legte sie den Kopf in den Nacken und ließ ihn wieder hinausgleiten. Antonio beobachtete fasziniert, wie sich zwischen den Lippen und der nassen Eichel ein Speichelfaden spannte, der schließlich zerriss und am Mundwinkel hinunterrann.

Als er das unnatürliche Funkeln in Chabis Augen bemerkte, begann er zu zittern. Trotzdem verfolgte er gebannt, wie sie sich mit dem Phallus am Hals und zwischen den Brüsten rieb. Die Stellen, die sie streifte, glänzten vom Speichel. Als sie nacheinander ihre Brustspitzen berührte, stöhnte sie auf.

«Ach, Signor – ich stelle mir gerade vor, dass Euer prachtvoller Schaft meine Haut befeuchtet.»

Trotzdem machte sie noch immer keine Anstalten, ihn zu berühren. Stattdessen ließ sie den unechten Penis zu ihrem Bauch hinunterwandern und mehrmals um den Nabel kreisen, bevor sie ihn in ihr seidiges Schamhaar schob. Antonios Augen weiteten sich, und sein Schwanz begann zu pulsieren, als die Eichel die angeschwollenen roten Lippen ihres Geschlechts teilten und in der Öffnung zur Ruhe kam.

Schwerer Moschusduft stieg ihm in die Nase, als der Gegenstand in ihr verschwand. Sie würde sich doch wohl nicht damit verletzen? Einerseits war er abgestoßen, andererseits drängte er sie im Stillen zum Weitermachen.

Am Rande seines Bewusstseins nahm er wahr, dass die Tür geöffnet wurde. Eine junge Chinesin gesellte sich zu ihnen. Sie war nackt, und ihre Scham war bestürzenderweise völlig unbehaart, sodass die nach unten hängenden Schamlippen deutlich zu erkennen waren. Sie musterte gleichmütig die Szenerie und wartete auf Chabis Anweisungen.

«Möchtet Ihr, dass man Euch den Schwanz lutscht, Signor Ballerei?»

Zum Glück rechnete sie anscheinend nicht mit einer Antwort, denn sie lachte perlend, was so gar nicht zu den trägen Bewegungen passte, mit denen sie den Elfenbeinphallus hin- und herbewegte.

«Aber natürlich möchtet Ihr das! Auf die Knie, Herr.»

Sie schnippte mit den Fingern, woraufhin die Sklavin sich vor Antonio auf den Rücken legte. Benommen richtete er sich in eine kniende Haltung auf, beugte sich vor und setzte die Hände beiderseits des schlanken Frauenkörpers auf den Boden.

Lächelnd fasste sie sein herabbaumelndes Gemächt und führte es an ihren Mund. Antonio keuchte vor Lust auf, als ihre Lippen ihn berührten. In diesem Moment spreizte Chabi mit einer Hand die Schamlippen und entblößte die feuchte Höhlung, die Zugang in ihren Körper bot. Antonio beobachtete gebannt, wie der geschnitzte Phallus langsam in ihr verschwand und den elastischen Kanal dehnte.

Der Elfenbeinphallus, den sie im langsamen Leckrhythmus der Chinesin rein- und rausschob, glänzte von ihren Säften. Sein Hodensack war so straff gespannt wie eine Trommel und fühlte sich an, als würde er jeden Moment platzen. Um ein Haar hätte er seinen Samen verspritzt.

Chabi musterte ihn aufmerksam, dann bedeutete sie der jungen Frau, es langsamer anzugehen, und ließ den Elfenbeinphallus aus sich hinausgleiten. Antonio stöhnte auf, da die ersehnte Erlösung nun auf sich warten ließ, und versuchte, mit dem Schwanz in den Mund der Dienerin hineinzustoßen.

«Halt still», befahl Chabi, und er gehorchte.

Jetzt war er in diesem warmen, nassen Mund gefangen, und das fühlte sich köstlich an, obwohl es in seinem Zustand hochgradiger Erregung auch quälend war. Trotzdem gelang es Antonio, sich zu beherrschen, während Chabi näher kam.

Mit einem durchtriebenen Lächeln hielt sie ihm den Elfenbeinphallus vors Gesicht. Ihm stieg der durchdringende Moschusduft ihrer Erregung in die Nase, und er schloss für einen Moment die Augen. Doch sogleich riss er sie wieder auf, als der unechte Penis gegen seine Lippen gedrückt wurde.

«Lutsch ihn», flüsterte Chabi.

Antonios Mund öffnete sich ganz von selbst und nahm den harten, unnachgiebigen Elfenbeinschaft auf, der bedeckt war mit Chabis Säften. Sie durchdrang ihn; ihr Anblick, ihr Geruch, ihr Intimgeschmack nahmen all seine Sinne gefangen.

«Und jetzt, mein braver Venezianer», flüsterte Chabi ihm ins Ohr, während er am Phallus saugte, «stell dir vor, das Ding wäre aus Fleisch und Blut, warm und nachgiebig. Nein – lass die Augen zu und mach weiter.»

Die junge Frau machte sich erneut an seinem Schwanz

zu schaffen, und er stöhnte dumpf, denn er hatte den Dildo im Mund.

«Schenk mir deine Lust, Antonio Ballerei – zeig mir, wie sehr du dir wünschst, den Schwanz eines anderen Mannes zu lutschen – ja, so ist's gut», flüsterte sie. Er leckte und saugte an dem Phallus und öffnete weit den Mund, als sie ihm das Ding tief in die Kehle schob. «Entspann die Halsmuskeln – ja, so! Stell dir vor, wie es sich für einen anderen Mann anfühlt, wenn du ihn ganz in dir aufnimmst!»

Der vernünftige, nüchterne Teil seiner Persönlichkeit fand ihre Worte abstoßend, dennoch erregten sie ihn mächtig. Die junge Frau, die ihn lutschte, ahmte ihn offenbar aufs Genaueste nach. Wenn er fest am Phallus saugte, sog sie eifrig an seinem schwellenden Schaft, wenn er ihn tiefer in den Schlund gleiten ließ, tat sie es ihm nach. Auf diese Weise nahm er die Fellatio gleichzeitig aus der Perspektive des Aktiven und des Passiven wahr. Chabi flüsterte ihm weiterhin ins Ohr.

«Fühlt sich das nicht gut an? Möchtest du die heiße, dicke Flüssigkeit, die aus der Eichel spritzt, nicht auch schlucken? Oder wäre es dir lieber, wenn ein anderer Mann dich stoßen würde – hier?»

Als Chabi die empfindliche Haut der Arschspalte reizte, schnappte er nach Luft.

«Nein!», flüsterte er, wenngleich sein Protest selbst in seinen Ohren halbherzig klang.

«O doch, mein Freund, das ist dein sehnlichster Wunsch! Gib's zu – gib deinem Verlangen nach.»

Woher wusste sie das? Wie hatte sie es erraten? Als Chabi ihm den Phallus aus dem Mund nahm und stattdessen seine Arschspalte damit streichelte, schrie Antonio auf, teils vor Angst, teils bejahend.

Die junge Frau lutschte ihm noch immer hingebungsvoll den Schwanz, und er spürte, dass ihm zum Höhepunkt nicht mehr viel fehlte. Trotzdem protestierten all seine Nerven gegen die bevorstehende Schändung.

«Entspann dich – öffne dich für mich. Ja, so. Es tut nicht weh, oder nur ein bisschen», sagte sie mit einem leisen Lachen.

Antonio spürte, wie sein widerstrebender Anus mit einer dicken, öligen Salbe eingerieben wurde, dann drückte das Ende des Elfenbeinphallus gegen den Schließmuskel.

«Bei den Heiligen … nein … ja … ach, Gott!»

Seine Rosette wehrte sich zuckend, als Chabi ihm den Phallus behutsam in den After schob. In diesem Moment ließ die unter ihm liegende Chinesin die Zunge um die Tränen der Lust vergießende Eichel wirbeln, dann saugte sie den Schaft ein und nahm ihn bis zum Anschlag auf.

Chabi drehte den Phallus, damit Antonio den Eindringling mit allen Fasern spürte. In diesem Moment kam er zum Höhepunkt, und sein Schaft pumpte heißen Samen stoßweise in Mund und Kehle der jungen Frau.

Sein Orgasmus war so heftig, dass er es kaum merkte, als sie ihn wieder freigab. Der Höhepunkt hörte einfach nicht auf, und die ganze Zeit über missbrauchte Chabi ihn mit dem Elfenbeinphallus, durchbrach seine Abwehr und bewirkte, dass er sich auf einmal in ganz neuem Licht sah. Er musste an die Bemerkung Chabis denken: *Nur wer sein Ich preisgibt, wird wahre Erkenntnis finden.* Wie sie ihm angekündigt hatte, verstand er erst jetzt, was sie damit gemeint hatte.

Und als Antonio mit dem Phallus in der zuckenden Rosette erschöpft auf den Seidenkissen zusammenbrach, wusste er, dass fortan nichts mehr so sein würde wie zuvor.

10. Kapitel

In der juwelengeschmückten Jurte herrschte tiefe Stille, als Chabi und Kublai miteinander Tee tranken. Es war einige Zeit vergangen, seit sie das letzte Mal so beieinander gesessen hatten. Chabi musterte ihren Gemahl unauffällig über den Rand des erlesenen Bechers hinweg und fragte sich, warum er sie wohl zu sich bestellt habe.

Kublais Miene war undurchdringlich, doch im Laufe der Jahre hatte sie gelernt, dass er bisweilen dann am gefährlichsten war, wenn er besonders umgänglich wirkte. Abgesehen von der üblichen Begrüßung hatten sie noch kein Wort miteinander gewechselt, und das Schweigen dehnte sich zwischen ihnen, bis Chabis Nerven zum Zerreißen gespannt waren.

«Nun, mein Juwel», sagte Kublai schließlich und leerte zum zweiten Mal seinen Becher, «hast du unsere kleine Wüstenblume schon gezähmt?»

Chabi krampfte sich der Magen zusammen. Die Augen ihres Gemahls glichen zwei stumpfbraunen Sultaninen, die zwischen Fleischfalten hervorlugten und sie forschend musterten.

«Ich glaube, ich weiß jetzt, wie ich es anstellen muss», sagte sie und vermochte ein leichtes Zittern ihrer Stimme nicht zu verbergen.

«Das freut mich zu hören – es bleibt nicht mehr viel Zeit! Morgen wirst du mir demonstrieren, dass du sie dir unterworfen hast. Du weißt doch, wie gerne ich dir zuschaue!» Er lachte pfeifend und laut. «Enttäusche mich nicht, meine Liebe.»

«Bestimmt nicht, Herr.»

Als Kublai seinen Dienerinnen ein Zeichen gab, ihm beim Aufstehen zu helfen, verneigte Chabi sich tief. Sein Tonfall war zwar scherzhaft gewesen, doch sie zweifelte nicht daran, dass er sich ihrer ebenso bedenkenlos entledigen würde wie eines lahmen Kamels, sollte sie seine Erwartungen enttäuschen.

Mit zusammengekniffenen Augen beobachtete sie, wie der Kaiser auf die Beine gezogen wurde. Alle warteten mit abgewandtem Blick, bis er wieder zu Atem gekommen war und in eine große Schüssel gespuckt hatte, die ihm ein dunkelhäutiger Sklave hinhielt. Dann schlurfte er hinaus, eine bemitleidenswerte Gestalt, die über Leben und Tod eines jeden Stadtbewohners entschied.

Morgen – schon so bald! Voller Sorge begab Chabi sich zu ihrem Gemach. Antonio stellte kein Problem dar – er hatte sich ihr tags zuvor nur allzu leicht unterworfen. Jetzt hielt er sich in einem nahe gelegenen Zimmer auf und wurde von den jungen, muskulösen Männern bedient, die er insgeheim begehrte – und so lange in einem Zustand der Erregung gehalten, bis ihr weiteres Vorgehen entschieden war.

Unruhig auf und ab schreitend, überlegte sie, wie sie es anstellen sollte, Cirina gefügig zu machen. Bislang hatte die junge Frau sogar dann Selbstbeherrschung gezeigt, wenn sie scheinbar Chabis Forderungen nachgab. Als sie Cirina im Lustzelt demütigen wollte, hatte sie den Spieß umgedreht und stattdessen Chabi lächerlich gemacht. Kublai war zu klug, um das nicht zu merken, und zu intrigant, es nicht zu seinen eigenen Zwecken zu nutzen. Chabi hatte jetzt wirklich ein Problem – alles hing davon ab, dass es ihr gelang, Cirina morgen dazu zu bringen, sich ihrem Willen zu unterwerfen.

Unvermittelt blieb sie stehen, und ein Lächeln breitete

sich über ihre Züge. Natürlich! Der Weg zu Cirina führte über den Venezianer! So müsste es gehen – Antonios geheimste, dunkelste Wünsche würden erfüllt werden, und Cirina würde dabei zusehen und sich daraufhin ihrem Willen beugen.

Jetzt, da sie das Gefühl hatte, das Problem gelöst zu haben, verlangte Chabi nach ihren Dienern. Auf einmal blickte sie dem Schauspiel, das sie dem Khan morgen bieten würde, voll optimistischer Erwartung entgegen.

Cirina hatte das Gefühl, vor Langeweile verrückt zu werden. Seit der gestrigen Audienz beim Khan musste sie auf die Gesellschaft der beiden Sklavinnen verzichten. Immer wenn die Stunde schlug, hielt sie vom Balkon aus nach Antonio Ausschau. Angenommen, Chabi wüsste über sie genau Bescheid – würde sie es wohl wagen, einen Europäer auspeitschen zu lassen? Im Grunde wusste Cirina, dass Antonio ebenso gefährdet war wie jeder andere Untertan des Khans. Ihre Besorgnis wuchs. Als es abermals Nacht wurde, ohne dass er von sich hatte hören lassen, lag sie schlaflos im Bett, schaute in die nächtliche Dunkelheit hinaus und betete für Antonios Wohlergehen.

Antonio konnte ebenfalls nicht einschlafen. Er lag einsam auf seiner Pritsche, betrachtete durch die Fensteröffnung den Sternenhimmel und wunderte sich wieder einmal über seine Kapitulation.

An der anderen Hofseite konnte er Cirinas Balkon sehen. Hin und wieder trat sie ans Fenster und blickte hinaus. Aus dieser Entfernung konnte er ihr Gesicht nicht erkennen, doch er nahm an, dass sie nach ihm Ausschau hielt. Es wäre ganz leicht gewesen aufzustehen, ihr zuzuwinken und damit zu zeigen, dass er wohlauf war, doch Antonio schämte sich zu sehr. Also lag er da, schaute sehnsuchtsvoll zu ihr hinüber und verachtete sich, weil er eine solche Memme war.

Als die Tür leise aufging, wandte er den Kopf und erblickte einen schlanken, blondhaarigen Jüngling, der zu ihm ins Zimmer schlüpfte. Während sein verräterisches Glied sich hob, sank ihm der Mut. Er ballte die Fäuste über dem Kopf und zerrte vergeblich an den Seidentüchern, mit denen seine Handgelenke gefesselt waren. Anke bemerkte die Regung und runzelte vorwurfsvoll die Stirn.

«Warum wehrst du dich noch immer? Gefalle ich dir etwa nicht?»

Antonio hätte am liebsten geschrien: *Doch, du gefällst mir! Aber ich bin ein Mann, ein kräftiger, gesunder Mann mit natürlichen Bedürfnissen, in meinen Adern fließt rotes Blut! Nur Schwächlinge und Perverse richten ihr Begehren auf andere Männer. Ich begehre Ailee und Tali und Beijei mit ihrer weichen, fraulichen Haut und dem parfümierten Haar, das über meinen Körper streift.* Er spürte jedoch, dass er den jungen Mann mit diesem Eingeständnis verletzt hätte. Er schuldete dem Jüngling weiß Gott keine Rücksichtnahme, wollte ihm aber dennoch nicht wehtun.

Als Anke ans Bett trat und zärtlich vom Knie bis zu den Lenden über sein Bein streichelte, stöhnte Antonio auf. Der junge Mann lächelte, als Antonios Schwanz härter wurde.

«Siehst du?», gurrte er und ließ die Fingerspitzen spielerisch an der Innenseite von Antonios Schenkeln hinauf- und hinunterwandern. «Du willst es doch.»

«Nein!»

Anke hob eine säuberlich gezupfte Augenbraue.

«Der hier sagt ja», meinte er und fuhr mit den Fingerspitzen behutsam über Antonios schwellenden Schaft.

Antonio schloss die Augen, während Anke den Kopf senkte und das mittlerweile vollständig erigierte Glied in seinen warmen Mund nahm. Als Chabi das getan hatte, konnte er sich noch einreden, er sei der Wirkung einer betäubenden Droge erlegen, die er mit dem Tee zu sich genommen hatte. Und so glaubte er auch jetzt noch, dass er dem schlanken, zärtlichen Jüngling mit den Fäusten Einhalt geboten hätte, wären seine Hände nicht über dem Kopf festgebunden gewesen.

Als er jedoch die Hüften hochstemmte und seinen Samen in Ankes aufnahmebereite Kehle spritzte, musste er sich eingestehen, dass die Fesseln eigentlich unnötig waren – je länger er den widernatürlichen Reizen ausgesetzt war, desto mehr genoss er sie.

Wie Anke mit einem triumphierenden Lächeln den Kopf hob und seine geschwollenen Lippen berührte, bemerkte er die Tränen der Scham, die an Antonios Wimpern funkelten. Sein Lächeln verflog. Zärtlich strich er Antonio das Haar aus der Stirn, fuhr mit der Zunge über die Wimpern und leckte die salzigen Tränen ab. Kleine Lustschauder rieselten Antonio über den Rücken und machten alles nur noch schlimmer.

«Ist ja gut», flüsterte Anke. Aus einem plötzlichen Impuls heraus löste er Antonios Handfesseln und legte sich neben ihm aufs Bett. Er schloss den muskulösen Venezianer in die Arme und sah ihm tief in die Augen. «Ist ja gut», wiederholte er.

Antonio legte gequält den Kopf auf Ankes Schulter und weinte.

Am nächsten Abend wurde Cirina zum Bad hinuntergeleitet. Die Frauen wuschen sie und trockneten sie anschließend ab, jedoch ohne die üblichen Neckereien. Die Zwillinge arbeiteten konzentriert und missachteten standhaft alle Versuche Cirinas, eine Unterhaltung zu beginnen. Nachdem Chabi ihren Schützling dabei ertappt hatte, wie sie sich mit dem hübschen Europäer auf dem Gang unterhalten hatte, waren sie für ihre Nachlässigkeit bestraft worden. Nun wollten sie es unter allen Umständen vermeiden, sich erneut den Zorn ihrer Herrin zuzuziehen.

Schließlich verstummte auch Cirina, ließ sich die Haut glätten und pudern und drehte sich fügsam, als sie in smaragdgrüne Seide gekleidet wurde. Ihr Haar wurde so lange gebürstet, bis es glänzte, und dann zu einem Zo er pf geflochten, der auf dem Kopf verknotet wurde.

Als die Zwillinge fertig waren, traten sie zurück und begutachteten ihr Werk. Cirina rührte sich nicht, den Blick auf die glatte Wasseroberfläche des Beckens gerichtet. Die Duftöle schwammen in kleinen, funkelnden Tröpfchen auf dem Wasser und spiegelten das Licht der Fackeln wider, die in eisernen Wandhaltern steckten.

Die beiden Frauen flüsterten miteinander, dann näherte sich eine von ihnen Cirina und zupfte sanft am Saum der Seide, die sie ihr um die Schultern geschlungen hatten. Cirina hob fragend die Brauen, als die junge Frau behutsam eine ihrer Brüste entblößte und sie mit schief gelegtem Kopf nachdenklich betrachtete.

Der andere Zwilling brachte einen kleinen, schwarz lackierten Kasten und nahm einen dicken Goldring heraus. Cirinas Augen weiteten sich, als sie sich ihr näherte und mit der flachen Hand ihre nackte Brust anhob. Unvermittelt senkte sie den Kopf, saugte die weiche Spitze in den Mund und liebkoste sie, bis der Nippel sich steifte.

Obwohl sie vollkommen reglos dastand, spürte Cirina, wie sich auch die andere Brustwarze eifersüchtig verhärtete. Als der Nippel sich stolz erhoben hatte, fasste ihn die junge Frau zwischen Zeigefinger und Daumen, zog behutsam daran und dehnte ihn. Dann streifte sie den goldenen Ring über die Brustwarze und drehte ihn so fest, dass er auch dann noch haftete, als sie die Hand wegnahm.

Cirina spürte einen leichten Druck an der Brust. Sie

biss sich auf die Unterlippe. Das Gefühl war zwar unangenehm, jedoch überhaupt nicht schmerzhaft, und nach einer Weile fand sie Gefallen daran. Sie lächelte ihre verwirrten Betreuerinnen an und folgte ihnen aus dem Bad hinaus in den großen Saal.

Kublai Khan hatte es sich bereits auf dem juwelengeschmückten Thron bequem gemacht und wurde von zwei hohen Offizieren seiner Leibwache flankiert. Man hatte den Thron auf einem Podest in der Ecke des Raumes platziert und mehrere seidene Sichtschirme um ihn herum aufgestellt, sodass im hallenden Gewölbe des großen Saals ein intimer Bereich entstanden war.

Cirina trat beklommen ein und ließ den Blick umherhuschen. In Wandhaltern und in mehreren, geschickt platzierten Ständern brannten flackernde Fackeln. In den Schalen verströmte Räucherwerk einen schweren, süßlichen Duft, von dem sie ganz benommen wurde.

Seite an Seite standen zwei Podeste, freilich nicht ganz so hoch wie das Podium des Kaisers. Das eine war mit dicker königsblauer Seide bedeckt, das andere mit rubinroter. Etwa ein halbes Dutzend hoher Würdenträger rekelte sich mit seinen Frauen auf mehreren mit Seide bezogenen Liegen, die in den jeweiligen Ecken der beiden Plattformen platziert waren. Weitere Zuschauer saßen auf großen Kissen, die wahllos auf dem pelzbedeckten Boden verteilt waren.

Das muntere Geplauder verstummte bei Cirinas Erscheinen. Unwillkürlich straffte sie den Rücken. Sie ließ den Blick über die versammelten Zuschauer schweifen. In deren erwartungsvollen Gesichtern spiegelte sich Bewunderung wider. Sie kam sich vor wie eine Kaiserin, wie eine Göttin – sie hatte die Anwesenden in den Bann geschlagen, und nun warteten sie begierig darauf, dass sie sich zur Schau stellte.

Als man sie zu der blauen Plattform geleitete, fing Cirina einen Blick von Chabi auf. Cirina reckte kühn den Kopf und blickte ihrer Konkurrentin geradlinig in die Augen, in denen unverhohlene Wut funkelte. Was immer die zierliche Kaiserin heute für sie vorgesehen hatte, Cirina war entschlossen, siegreich aus der Konfrontation hervorzugehen. Aber wie nicht anders zu erwarten, wirkte sich die Atmosphäre des Palasts unmittelbar auf ihre Sinne aus und versetzte sie für die bevorstehenden Prüfungen bereits jetzt in Erregung.

«Wunderschön!», rief Kublai Khan. «Ganz entzückend.»

«Zieh dich aus!», fauchte Chabi, von Cirinas stolzem Auftreten sichtlich in Wut versetzt. Wusste diese Frau denn nicht, dass sie gedemütigt werden sollte? Dass ihr Geschenk an den Khan darin bestand, sich mitsamt ihrer Lust zu unterwerfen?

Chabi beobachtete, wie Cirina die Seide ablegte. Hier in Shang-tu war sie aufgeblüht. Aus all ihren Bewegungen sprach wollüstige, unbefangene Sinnlichkeit. Chabi spürte, dass Kublais Blick auf ihr ruhte, und hielt ihre Miene sorgsam im Zaum. Da sie wusste, dass er ihr Versagen vorwerfen würde, sollte das Mädchen die Vorführung ohne Qualen hinter sich bringen, nahm sie sich vor, es nicht so weit kommen zu lassen. Bislang hatte Cirina alles ausgehalten, was Chabi ihr zugedacht hatte. Nein, sie hatte es sogar genossen. Die junge Frau war für die Lust geschaffen, das sinnlichste Geschöpf, dem Chabi je begegnet war. Nun, wenn es nach Chabi ging, würde ihr dieser Abend jedenfalls keinen Spaß bereiten.

Cirina stand jetzt splitternackt da. Ihre glatte, honigfarbene Haut schimmerte im Fackelschein, das pechschwarze Haar war auf ihrem Kopf zu einem kunstvollen Knoten gewunden. Die Frisur betonte ihren langen, anmutig geschwungenen Hals und verlieh ihr ein wahrhaft königinnenhaftes Aussehen. Irritiert bedeutete ihr Chabi, sie solle die Nadeln herausziehen und das Haar herabfallen lassen.

Nun hing ihr Haar wie ein Ballen schimmernden Seide den schmalen Rücken hinunter. Sie war wunderschön und wirkte gelassen, als sei sie sich ihrer Wirkung bewusst. Reglos strahlte sie Würde aus, und ihr stolzes Auftreten ließ erkennen, dass sie glaubte, ein Anrecht auf die bewundernden Blicke des Publikums zu haben.

Diese Würde, diesen Stolz, diese Gewissheit, dass nichts ihrer Seele etwas anhaben könnte, wollte Chabi heute brechen. Bevor die Nacht endete, wollte sie Cirina bitten und flehen hören. Mit einem kalten Lächeln trat Chabi vor sie.

«Es scheint, Mädchen, als hätten wir, als deine sinnlichen Begierden wachgerüttelt wurden, einen schlafenden Drachen geweckt», sagte sie in freundlichem Ton und nicht ohne Belustigung. «Inzwischen hast du Gefallen an sinnlichen Genüssen gefunden, nicht wahr?»

Cirina sah ihr direkt in die Augen und antwortete mit einem Anflug von Trotz: «So ist es, Hoheit.»

Chabi lächelte angestrengt, ihr Blick wurde durchdringend. Sie schritt um Cirina herum und musterte sie von oben bis unten, wobei sie sich mit dem Fliegenwedel gedankenverloren auf die Handfläche klatschte. Sie spürte, wie die junge Frau sich fluchtbereit anspannte, und dieses geringfügige Anzeichen von Angst gefiel ihr. Sie war also nicht so selbstsicher wie sie wirkte – gut so.

Im Raum herrschte erwartungsvolle Stille. Alle wussten, dass man die Kaiserin besser nicht unterbrach, wenn sie in einer solchen Stimmung war. Denn die nachfolgende Darbietung würde umso interessanter ausfallen, wenn vorher geschickt die Spannung aufgebaut wurde.

«Lust», brach Chabi schließlich das Schweigen. «Eine

in vielerlei Hinsicht rätselhafte Empfindung. So unvorhersehbar, dem Schmerz so eng verwandt. Magst du den Schmerz ebenso sehr wie die Lust, meine Kleine?»

Chabi hatte die Lippen dicht an Cirinas Ohr gelegt, sodass ihr warmer Atem in deren Ohr eindrang und sie erschauern ließ. Cirina sträubten sich die Nackenhaare, und sie versuchte flach durch die Nase zu atmen, als könnte sie Chabis Aufmerksamkeit entgehen, wenn sie sich möglichst unauffällig verhielt.

Die ältere Frau lächelte. Aus den Augenwinkeln sah Cirinia, wie sich ihre Lippen grausam verzerrten. Als ihr bewusst wurde, in welcher Gefahr sie schwebte, bekam sie Herzklopfen.

«Du hast Angst, hab ich Recht?», flüsterte ihr Chabi einschmeichelnd ins Ohr, so leise, dass außer Cirina niemand sie hören konnte. «Unterwirf dich mir, meine Kleine – schenk mir deine Lust und deinen Schmerz. Du wirst bald feststellen, wie beide eins werden.»

Plötzlich und unerwartet schoss ihre Zunge vor und leckte das empfindliche Innere des Ohrs. Cirina zuckte zusammen. Plötzlich peitschte Chabi mit der Fliegenklatsche von unten gegen Cirinas Brüste, sodass jene vor Schreck leise aufschrie.

Der Hieb brannte und versetzte ihre Brüste in Vibration. Cirina bemerkte, dass die Zuschauer scharf einatmeten. Verzweifelt ließ sie den Blick über die Gesichter schweifen, in denen sämtlich derselbe Ausdruck geschrieben stand – die Augen gierig geweitet, die Münder offenstehend und feucht, warteten sie mit lüsterner Spannung, wie es weitergehen würde. Erneut schlug Chabi gegen die Unterseite der Brüste, und wieder veranlasste das scharfe Brennen Cirina aufzuschreien.

Sie konnte diese neue Wendung nicht nachvollziehen, verstand nicht, was das mit Sinnenfreude zu tun haben sollte. Während ihr Verstand jedoch vor der körperlichen Züchtigung zurückschreckte, strahlte von ihrem Bauch Wärme aus, und sie spürte, dass ihr Körper auf den Schmerz wie auf eine Liebkosung reagierte. Aber wie war das möglich? Es war irgendwie nicht richtig – widernatürlich. Ihre Brüste waren angeschwollen, die Nippel hatten sich gesteift. Der eine wurde vom goldenen Ring so stark gequetscht, dass sie ein eigentümlich wohliges, verstörendes Unbehagen empfand.

Chabi bemerkte die Verwirrung in ihren Augen und lächelte. Die junge Frau würde schon begreifen, was es mit alldem auf sich hatte. Sie schnippte mit den Fingern, woraufhin ein Diener vortrat, der im Schatten gewartet hatte. Das Geschirr in seinen Händen steigerte Cirinas Unbehagen noch mehr. Als ihr die Kettenglieder über die Schultern gestreift und ihre Brüste in die Lederringe geschoben wurden, zuckte sie innerlich vor dem kalten Metall zusammen. Von den Brüsten hing eine Verbindungskette auf ihren Schamhügel hinab und teilte sich dort in zwei Riemen, die um ihre Schenkel herumgeführt wurden. Die Fesseln sollten die Brustfessel stabilisieren und hatten ansonsten nur eine dekorative Funktion – dünne Riemen aus dunklem Leder auf zarter, goldfarbener Haut.

Der Diener trat zurück und wartete auf weitere Anweisungen.

«Das Halsband», sagte Chabi ungeduldig.

Der Diener hob Cirinas Haar von den Schultern und legte ihr das Band um den schlanken Hals. Vorne und hinten waren hübsche Metallringe an dem breiten Lederriemen befestigt. Das Band war so breit, dass es Cirinas Kinn hochschob, sie den Kopf nicht mehr senken und ihn nur noch geringfügig nach rechts und links drehen konnte.

In der Angst schwelgend, die sich in Cirinas tiefblauen Augen abzeichnete, näherte sich Chabi ihr langsam. Als sie unmittelbar vor ihr stand, streckte sie die Hand nach dem Diener aus, der ihr eilig eine lederne Leine reichte. Chabi ließ die Leine einen Moment lang vor Cirinas sich weitenden Augen baumeln, dann befestigte sie diese am vorderen Ring des Halsbands. Cirina war ihr nun vollkommen ausgeliefert, und Chabis Adrenalinspiegel stieg.

Sie zog mit einem Ruck an der Leine, sodass Cirina auf die Knie niedersank. Dann drehte Chabi sich um, legte sich die Leine über die Schulter und schritt theatralisch zu ihrem Platz. Cirina musste eilends hinter ihr herkriechen wie ein fügsames Tier. Als sie die Zuschauer passierten, die unterhalb des königlichen Podiums saßen, streckten sich Dutzende Hände nach ihr aus, um Cirina zu streicheln, zu zwicken und zu tätscheln.

An ihrem Platz angelangt, blickte Chabi auf die junge Frau nieder. Cirinas Wangen waren gerötet, erhitzt von weiß Gott welchen Gefühlen, und das Haar fiel ihr wirr ins Gesicht. Noch nie hatte sie schöner ausgesehen, und Chabi betrachtete sie mit einem Anflug unerwarteter Zärtlichkeit. Sie bückte sich und zeichnete mit den Fingerspitzen den Umriss von Cirinas Gesicht nach.

«Wir werden jetzt speisen. Setz dich – hier zu meinen Füßen.»

Cirina ließ sich nieder, denn sie hatte keine andere Wahl. Anscheinend wurde sie von niemandem mehr beachtet. Ihre Anziehungskraft hatte sich verflüchtigt – einstweilen jedenfalls. Ihre aufgrund der Lederringe vorspringenden Brüste fühlten sich geschwollen und verletzlich an, die Unterseite brannte noch von Chabis Züchtigung. Die Nippel waren groß und prall, der eine wurde vom goldenen Ring umbarmherzig zusammengepresst. Cirina war sich jedes Quadratzentimeters ihres Körpers bewusst, als wäre er überall federleichten Liebkosungen ausgesetzt worden. Und als sie so dasaß und aus Chabis Händen hin und wieder ein Stück Fleisch oder einen Brocken Reis entgegennahm, spürte sie ein stetiges, erwartungsvolles Pulsieren zwischen den Schenkeln.

Antonio wusste nicht, dass er darauf vorbereitet wurde, dem Khan präsentiert zu werden. Seit zwei Tagen und Nächten hielt man ihn nun in dem Raum gefangen, wo er sich den ständigen Liebkosungen des blondhaarigen Anke und der vielen anderen Männer, von denen er einige nur einmal sah, nicht entziehen konnte. Allein Anke gab ihm Halt, und er klammerte sich an die immer stärkende werdende Bindung, da er fürchtete, ansonsten den Verstand zu verlieren.

Nachdem Anke ihm die Hände losgebunden hatte, war er nicht wieder gefesselt worden. Somit konnte Antonio sich nun nicht mehr in Ausreden flüchten. Während Stunde auf Stunde und Tag auf Nacht folgte, gestand er sich allmählich ein, dass er Gefallen an den Zuwendungen der Männer fand und dass er gerne intimeren Umgang mit ihnen gehabt hätte, als sich von ihnen mit Hand oder Mund zum Orgasmus bringen zu lassen.

Cirina hatte er aus seinen Gedanken verdrängt, denn die Folgerungen, die sich aus seiner Unterwerfung ergaben, vermochte er nicht zu durchdenken. Jetzt, da er darauf konditioniert wurde, sich von anderen Männern erregen zu lassen, fürchtete er, bei Cirina oder irgendeiner anderen Frau nicht mehr seinen Mann stehen zu können. Schlimmer noch, er fürchtete, sie werde ihn ebenso verachten wie er sich selbst.

Anke massierte ihm Öl in die Haut und verweilte besonders lange bei den Pobacken.

«Du hast einen wunderschönen Arsch», sagte er versonnen, während er die Backen knetete.

Antonio schloss die Augen. Er atmete keuchend. Bislang hatte noch niemand versucht, ihn so zu penetrieren, wie Chabi es mit dem Elfenbeinphallus getan hatte. Ständig lebte er in Angst, es könnte dazu kommen, und weigerte sich hartnäckig, sich einzugestehen, dass ein Teil von ihm danach verlangte.

Seit Chabi zum ersten Mal seine Abwehr durchbrochen hatte, wusste er, dass es nur eine Frage der Zeit war, bis sie ihn dazu zwingen würde, seine dunkelsten Begierden auszuleben. Dabei war ihm nur allzu deutlich bewusst, dass Zwang eigentlich unnötig war. Es war sein Wunsch, war es vielleicht immer schon gewesen. Es war unsinnig, Chabi für seine eigenen Wunschvorstellungen verantwortlich zu machen. Doch obwohl er wusste, dass Widerstand zwecklos war, spannte er unwillkürlich die Muskeln an.

Anke lachte leise in sich hinein und trommelte auf die straffen Wölbungen.

«Entspann dich – öffne dich. Du sollst geweitet und vorbereitet werden.»

Antonio stockte der Atem. Der Zeitablauf verlangsamte sich, bis alles um ihn herum unscharf wurde und Ankes Stimme in eine hallende Ferne zurückwich.

«Vorbereitet? Was soll das heißen?», krächzte er.

«Entspann dich. Gib dich hin. Dann tut es weniger weh und ist lustvoller.»

Beunruhigt versuchte Antonio sich aufzurichten, doch Anke legte ihm die Hand in den Nacken und drückte ihn nieder.

«Du bist immer noch zu verkrampft. Soll ich dich ein wenig entspannen?»

Antonio biss sich so fest auf die Lippen, dass er Blut auf der Zunge schmeckte. Er wollte nein sagen, wollte aufstehen und sich mit Gewalt aus diesem fürchterlichen Schlamassel befreien, in das er geraten war. Wenn es ihm gelänge, Marco und die anderen zu finden, würden sie ihm helfen, von hier fortzukommen. Sein unzuverlässiger Körper aber wollte auf die innere Stimme nicht hören und wälzte sich stattdessen mit unschicklicher Eile auf den Rücken. Sein Schwanz war bereits steif, verlangte nach der seidenweichen Liebkosung von Ankes Lippen.

Als der Jüngling lediglich sanft am Schaft entlangstreichelte, stöhnte er vor Enttäuschung auf.

«Nicht jetzt», gurrte Anke bedauernd. «Das darf ich nicht. Aber du wirst mir fehlen, wenn du fort bist.»

Antonio wurde von jäher Panik erfasst.

«Wohin wird man mich denn bringen?»

Anke musterte ihn mit milder Verwunderung.

«Du willst doch zusammen mit den anderen Europäern abreisen, oder etwa nicht?»

Antonio überlegte angestrengt. Die Erleichterung darüber, dass man ihn nicht auf unbestimmte Zeit hier gefangen hielt, lag im Widerstreit mit dem Bedauern, das er aufgrund der bevorstehenden Trennung von Anke empfand.

«Doch», murmelte er und spürte, wie der Jüngling an einer bestimmten Stelle unterhalb seiner Eichel drückte und ihn so wieder erschlaffen ließ. «Ja, ich werde fortgehen.»

Auf einmal lächelte Anke schelmisch.

«Aber erst morgen. Heute Abend kommt erst einmal das Vergnügen.»

Er klatschte Antonio leicht auf den Schenkel, woraufhin dieser sich gehorsam herumwälzte. Heute Abend. Er hatte nicht die geringste Ahnung, was man mit ihm vorhatte.

Anke massierte wieder sein Gesäß, und diesmal ließ Antonio es zu, dass seine Muskeln sich entspannten. Das Öl sickerte tief in die Spalte ein, rann am dunklen, geheimen Eingang vorbei, dem verbotenen Zugang zu seinem

Körper, um den anscheinend seine tiefsten, dunkelsten Begierden kreisen.

Als der junge Mann die kleine Öffnung einzuölen begann, mit den Fingern immer wieder um sie kreiste und schließlich eine Fingerspitze hineingleiten ließ, wehrte er sich nicht.

«Knie dich hin», murmelte Anke, und Antonio gehorchte, ohne Fragen zu stellen. Er stellte die Knie auseinander und bot sein Hinterteil Ankes Blicken dar. Als ein kurzer, dicker Gegenstand in den jungfräulichen Eingang geschoben wurde, atmete er scharf ein.

«Behalt ihn drin», wies Anke ihn an. «In etwa einer Stunde werde ich den Dildo gegen einen dickeren austauschen.» Er half Antonio, der ganz auf den Analstöpsel in seinem Arsch konzentriert war, sich hinzuknien und auf die Fersen zu setzen. «Es könnte sein, dass ich dir heute keine Lust bereiten darf, aber das heißt nicht, dass du nicht etwas für mich tun könntest.»

Antonio riss erschrocken die Augen auf, als Anke seine Hand nahm und sie sich auf den Hosenschlitz legte. Das hatte Anke noch nie getan. Man stellte alles Mögliche mit ihm an, aber bis jetzt hatte noch niemand etwas anderes von ihm verlangt, als passiv dazuliegen und sich mit seiner Lage abzufinden. Unter dem dünnen Hosenstoff spürte er Ankes Steifen. Er war lang, schmal und so warm, dass ihm die Handfläche prickelte. Antonios Lippen waren so trocken wie Pergament.

«Du möchtest, dass ich ... dass ich ...»

Anke beugte sich vor und küsste ihn auf die Lippen. Es war ein sanfter Kuss – Ankes volle Lippen fühlten sich ganz weich an. Antonio wunderte sich, wie zärtlich die Berührung war. Er hatte einen Kloß im Hals, so gerührt war er auf einmal.

«Ich möchte, dass du mir mit der Hand Lust bereitest.

Das wird fortan unser Geheimnis sein – eigentlich ist es mir verboten, mich von dir berühren zu lassen. Aber das ist wohl das letzte Mal, dass wir miteinander allein sind –»

«Das letzte Mal?», fiel Antonio ihm ins Wort, erstaunt über das Erschrecken, das diese Äußerung bei ihm auslöste.

«Das letzte Mal», wiederholte Anke sanft, «und ich wünsche es mir so sehr.»

Als Antonio langsam die Hand auf der Hose hin und her bewegte, schloss Anke die Augen.

«Nimm ihn heraus», flüsterte Antonio mit rauer Stimme. «Lass mich in deiner Hand kommen.»

Antonio kam seiner Bitte mit fast fieberhafter Eile nach. Er hatte noch nie einen Mann auf diese Weise berührt und war fasziniert von den körperlichen Unterschieden zwischen Anke und ihm. Ankes Hodensack war prall und fast unbehaart. Als er mit den Fingerspitzen über die Hoden streifte und ihren Umriss ertastete, bekam auch er wieder einen Steifen. Je mehr sein Glied anschwoll, desto stärker wurde ihm der Gegenstand bewusst, der in seinem After steckte. Er drückte gegen die empfindlichen Innenwände und vermittelte ihm das nahezu überwältigende Gefühl, vollständig ausgefüllt zu sein.

«Komm noch nicht, Antonio, du musst dich beherrschen», sagte Antonio vorsorglich. «Du musst deinen Samen für den Kaiser aufbewahren … ahh!»

Von Ankes lustvollem Seufzer wurde Antonio ganz warm. Er schloss die Finger um den schlanken Schaft und beobachtete fasziniert, wie die Haut sich auf dem härteren Kern bewegte. Auf und nieder, auf und nieder. Als er sah, dass Anke dicht vor dem Höhepunkt war, wurden seine Bewegungen schneller. Er spürte das Kribbeln an der Schwanzwurzel, stellte sich vor, wie der Samen in die purpurfarbene Eichel schoss. Dann spritzte ihm auf einmal eine zähe Flüssigkeit in die Hand und rann über Handgelenk und Unterarm.

Antonio vermochte den Blick nicht von dem Samen auf seiner Haut abzuwenden. Einerseits konnte er kaum glauben, was er soeben getan hatte, andererseits aber verspürte er reine, unverfälschte Freude.

Anke grinste ihn an, dann beugte er sich vor und küsste ihn erneut auf die Lippen.

«Danke», sagte er einfach. «Meinst du, du bist jetzt bereit für den größeren Stöpsel?»

Antonio nickte, denn zu sprechen wagte er nicht. Ohne dazu aufgefordert worden zu sein, nahm er ohne Murren die Haltung ein, die es Anke erlaubte, einen längeren und dickeren Dildo einzuführen. Den Blick hielt er auf Ankes Samen gerichtet, der auf seinem Arm rasch trocknete. Zu seiner Verwunderung kam ihm das ganz selbstverständlich vor.

11. Kapitel

Cirina schaute wie von Ferne zu, wie alle anderen aßen, tranken und sich vergnügten. Von den Vorgängen im Saal fühlte sie sich abgetrennt und entfremdet. Allerdings war ihr bewusst, dass Chabi alles darauf anlegte, ebendiese Gefühle in ihr hervorzurufen.

Sie saß zu Füßen der Kaiserin, mit prickelnder Haut. Chabi spielte mit ihrem Haar und beugte sich hin und wieder vor, um eine Brustwarze zu liebkosen oder ihr einen Kelch zum Trinken an die Lippen zu halten. Neben Chabi saß Kublai Khan, ein wenig erhöht, wie es seiner Stellung entsprach. Zu seinen Füßen ruhte ein anderes angeleintes ‹Schoßtier›. In diesem Fall freilich handelte es sich um einen Leoparden, ein wunderschönes, ruhiges Tier, das reglos auf den Hinterbeinen saß und mit hochmütiger Geringschätzung alles zu beobachten schien. Hin und wieder wandte der Leopard den prachtvollen Hals und sah Cirina an, als erkenne er in ihr eine Seelenverwandte.

Als der Festschmaus beendet war, zupfte Chabi an der Leine, die an Cirinas Halsband befestigt war, und führte sie zum blauen Podest zurück.

«Und jetzt, meine Liebe, werde ich dich die wahre Bedeutung der Unterwerfung lehren», sagte Chabi leise.

Cirina erzitterte unter ihrem funkelnden Smaragdblick, ließ sich aber dennoch nicht einschüchtern und reckte stolz das Kinn. Auf Chabis Befehl hin ließ sie sich auf alle viere nieder und präsentierte ihre nackten Hinterbacken.

Sie erschauerte, als ein Diener ihr zur Vorbereitung eine kühle, ölige Flüssigkeit in die Haut einmassierte. Ein paar

Tropfen rieselten in die Pofalte und kitzelten die empfindliche Öffnung. Bei der Vorstellung, welchen Anblick sie den Zuschauern mit dem gereckten Hintern, der ölglänzenden Haut und ihrer ansatzweise sichtbaren Schatztruhe bot, bekam Cirina Herzklopfen. Fast ohne es zu merken reckte sie die Hüften noch ein wenig höher.

Als der erste Hieb von Chabis Peitsche ihre Hinterbacken traf, atmete sie scharf ein. Zunächst erschrak sie über das brennende Gefühl, dann aber wurde sie gewahr, dass es einer gar nicht unangenehmen Hitze Platz machte, und erwartete nun den zweiten Hieb mit geschärfter Aufmerksamkeit.

Alle Blicke waren auf sie gerichtet, als der zweite Hieb sie abermals scharf einatmen ließ und sie darauf wartete, dass sie von der seltsam angenehmen Wärme durchströmt wurde. Sie reckte die Arschbacken dem nächsten Schlag entgegen, was ihr ein anerkennendes Gemurmel der Zuschauer einbrachte.

Als der vierte Hieb auf sich warten ließ, hörte Cirina, wie sie darum bettelte, man möge mit der Züchtigung fortfahren. Ihre Stimme klang wie die einer Fremden.

«Ahh! Danke!», flüsterte sie, als Chabi ihr Flehen erhörte.

Lustschauer durchrieselten ihren Bauch und ihre Schenkel, zwischen denen ein köstlich dumpfes Pochen einsetzte. Sie wand ein wenig die Hüften, sehnte sich danach, dass ein Finger ihre pulsierende Lustgrotte berührte. Hinter ihr lachte Chabi freudlos auf.

«Glaubst du wirklich, du hättest dir deine Befriedigung bereits verdient?»

Cirina schnappte nach Luft, als der fünfte Schlag ihren Arsch traf, kraftvoller als zuvor, was wohl eher Chabis Wut als ihrer Leidenschaft zuzuschreiben war.

Chabi wandte ihre Aufmerksamkeit nun den herabbaumelnden Brüsten zu und versetzte ihnen einen leichten Klaps mit der Peitsche, sodass sie in bebende Bewegung gerieten. Es brannte, und die Nippel schwollen so sehr an, dass es wehtat. Cirina brach der Schweiß aus allen Poren.

Zu ihrer Verwunderung rief das Brennen der Peitschenhiebe auch in den zarten Hautfalten zwischen ihren Schenkeln eine Reaktion hervor, brachte die Säfte zum Fließen und ließ die Lippen anschwellen. Ihr Bauch straffte sich, als Chabi mit dem Peitschenende über die steifen Nippel streifte.

«Kriech auf der Plattform umher – zeig allen, wie du die Züchtigung aufnimmst», befahl Chabi mit kalter Stimme.

Cirina gehorchte, setzte unbeholfen ein Knie vors andere, sich des Anblicks, das sie im Ledergeschirr bot, überdeutlich bewusst. Ihre Brüste wurden auseinander gespreizt, die Nippel hingen wie reife Früchte herab. Als sie sich dem Rand des Podestes näherte, streckte ein Mann die Hand aus und griff nach dem goldenen Ring. Seine Nachbarn beugten sich vor, um besser sehen zu können, und Cirina fürchtete schon, sie könnten zu ihr auf das Podest klettern.

Zu ihrer Erleichterung klopfte Chabi dem Mann mit derselben Peitsche, die Cirinas Arsch gezeichnet hatte, aufs Handgelenk, woraufhin er sich gehorsam zurück auf die Kissen sinken ließ.

«Den Arsch hoch!», zischte Chabi, und Cirina reckte den Hintern noch höher, wohl wissend, dass sie auf diese Weise den Zuschauern freie Sicht auf ihre angeschwollenen Schamlippen bot. In dieser Haltung kroch sie zur Mitte des Podestes zurück.

Dass sie erregt war, konnte wohl jedermann sehen, und vor Freude darüber, dass sie Chabi abermals ein Schnippchen geschlagen hatte, lächelte sie still in sich hinein. Sie hätte sich nie träumen lassen, dass ihr eine solch kaltherzige Behandlung so viel Lust bereiten könnte, und Chabi hatte wohl ebenfalls nicht damit gerechnet.

Mit dieser Vermutung hatte sie Recht – Chabi war außer sich vor Wut, was sie aber geschickt verbarg. Gab es denn nichts, war diese kleine Schlampe nicht erregte? Unter dem amüsierten Blick des Khans überlegte sie angestrengt. Die beste und einzige noch verbliebene Möglichkeit, Cirina für ihren Trotz zu bestrafen, bestand darin, ihr das zu nehmen, was ihr am meisten bedeutete.

Ursprünglich hatte Chabi vorgehabt, sie von zwei, vielleicht auch drei Männern gleichzeitig nehmen zu lassen, doch ein solches Schauspiel machte nur dann Sinn, wenn das Opfer weinte und sich wehrte. Wie es aussah, konnte rein gar nichts Cirina zum Weinen bringen. Doch nachdem sie immerhin erreicht hatte, angebettelt zu werden, wünschte sie sich nun nichts sehnlicher, als Cirinas Tränen hervorzulocken.

Kurz gesagt, sie erwog, eine intimere Auspeitschung vorzunehmen und der jungen Frau zu befehlen, an den sabbernden Männern der ersten Reihe entlangzukriechen und sie nacheinander mit dem Mund zu befriedigen. Bei dem Gedanken, dass Cirina wahrscheinlich jeden Augenblick genießen würde, lächelte Chabi grausam und zog an der Leine, bis das Mädchen sich aufrichtete.

Wortlos bedeutete sie Cirina, sich vor den Stuhl auf dem Königspodium zu setzen, und befahl ihr, die Beine zu spreizen. Wie vermutet war Cirina feucht. Ihre Schamlippen glänzten verräterisch, ihr Lustbrunnen war einladend geöffnet.

Chabi wählte aus einer Sammlung von Peitschen, die sie hinter ihrem Stuhl versteckt hatte, einen langen, dünnen Stock mit biegsamem Ende aus. Das Ende war mit frischem Tierfell überzogen. Aufmerksam beobachtete sie das Gesicht des Mädchens, sodass ihr auch nicht die kleinste Regung entging, und streichelte mit dem Stockende über die Innenseite des Schenkels bis zu den geteilten Schamlippen.

Als das weiche Fell über die Hautfalten wanderte und das angeschwollene Lustzentrum berührte, schnappte Cirina nach Luft. Chabi bewegte den Stock hin und her und quälte die kleine Ansammlung von Nervenden so lange, bis Cirina sich auf der harten, fellbedeckten Plattform wand.

Chabi wartete, bis Cirina unmittelbar vor dem Höhepunkt stand. Da sie den Moment genau abpassen musste, beobachtete sie, wie deren Pupillen sich zusammenzogen, der Schweiß zwischen den Brüsten hinunterrann und Brust und Nacken sich röteten. Als die Schamlippen immer weiter anschwollen, meinte sie beinahe, das kleine Herz im Zentrum von Cirinas Lustbrunnen schlagen zu sehen, von dem immer stärkere Lustwellen ausgingen.

Als sie sicher war, dass nur noch eine leichte Berührung der fellbedeckten Stockspitze nötig wäre, um einen Höhepunkt hervorzurufen, hielt Chabi inne. Cirinas Augen öffneten und weiteten sich gequält, als sie Chabis grausames Lächeln verstand.

«Bitte – ach, bitte, Herrin, gewähr mir Erleichterung!», rief sie, ohne sich daran zu stören, dass sie sich mit jedem Wort selbst demütigte.

Chabi lächelte beinahe heiter. In dem Maße, wie Cirina die Beherrschung verlor, wuchs ihr Selbstvertrauen. Jetzt war der Moment gekommen, ihre Trumpfkarte auszuspielen.

«So weit sind wir noch nicht», sagte sie und wandte sich ab. «Die Abendunterhaltung ist noch nicht beendet. Sieh nur – ich glaube, das wird dir gefallen.»

Cirina blieb nichts anderes übrig, als die Beine anzuziehen und gegen den Mahlstrom von Empfindungen anzukämpfen, der durch ihren Körper tobte. Es wäre nur ein leichtes Reiben mit der Fingerspitze nötig gewesen, um sich selbst über die Grenze zu befördern, doch das wagte sie nicht. Chabis wohlüberlegte, kontrollierte Grausamkeit vermochte sie zu ertragen und sogar zu genießen, doch sie spürte, dass die Kaiserin unnachsichtige Härte zeigen würde, wenn sie ihre Pläne durchkreuzte. Aus irgendeinem Grund hatte Chabi beschlossen, Cirina damit zu quälen, dass sie ihr den Höhepunkt der Lust vorenthielt, die anzustacheln sie so große Mühe aufgewandt hatte. Cirina konnte nichts weiter tun, als abzuwarten und darauf zu hoffen, dass sich später, wenn sie allein wäre, eine Gelegenheit ergeben würde, die aufgestaute Leidenschaft freizusetzen.

Als im großen Saal ein lauter Gong ertönte, schwenkten die Blicke der Zuschauer von Cirina zum Eingang. Ein junger Mann wurde hereingeführt, bekleidet mit einem prächtigen Gewand aus goldener Seide und mit einem juwelengeschmückten Turban auf dem Kopf. Erst als er sich dem mit roter Seide bezogenen Podest näherte, konnte Cirina sein Gesicht erkennen. Sie schlug die Hand vor den Mund. Es war Antonio.

Sein Blick wanderte über sie hinweg, doch es schien so, als würde er sie gar nicht wiedererkennen. Seine Augen wirkten eigentümlich glasig, als hätte er längere Zeit nicht geschlafen. Die dunklen Schatten unter Wangen und Augen verstärkten diesen Eindruck noch. Er wirkte benommen, als ihm der blondhaarige Jüngling, der zusammen mit ihm auf die Plattform geklettert war, das Gewand von den Schultern streifte.

Darunter war er nackt. Seine helle, geölte Haut schimmerte im Fackelschein. Alle Anwesenden wandten sich von Cirina ab, die reglos wie eine Statue vor Chabis Stuhl auf dem Boden saß und den stattlichen jungen Europäer anstarrte.

Antonio schaute sich um, von der neuen Umgebung verwirrt. So viele Augen starrten ihn an, alle erhitzt, gierig, nach ihm lechzend, gleich ob Mann oder Frau. Undeutlich war er sich bewusst, dass er nackt war, brachte aber nicht die Energie auf, sich zu schämen. Chabi lächelte ihn an, und er erwiderte stumpf ihren Blick, schickte sich ins Unvermeidliche. Es hatte keinen Sinn, dagegen anzukämpfen.

«Wollt Ihr ausgepeitscht werden, Signor, bevor man Euch Befriedigung gewährt?»

Ihre Stimme war kühl, aber nicht unfreundlich, und Antonio runzelte die Stirn. Er sah, dass sie einen Gegenstand mit kurzem Griff in der Hand hielt, von dem mehrere Lederriemen herabhingen. Auf einmal erschien ihm die Vorstellung, dass die Lederriemen seine Haut küssten, ausgesprochen verlockend; vielleicht würde ihm das ja Erleichterung verschaffen. Er nickte.

Lächelnd schnippte Chabi mit den Fingern. Zwei Diener nahmen Antonio in die Mitte und streckten ihm die Arme, sodass Chabi nun ein größeres Ziel vor sich hatte. Irgendjemand – er vermutete, dass es Anke war – stupste mit dem Fuß gegen seine Knöchel, woraufhin er die Beine weiter auseinander stellte. Chabi streifte mit ihren kleinen, kühlen Händen anerkennend über die glatten, muskulösen Konturen seines Rückens und ließ sie zum Gesäß hinunterwandern. Dann liebkoste sie beinahe liebevoll die beiden Halbkugeln.

Als sie den Analstöpsel erreichte, zog sie ihn ohne Vorwarnung heraus. Antonio schnappte nach Luft. Er empfand Verlust und stellte sich die klaffende Leere vor, die zuvor der Stöpsel ausgefüllt hatte und die nun fremden Blicken preisgegeben war.

Chabi begann das Auspeitschen an den Schultern, mit leichten, flüchtigen Schlägen, die nie zweimal die gleiche

Stelle trafen und allmählich nach unten wanderten. Als sie die Hüfte erreichte, fühlte sich sein ganzer Oberkörper an, als stünde er in Flammen. Der Schweiß perlte von seiner Haut ab und rann ihm an der Seite hinunter. Seine Achselhöhlen und Lenden verströmten einen scharfen, durchdringenden Geruch; sein Glied reckte sich beschämend hoch empor, während die Peitschenschnur sich um seine Hinterbacken und die Hüfte schmiegte.

Als Chabi aufhörte, ihn zu schlagen, zitterte er. Hätten ihn nicht die beiden kräftigen Männer gestützt, wäre er auf die Knie niedergesunken. Chabi trat vor ihn.

«Gut gemacht», murmelte sie; ihre harten grünen Augen funkelten belustigt. «Findest du, du hast dir die Erfüllung deines größten Begehrens verdient?»

Antonios Lippen waren trocken, und er versuchte, sie mit der Zunge zu befeuchten. Chabis Augen folgten der Bewegung, und dann trat sie zu seiner Überraschung auf einmal vor und küsste ihn. Er schloss die Augen, ertrank im Kuss, sehnte sich danach, sie zu umarmen. Sie aber löste sich und hob die Brauen. Dann trat sie langsam zur Seite, und Antonio sah nun den Mann, der hinter ihr gestanden hatte.

Er erkannte ihn auf den ersten Blick – es war der Mann, der beim großen Fest einen anderen Mann wie eine Frau genommen hatte. Antonio bekam Herzklopfen und rote Ohren. Der Mann grinste, und seine dunkle lederne Kniehose spannte sich zwischen den Beinen. Offenbar war er erregt.

«Nur Mut, Antonio», flüsterte Anke ihm ins Ohr, als er ihm auf die Beine half. «Ich bin bei dir.»

Antonio schaute zu, wie der junge Mann sich entkleidete und vor ihm Aufstellung nahm. Anke hatte wieder einen Steifen. Sein schlanker, glatthäutiger Phallus, den Antonio selbst vor wenigen Stunden gewichst hatte, zuckte vor seinem Gesicht. Erwartungsvolle Spannung lag in der Luft. Auch Antonio wurde davon erfasst. Allmählich wurde ihm klar, was von ihm erwartet wurde. Er sollte Ankes Schwanz in den Mund nehmen.

Erstaunlicherweise löste die Vorstellung keinerlei Widerwillen bei ihm aus. Stattdessen verspürte er eine überwältigende Freude. Er spürte, dass der Ledermann hinter ihn getreten war, und hörte das Knarren des Leders, als er die Hose ablegte. Ach Gott, ach Gott, er wollte die Leere, die der Analstöpsel zurückgelassen hatte, mit seinem Schwanz ausfüllen. Antonio schloss einen Moment lang die Augen, denn er war sich nicht sicher, ob er das würde ertragen können.

«Fangt an», befahl Chabi leise.

Antonio streckte die Zunge heraus und berührte zaghaft die Eichel von Ankes Schwanz. Eine klare, salzig schmeckende Flüssigkeit sickerte aus dem kleinen Spalt an dessen Ende und benetzte seine Zunge. Die Eichel fühlte sich ganz glatt an, äußerst verlockend, und aufstöhnend schloss Antonio behutsam die Lippen darum und begann zu saugen.

Dass man ihm zuschaute, störte ihn nicht mehr. Während er sich darauf konzentrierte, Ankes Schwanz zu lutschen, nahm er das Publikum kaum mehr wahr. Als der erste Schritt erst einmal getan war, brannte er darauf, den harten, langen Schaft tief in seinem Mund zu spüren.

Es war, als stülpe er seine Lippen über Seide. Die Härte unter der weichen Haut setzte einen erregenden Kontrapunkt. Er nahm Ankes prallen, festen Hodensack in die Hand und bewegte den Mund auf und ab. Es war ein wundervolles Gefühl, dem Mann Lust zu bereiten und zu spüren, wie der Sack anschwoll. Der Schwanz war jetzt so hart, als wollte er jeden Moment platzen.

Als Anke plötzlich zurücktrat, schnappte er vor Enttäuschung nach Luft. Dann begriff Antonio, warum er das getan hatte. Ein Gleitmittel wurde grob in Antonios Hintereingang einmassiert. Chabi fixierte ihn unentwegt, forderte ihn wortlos auf, sich zu konzentrieren. Er hatte das Schwanzlutschen ein wenig zu sehr genossen – sie wollte, dass er der demütigenden Penetration seine ganze Aufmerksamkeit schenkte.

Undeutlich nahm er die lüsternen Blicke wahr, die auf ihm ruhten, und ihm wurde bewusst, dass die Zuschauer seine Schande sehen wollten, nicht seine Lust. Als die dicke, angeschwollene Eichel des hinter ihm stehenden Mannes an seine zarte Pforte stupste, stockte ihm der Atem. Aber der Winkel stimmte nicht, weshalb der Mann Antonio mit einem verärgerten Brummen die Hand in den Nacken legte und ihn auf alle viere niederdrückte.

Anke kniete vor ihm und redete ihm aufmunternd zu. «Entspann dich, Antonio, streck dein Hinterteil raus.»

Antonios Atem beschleunigte sich, als die Eichel auf der Suche nach dem Eingang gegen seinen Arsch stieß. Dieser Grobian hatte nicht das geringste Zartgefühl, sondern war allein auf seine Befriedigung aus.

Schließlich hatte er den engen Schließmuskel überwunden. Antonio schrie auf, als der Schwanz langsam in ihn hineingeschoben wurde. Der Mann brummte zufrieden.

«Nein! Bei allem, was heilig ist, nein! Ich –»

Anke steckte ihm seinen Schwanz in den Mund und brachte ihn damit zum Verstummen. Antonio saugte heftig daran, bis der durchdringende Schmerz endlich nachließ und einem dunklen, gefährlichen Lustgefühl Platz machte.

Antonio hatte das Gefühl, sein ganzer Körper wäre ausgefüllt; all seine Sinne, sein Tastsinn, sein Geschmack, sein Blickfeld, sein Geruchssinn und sogar sein Gehör wurden in Anspruch genommen, als die Schenkel des Arschfickers gegen seine Backen klatschten. Außer den Stößen der ihn penetrierenden Männer zählte nichts mehr für Antonio. Er begriff nur allzu gut, dass er lediglich ein Vehikel, ein Gefäß ihrer Lust war. Sein Schwanz baumelte angeschwollen und vernachlässigt zwischen seinen Beinen, harrte vergeblich der Entladung.

Anke kam als Erster und spritzte seinen Samen in Antonios Rachen, sodass dieser sich beinahe verschluckte. Als er sich Antonio entzog, sanken dessen Schultern herab. Antonios Kopf ruhte nun auf der roten Seide, sodass der Ledermann umso tiefer in ihn eindringen konnte. Erst als die Seide an seiner Wange feucht wurde, merkte er, dass er weinte, ob vor Scham oder Lust, vermochte er nicht zu unterscheiden.

Cirina beobachtete, wie der stark behaarte Mann das pralle Glied mit der purpurfarbenen Eichel in Antonios Arsch hin und her bewegte. Bei seinem Eintreten hatte sie sich zunächst erschrocken, und sie musste sich beherrschen, um nicht zu ihm zu stürzen und zumindest den Versuch zu unternehmen, die Auspeitschung zu verhindern. Als sie jedoch nach und nach Antonios Erregung spürte, wurde auch ihr Interesse geweckt.

Dabei zuzusehen, wie Antonio am Schwanz eines anderen Mannes saugte, erregte sie und steigerte das Lustgefühl, das sich zwischen ihren Schenkeln aufbaute. Jetzt sah sie auch Antonios Gesicht. Seine Wangen waren nass von Tränen, die Augen hatte er schwelgerisch geschlossen. Noch nie hatte er so schön und begehrenswert ausgesehen wie in diesem Moment.

Der Anblick war zu viel für sie und so überwältigend, dass sie sogar vergaß, welche Folgen es hätte, wenn sie sich Chabis Zorn zuzöge. Sie nutzte die Gelegenheit, da alle Blicke gebannt auf die beiden Männer auf der Plattform gerichtet waren, löste die Leine, die an ihrem Halsband befestigt war, und lief zu ihnen hinüber.

Chabi versuchte sie aufzuhalten, doch Cirina entwischte ihr. Wütend machte Chabi Anstalten, ihr zu folgen, doch da griff Kublai Khan ein.

«Lass sie gewähren, Chabi», sagte er in einem Ton, der keinen Widerspruch duldete. Chabi blieb nichts anderes übrig, als wutschnaubend zuzusehen, wie das Wüstenmädchen erneut die Initiative ergriff.

Cirina wartete, bis der Ledermann mit einem triumphierenden Aufschrei zum Höhepunkt kam. Er zog seinen Schwanz augenblicklich zurück, schloss seine Hose und entfernte sich eiligen Schritts, ohne sich auch nur einmal zu dem Mann umzublicken, der das Vehikel seiner Lust gewesen war.

Antonio schaukelte auf den Fersen und ließ den Kopf hängen. Sein aufgerichteter Schwanz verriet seine Erregung. Cirina streckte die Hand aus und berührte zärtlich sein Gesicht, verrieb die Tränen auf seinen Wangen.

Antonio riss die Augen auf und sah sie an, als habe er sie erst jetzt bemerkt. Sie sah die Qual und die Scham in seinem Blick, kniete nieder, legte die Hände um sein Gesicht und leckte die Tränen ab.

Cirina machte es nichts aus, dass sie von Dutzenden lüsternen Zuschauern beobachtet wurden, dass Kublai Khan anwesend war und Chabi am Rand des Geschehens ohnmächtig schäumte. Sie war sich deren Anwesenheit zwar bewusst, verdrängte sie jedoch als bedeutungslos aus ihren Gedanken. Ihr ging es allein darum, den Schmerz im Gesicht ihres Geliebten zu lindern.

Dass er glaubte, kein richtiger Mann mehr zu sein, war offenkundig. Cirina wusste auch, dass ihm das Erlebnis im großen Saal von Shang-tu ewig nachgehen würde, wenn es ihr nicht gelänge, seine Einstellung auf der Stelle zu ändern. So männlich und selbstbewusst, wie er bei der ersten Begegnung auf sie gewirkt hatte, konnte sie es nicht ertragen, ihn gebrochen zu sehen.

Sie küsste ihn auf die Augenlider, die Schläfen, das Kinn und die Ohrläppchen, dann auf die Lippen. Nach einer Weile teilte er seufzend die Lippen, und sie schob ihm die Zunge zwischen den Zähnen hindurch in den Mund.

Antonio umarmte sie und erwiderte den Kuss; seine Leidenschaft wuchs, als sein Körper die weibliche Weichheit des ihren spürte. Als er sie auf den Boden senkte, bog sie den Hals zurück und gewährte seinen Lippen Zugang zu den erhitzten, schattigen Höhlungen zwischen Schlüsselbein und Brüsten. Er küsste sie auf die Schultern und die von Lederringen eingefassten Brüste, leckte unter den Lederriemen und schmeckte ihre salzige Haut.

Cirina hob die Beine, schlang sie ihm um die Hüften und zog ihn mit den Fersen dichter an sich heran, bis sein Schaft an den gut geschmierten Eingang ihres Lustbrunnens stieß. Er hob die Lider und sah ihr aufgewühlt in die Augen.

Sie öffnete ein wenig den Mund und senkte den Blick, während er sich in Position brachte. Beide seufzten im Einklang, als er mit einer schnellen, sicheren Bewegung in ihre einladende Öffnung glitt. Er legte einen kraftvollen Rhythmus vor und gewann mit jedem Stoß etwas mehr von seiner männlichen Selbstsicherheit zurück. Ihre schweißnasse Haut rieb sich aneinander, während sie gemeinsam dem Höhepunkt entgegenjagten.

Als sie ein wenig mit den Hüften schaukelte, stellte Cirina fest, dass der angeschwollene Lustknubbel an der Spitze ihrer Schamlippen so stark gereizt wurde, dass auch sie zum Höhepunkt kommen würde. Da sie diesen so sehr herbeigesehnt hatte, ließ er nicht lange auf sich warten, und als sich die engen Wände ihrer Lustgrotte um Antonios Schaft zusammenzogen, löste das auch bei ihm den Orgasmus aus.

Diesmal, zum ersten Mal, dachte er nicht daran, sich rechtzeitig aus ihr zurückzuziehen. Er wollte nichts weiter, als sie auszufüllen, ihr seinen Samen zu schenken und seine Männlichkeit zu bestätigen.

Ineinander verschlungen wälzten sie sich über die glatte Seide, einander umklammernd, weinend und lachend zugleich. Erst allmählich wurde ihnen bewusst, dass das Publikum ihre Darbietung beklatschte. Antonio half ihr auf die Beine. Nackt und nass vom Schweiß und ihren Körpersäften standen sie Hand in Hand vor dem Khan.

Er neigte anerkennend den Kopf. Cirina warf Chabi einen raschen Blick zu. Die Smaragdaugen der Kaiserin funkelten hasserfüllt. Cirina aber hatte keine Angst vor ihr. Chabis Wut vermochte ihr nichts anzuhaben – die Zuschauer würden es nicht zulassen, dass Chabi sich an ihnen schadlos hielt. Und der Khan ebenfalls nicht.

Der besiegten Kaiserin ein letztes Lächeln zuwerfend, wandte Cirina ihr den Rücken zu und schritt mit Antonio aus dem großen Saal.

12. Kapitel

Cirina saß in ihrem Zimmer und trank gesüßten Limonensaft. Ihre Betreuerinnen huschten plappernd und kichernd umher und packten eine Truhe, die auf die Reise nach Persien mitgenommen werden sollte.

Cirina achtete nicht auf ihr Geschnatter. Seit sie gebadet und sich von ihrem Triumph im großen Saal erholt hatte, war sie tief in Gedanken versunken und sann über die Zukunft nach. Der Khan hatte sein Versprechen, sie zu ihrem Onkel zurückzubringen, gebrochen, und nun hatte sie das Gefühl, sie könnte sich so lange, wie andere über ihr Schicksal bestimmten, nicht mehr sicher fühlen.

Ihre Gedanken wanderten zu Antonio. In ihrer Brust wallte Traurigkeit auf. Auch er hatte sie belogen. Er hatte nie die Absicht gehabt, zur Karawanserei zurückzukehren, wie er es ihr bei ihrer ersten wundervollen Begegnung versprochen hatte.

Als sie sich vergegenwärtigte, wie unschuldig und vertrauensvoll sie damals gewesen war und wie wenig sie von Männern – und übrigens auch Frauen – gewusst hatte, empfand sie eine fürsorgliche Zärtlichkeit gegenüber ihrem früheren Ich. Der Aufenthalt in Shang-tu hatte sie unumkehrbar verändert. Sie hatte ihr wahres Wesen entdeckt und begriffen, dass sie dafür geschaffen war, Lust zu schenken und zu empfangen. An dieser Erkenntnis führte kein Weg mehr vorbei.

Ihre Wandlung bedauerte sie nicht. Es war, als hätte sie während der Zeit ihres Heranwachsens geschlafen. Hin und wieder hatte sie eine Regung verspürt und einen kurzen Blick auf ihr innerstes Wesen geworfen, ohne freilich zu ahnen, wie es wirklich in ihr aussah. Antonio hatte sie aufgeweckt, und Chabi hatte ihr geholfen zu erkennen, was in ihr steckte. Eigentlich sollte sie der ränkevollen Kaiserin dafür dankbar sein.

Bei der Vorstellung, wie Chabi auf ihre Dankbarkeit reagieren würde, musste Cirina lächeln. Sie war stolz, dass sie ihr getrotzt hatte, und froh, dass es ihr gelungen war, sich trotz Chabis Machenschaften ihre Würde zu bewahren.

Was ihre Zukunft betraf, würde sie alles daransetzen, ihre Heirat mit einem mongolischen Krieger zu verhindern. Sie hatte erwogen, vor dem Aufbruch der Karawane aus Shang-tu zu fliehen, war aber zu dem Schluss gekommen, dass dies zu gefährlich war. Eine auf sich allein gestellte Frau würde in der Wüste nicht weit kommen. Selbst wenn es ihr gelingen würde, Kamele und Vorräte zu stehlen, der Hitze zu trotzen und sich in der tückischen Wüste nicht zu verirren, waren da immer noch die Räuber, die nicht zögern würden, sie in ihre Gewalt zu bringen. Nein, da war es schon besser, sie brach mit den anderen zusammen auf und wartete auf eine Gelegenheit zur Flucht.

Eingedenk Antonios Schilderungen von Venedig nahm Cirina an, dass es für eine Frau in Europa fiel leichter wäre, ihren Weg zu machen. Vielleicht sollte sie warten, bis sie in Persien waren, und darauf hoffen, dass Antonio ihr die Weiterreise nach Venedig ermöglichen werde. Vielleicht könnte er ihr auch dabei helfen, dort einen Lebensunterhalt zu finden.

Antonio. Würde sie mit ihm zusammen reisen, oder würde er mit dem byzantinischen Rubin durch die Wüste nach Konstantinopel flüchten? So durcheinander und benommen, wie er beim Abschied am Abend zuvor gewesen war, bezweifelte Cirina, dass er sein Vorhaben noch ausführen würde. Zärtlichkeit wallte in ihr auf, und ihr wurde jäh bewusst, dass sie ihn lediglich als Fluchthelfer in ihre Zukunftspläne einbezogen hatte. Bedeutete das etwa, dass sie ihn nicht mehr liebte?

Cirina erforschte ihr Herz und kam zu dem Schluss, dass sie nicht aufgehört hatte, ihn zu lieben. Sie hatte lediglich gelernt, sich nicht mehr ausschließlich auf ihn zu verlassen. Er war ihr weiterhin so lieb und teuer, dass sie hoffte, seine Erfahrungen mit Chabi würden ihm nicht allzu lange nachgehen.

Auf einmal kam ihr ein kühner Gedanke. Angenommen, sie selbst stahl den Rubin? Ihr würde dies leichter fallen – wer würde schon damit rechnen, dass eine einfache Lustsklavin einen Juwel vom Thron des Khans entwendete? Sie würde Antonio den Juwel bei ihrer Ankunft in Persien überreichen, dann könnte er sie – so die Göttin ihr gnädig gesinnt war – mit nach Hause nehmen. Und wenn alles schief ging, könnte sie sich mit dem wertvollen Edelstein eine Passage nach Europa kaufen.

Als sich der Gedanke erst einmal in ihr festgesetzt hatte, wurde sie immer aufgeregter. Je länger sie darüber nachdachte, desto stärker wurde ihre Überzeugung, der Rubin sei der Schlüssel zu ihrer Freiheit. Aber wie sollte sie ihn aus dem Palast hinausschmuggeln? Da er mitten auf dem Thron Kublai Khans prangte, würde sein Fehlen augenblicklich bemerkt werden.

Als sie sich im Zimmer umsah, fiel ihr Blick auf den bunten Tand, mit dem die Mädchen sie schmückten. Einige der Steine, die sie ihr in den Nabel einsetzten, waren so groß wie kleine Vogeleier – so groß wie der byzantinische Juwel.

Cirina trat zum Tisch und entdeckte einen Rubin, den sie schon einmal getragen hatte. Als sie ihn ins Licht hielt, sah sie, dass er alles andere als vollkommen und offensichtlich von geringem Wert war. Allerdings hatte er etwa die Größe des byzantinischen Rubins und eine ganz ähnliche Färbung. Wenn sie den mit diesem Stein ersetzte, würde ihr Raub bestimmt nicht so schnell auffallen.

Sie musste sich nur trauen.

«Antonio! Du musst dich reisefertig machen, bei Tagesanbruch brechen wir auf.»

Antonio blickte auf, als Marco Polo ihn von der anderen Zimmerseite her ansprach. Da er seinen Freund nicht verstanden hatte, bat er ihn, den Satz zu wiederholen.

«Herrgott nochmal, Mann, was ist bloß los mit dir?»

«Er hat seinen Samen in zu viele Huren verspritzt, und das hat seinen Verstand in Mitleidenschaft gezogen!», meinte Maffeo lachend.

Antonio senkte errötend den Blick. Was würden sie wohl von ihm denken, wenn sie Bescheid wüssten? Wie würden sie reagieren, wenn er ihnen gestand, dass er missbraucht worden war und das Ganze, Gott möge ihm verzeihen, auch noch genossen hatte?

«Bitte heb dir deine melancholischen Anwandlungen für später auf», sagte Marco. Antonio wurde bewusst, dass sein Freund ihn forschend musterte. «Die Reise wird lang und beschwerlich sein, aber am Ende werden wir zu Hause ankommen und kämpfen. Die Genueser werden sich vorsehen müssen, wenn wir erst mal da sind! Vergiss das nicht, Antonio, und schlag dir diesen Ort hier aus dem Kopf.»

Antonio rang sich ein Lächeln ab.

«Du hast Recht, Marco – dieser Palast ist Gift für mich.»

Die drei Männer musterten ihn misstrauisch, von der Heftigkeit seiner Worte überrascht.

«Geht es dir nicht gut, Antonio?», fragte Niccolò mit sanfter Stimme.

«Doch, Freund, aber ich bin dieses Ortes überdrüssig. Selbst die Freuden des Paradieses verblassen nach einer Weile.»

Niccolò betrachtete ihn nachdenklich und fragte sich, ob die Gerüchte, die ihm zu Ohren gekommen waren, wohl der Wahrheit entsprachen. Seit ein paar Tagen war Antonio jedenfalls nicht mehr der Alte. Sein Verhalten hatte sich auf schwer fassbare Weise verändert, und das fand er beunruhigend.

«Der Khan hat endlich der Route zugestimmt, über die wir nach Persien reisen werden», sagte Marco und rollte eine Landkarte aus. Alle versammelten sich um ihn. Der Weg war nur grob darin verzeichnet, doch sie wussten, dass Marco sie sicher ans Ziel bringen würde.

«Wir wenden uns nach Süden und folgen der Küste bis nach Zaitan. Der Kaiser hat versprochen, eine Flotte von vierzehn seetüchtigen Dschunken bereitzustellen. Diese warten dort auf uns, beladen mit Vorräten für zwei Monate.»

«Zwei Monate?», fragte Maffeo. «Wie weit werden sie uns bringen?»

«Bis zum Königreich Chamba. Boten werden uns vorauseilen und dafür sorgen, dass wir uns dort ausruhen und unsere Vorräte auffrischen können. Von dort aus segeln wir durch die Malakkastraße und anschließend an der Küste von Sumatra entlang.»

«Dort werden wir bestimmt nicht rasten!» Maffeo lachte. Es ging das Gerücht, dass die Bewohner Sumatras Kannibalen seien, denen man am besten aus dem Weg ging.

Marco warf seinem Onkel einen gereizten Blick zu und fuhr fort.

«Von Sumatra aus segeln wir durch den Golf von Bengalen und anschließend zwischen der Südspitze Indiens und Ceylon hindurch. Dann fahren wir in nördlicher Richtung durch den Golf von Hormus nach Persien.»

Antonio runzelte die Stirn.

«Warum beharrt der Khan auf eine solch lange und beschwerliche Seereise? Es wäre doch bestimmt vorteilhafter, über Land zu reisen?»

Marco lächelte grimmig.

«In der Tat. Aber bedenke, welch kostbare Fracht wir mit uns führen – die chinesische Prinzessin mitsamt weiteren Bräuten. Kublais Feinde würden sie ihm liebend gern rauben. Außerdem fällt es uns auf diese Weise schwerer, unterwegs Souvenirs mitzunehmen – glaubt zumindest der große Khan!»

Antonio sah überrascht mit an, wie Niccolò, und Maffeo behutsam die Säume ihrer Reisegewänder auftrennten. Zahlreiche Edelsteine wurden darin eingenäht. Als Niccolò Antonios ungläubigen Blick bemerkte, zwinkerte er ihm zu.

«Auch du hast dem Khan viele Jahre lang treu gedient, Antonio. Nimm dir, was dir zusteht.»

Antonio nickte, doch es gab nur ein Geschmeide, das ihn wirklich interessierte, und das war der Rubin, den der Khan Balduin geraubt hatte. Mit schwerem Herzen wandte er sich von seinen Kameraden ab. Es würde ihm nicht gelingen, den Rubin in seinen Besitz zu bringen – der Khan würde jetzt, da die Europäer sich zum Aufbruch anschickten, besonders wachsam sein.

Er dachte an Cirina, an ihre Zärtlichkeit und ihren Mut, den sie im großen Saal unter Beweis gestellt hatte. Obwohl sie Zeugin seiner Schande geworden war, hatte sie ihn freudig in die Arme geschlossen und ihn in sich aufgenommen, hatte seine Seelenpein gelindert und mit ihrer Liebe seinen verletzten Stolz wiederhergestellt.

Cirina würde sie nach Persien begleiten. Sie war es, die er begehrte, das Ziel seiner Wünsche.

Cirina wartete, bis alles schlief und unheimliche Schatten über die kalten Steinwände flackerten. Dann schlich sie auf Zehenspitzen barfüßig durch die labyrinthischen Gänge zum großen Saal.

Der Palast von Shang-tu war zur Tageszeit ein riesiges, einschüchterndes Bauwerk. Nachts jedoch verwandelte es sich in einen Albtraum voll dunkler Alkoven und hallender Gänge. Aber es war nicht schwer, den müden Wächtern vor den königlichen Gemächern aus dem Weg zu gehen, und zu ihrer Erleichterung stellte sich heraus, dass der Eingang zum großen Saal unbewacht war.

Die große Tür knarrte beim Öffnen leise in den Angeln. Cirina näherte sich dem Podium. Der juwelengeschmückte Thron funkelte schwach im Mondlicht, das durch einen schmalen Belüftungsschlitz fiel.

Die Pelze und Seidenstoffe waren entfernt worden, deshalb fühlte sich der Steinboden kalt unter ihren Füßen an, als sie durch den Saal rannte und die Stufen zum Thron hocheilte. Der in die Rückenlehne eingelassene byzantinische Rubin funkelte auf sie herab. Das Herz hämmerte in ihrer Brust. Mit angehaltenem Atem langte Cirina empor, drehte den Edelstein in der Fassung und zog daran, bis er sich mit einem leisen Geräusch löste. Anschließend drückte sie den wertlosen Rubin hinein.

Cirina verbarg den echten Rubin in den Falten ihres Gewands und drehte sich um. Vor ihr stand plötzlich ein kräftiger Mann, der mit grimmiger Miene die Fäuste in die Hüfte stemmte.

Cirina schlug sich die Hand vor den Mund und erstickte den Schrei, der ihr in der Kehle hochstieg. Als sie den Mann wiedererkannte, beruhigte sie sich ein wenig.

«Mongor?», flüsterte sie.

Mongor streckte schweigend die Hand nach dem Rubin aus, den sie soeben an sich genommen hatte. Cirina holte den Edelstein widerwillig hervor und schloss die Finger um die glatte Oberfläche.

«Der gehört dem byzantinischen Volk, Mongor. Ich hab ihn nicht gestohlen – ich will ihn nur den rechtmäßigen Besitzern zurückgeben.»

Mongor schüttelte betrübt den Kopf und steckte den Rubin in die Tasche seines Lederwamses. Er blickte zum Thron, bemerkte den falschen Rubin und verzog den Mund unter dem Schnurrbart zu einem Lächeln.

«Ich muss das dem Khan melden», sagte er bedächtig.

«Tu das nicht! Mongor – bitte! Du weißt, wie es mir ergehen würde! Du bist doch mein Freund, das weiß ich. Hast du mir nicht schon früher geholfen?»

«Mag sein, aber das hier –»

«Außer uns beiden weiß niemand davon!» Cirina lächelte neckisch-verschämt und klimperte mit den Wimpern. «Ich würde mich dir auch dankbar zeigen.»

Mongor starrte sie an. Als er begriff, welches Angebot sie ihm da machte, bekam er einen trockenen Mund. Seit er sie in der Karawanserei zum ersten Mal gesehen hatte, begehrte er sie mit einer Leidenschaft, wie er sie noch nie zuvor empfunden hatte. Er hatte miterlebt, wie das hübsche Mädchen zu einer wunderschönen, sinnlichen Frau erblüht war. Sie genoss die körperliche Vereinigung mit Mann und Frau, daher wusste er, dass sie ebenfalls Lust empfinden würde, wenn sie ihr Angebot einlöste.

Er überlegte rasch. Wenn er sie gehen ließ und der Khan kam hinter seinen Verrat, würde er wahrscheinlich sterben. Wenn er sie jedoch meldete, dann war ihr Tod beinahe ebenso wahrscheinlich. Es wäre eine Schande, ihr helles Lebenslicht auszulöschen. Und da stand sie nun und bot ihm an, an ihrem Strahlen teilzuhaben – diesem Angebot konnte ein Mann aus Fleisch und Blut nicht widerstehen. Er neigte wie zum Eingeständnis seiner Niederlage den Kopf und bat sie, ihm zu folgen.

Die Quartiere der Soldaten lagen außerhalb der Stadtmauer am Flussufer. Als Dienst habender Offizier der äußeren Palastwache bewohnte Mongor eine Jurte für sich, die ein wenig abseits von den anderen stand. Dorthin brachte er Cirina und achtete darauf, dass sie nicht gesehen wurden.

Cirina blickte sich in der kreisförmigen Jurte um. Darin herrschte militärische Ordnung. An einer Seite lag ein Stapel Felle, die offenbar als Schlaflager dienten. Die Einrichtung war karg. Mongors große, langgliedrige Gestalt nahm so viel Raum ein, dass es eng im Zelt wurde, und Cirina neigte sich ihm unwillkürlich entgegen, als werde sie von ihm angezogen.

Er zog gerade das Wams aus. Die dicken schwarzen Brauen verbargen den Ausdruck seiner Augen. Die Lippen unter dem langen, seidigen Schnurrbart waren voll und sinnlich und gerade zu einer schmalen Linie zusammengepresst. Auch sie war angespannt und verspürte ein Kribbeln im Bauch. Um ruhiger zu werden, atmete sie tief durch. Obwohl es ihr keine Gewissensbisse bereitete, mit Mongor hierher gekommen zu sein, hatte sie ihren Körper noch nie zuvor mit solchem Gleichmut angeboten, und das machte sie nervös.

Sie ließ den Blick über seine breite, behaarte Brust wandern und verharrte kurz auf einer hässlichen Narbe, die sich von der Brustwarze bis zur Hüfte zog. Eine tiefrote Wulst schimmerte durch seinen dichten Brustpelz hindurch.

«Eine Kampfverletzung», brummte Mongor. «Tut nicht mehr weh. Möchtest du sie anfassen?»

Cirina sah erstaunt zu ihm auf. Ja, sie wollte die Narbe tatsächlich berühren, war fasziniert von dem Wulst, ohne indes sagen zu können, warum das so war. Zögernd streckte sie die Hand aus und strich mit den Fingerspitzen über die Narbe. Mongor erschauerte von der Berührung. Aus einem plötzlichen Impuls heraus trat Cirina vor und drückte die Lippen wie tröstend auf das obere Ende der Narbe.

Seine Haut verströmte einen gesunden Geruch nach männlichem Schweiß und einen schärferen Moschusduft, der ein seltsames Prickeln in ihrem Schoß auslöste. Cirina ließ die Zunge vorschnellen und leckte an der Narbe entlang, verweilte auf der Hüfte. Durch den derben Stoff der Kniehose hindurch spürte sie die heiße, mächtige Schwellung seines erregten Glieds, das gegen ihre Wange drückte. Sie küsste es.

Mongor brummte tief in der Kehle und legte seine großen, überraschend sanften Hände um ihren Kopf. Er zog sie hoch, betrachtete eine kleine Ewigkeit lang ihr emporgewandtes Gesicht, die Stirn, die Wangen und das Kinn, dann verweilte sein Blick auf den Lippen. Wo sein Blick sie küsste, meinte sie ein Brennen zu spüren, als prägte er ihr sein Brandzeichen auf. Cirinas Herzschlag beschleunigte sich.

Sie hielt den Atem an, als er ganz langsam den Kopf senkte und mit den Lippen über ihre Schläfen streifte. Sein Schnurrbart kitzelte sie; die Vorstellung, er würde überall über ihren ganzen Körper streifen, ließ sie erschauern. Bebend schlossen sich ihre Lider, als er nacheinander darüberleckte und mit der Zunge eine kühle Speichelspur zurückließ.

Als seine Zunge neckend um ihre Mundwinkel spielte und ihre Lippen aufforderte, sich zu teilen, begann Cirina zu zittern. Dann lag sein Mund auf ihrem, und sie wurde von einem Mahlstrom von Empfindungen erfasst, der sie vollkommen überraschte. Sie hatte nicht erwartet, mehr zu empfinden als rein körperliche Lust. Doch während Mongor sie küsste, wurde ihr zu ihrer Freude bewusst, dass hier noch etwas weit Stärkeres im Spiel war. Gierig und unersättlich loderte ihr Verlangen auf, und sie öffnete den Mund und nahm seine Zunge darin auf.

Er umschlang sie mit seinen kräftigen Armen, und das war gut so, denn sie zitterte am ganzen Leib und fühlte sich schwerelos, als könnte sie sich nicht mehr auf den Beinen halten. Sie klammerte sich an ihn und grub die Fingernägel in seine Schultern. Seine Haut fühlte sich heiß und glatt an, seine Hitze verzehrte sie und sickerte in ihre Poren, während seine Zunge die weiche Mundhöhlung erkundete.

Cirina war ganz benommen, und das Herz hämmerte ihr in der Brust, als Mongor schließlich seine Lippen von ihr löste. Seine dunklen, funkelnden Augen spiegelten ihre eigenen Empfindungen wider.

«Ich begehre dich schon so lange», sagte er mit belegter Stimme. «Ich weiß gar nicht, wo ich anfangen soll!»

Cirina lächelte mit bebenden Lippen.

«Vielleicht sollte ich mich für dich ausziehen?», schlug sie leise vor.

«Lass mich das machen …»

Mongor ergriff den Seidenumhang, den sie sich um die Schultern gelegt hatte. Er ließ den Stoff mehrmals durch die Finger gleiten, dann nahm er ihn mit zitternden Händen langsam ab, als fürchtete er, ihn mit einer abrupten Bewegung zum Verschwinden zu bringen.

Das zarte, schimmernde Gewebe wirkte unpassend in seinen kräftigen, ausgesprochen männlichen Händen. Hingerissen schaute sie zu, wie er den Stoff durch seine Finger gleiten ließ, bevor er ihn weglegte. Während er sie begehrend betrachtete, setzte zwischen ihren Schenkeln ein langsames, stetiges Pulsieren ein. Sie schluckte mit trockenem Mund und wartete ab, wie es weitergehen würde.

Mongor streckte die Hand aus und streichelte ihr langes Haar, das ihr über die Schultern hing, ließ es auf die gleiche Weise wie zuvor die Seide zwischen den Fingern hindurchgleiten. Cirinas anfängliche Bedenken, er könnte grob zu ihr sein, waren inzwischen verflogen. Er behandelte sie ausgesprochen rücksichtsvoll und war offenbar entschlossen, seine eigene Lust zurückzustellen und sich zunächst der ihren zu widmen.

Und er erregte sie tatsächlich, mit seinen leidenschaftlichen Blicken und seinen sanften Berührungen, mit seiner Geduld und seiner unerwarteten Einfühlsamkeit. Cirina seufzte, als er mit den Fingerspitzen über ihren Hals und beide Brustwarzen fuhr, die unter seiner Berührung hervorsprangen. Er umkreiste den Nabel und ließ die Fingerknöchel über das seidige Schamhaar gleiten.

Die unter der Behaarung verborgenen Lippen schwollen an und wurden feucht, ihr Lustbrunnen bereitete sich darauf vor, ihn in sich aufzunehmen. Sogleich vergaß Cirina, weshalb sie überhaupt hier war, vergaß den Rubin und die Gefahr einer drohenden Entdeckung und gab sich ganz den Empfindungen hin, die Mongor mit so großem Geschick wachrief.

Er sank auf die Knie nieder, legte die Hände auf ihre Hüften und zog sie zu sich heran. Es war ein seltsames Gefühl, einen so großen Mann vor sich knien zu sehen, doch Cirina stellte fest, dass es ihr gefiel. Da sie unsicher war, wie er reagieren würde, ließ sie den Finger zunächst ganz zögerlich durch sein dichtes schwarzes Haar gleiten. Das Lächeln in seinen Augen wärmte ihr das Herz. Dann senkte er zu ihrem Erstaunen den Kopf und küsste ihr nacheinander beide Füße.

Cirina stand vollkommen reglos da, während Mongor

sich langsam die Beine hocharbeitete und mit Lippen und Fingern jeden Quadratzentimeter Haut liebkoste. Bei den Knien verweilte er und streichelte die dünne, empfindliche Haut der Kniekehlen. Zu Cirinas Erstaunen strahlten die angenehmen Empfindungen bis zu ihrem Lustbrunnen aus.

Sie konnte es kaum mehr erwarten, dass er das heiße, feuchte Lustzentrum erreichte. Als sie sich vorstellte, welche Genugtuung er empfinden würde, wenn er feststellte, dass sie bereit für ihn war, erzitterte sie. Auf einmal beugte sie vor Ungeduld ein wenig die Knie. Mongors Lachen wurde von den weichen Schenkeln gedämpft.

«Wie schön du bist», murmelte er, ohne mit der gemächlichen Erkundung ihrer Schenkel innezuhalten. «Und du riechst so gut. Wie eine vom Tau benetzte Bergblume bei Sonnenaufgang.»

Wie poetisch er sich ausdrückt für einen derben Soldaten, dachte Cirina. Seine Worte steigerten ihr Verlangen und machten ihr die Feuchtigkeit, die sich inzwischen bis zu den Schenkeln ausgebreitet hatte, umso deutlicher bewusst. Im nächsten Moment trafen Mongors Lippen auf den süßen, moschusduftenden Honig, den er mit einem anerkennenden Gemurmel gierig aufschleckte.

Seine so dicht vor ihrem Lustbrunnen zärtlich leckende Zunge bewirkte, dass Cirina vor Begehren erzitterte. Als er schließlich die Hände von den Hüften auf ihre Schenkel sinken ließ, seufzte sie vor Erleichterung laut auf.

So behutsam, als erforsche er die zarteste, seltenste aller Blumen, öffnete Mongor sie mit den Daumen, blätterte die schützenden äußeren Lippen zurück und entblößte das seidig glänzende, angeschwollene Innere ihrer Öffnung. Cirina zitterte, als er sie einfach nur offen hielt und ausgiebig im Anblick ihres Geschlechts schwelgte, ohne Anstalten zu machen, sie zu berühren.

Sie stellte sich vor, was er wohl sah: die feuchten Kanäle, den stolz gereckten, harten kleinen Lustknubbel, das tiefe, schattige Tal, das in ihren Körper hineinführte. Dies alles wäre mit einem dünnen Film klarer, klebriger Flüssigkeit bedeckt, dem unmissverständlichen Beweis ihrer Erregung. Sie war stolz und froh über die Reaktionen ihres Körpers, denn sie wusste, dass ihm der Anblick gefallen würde.

Plötzlich streckte Mongor die Zunge hervor und schob sie in die Öffnung. Cirina schrie vor Überraschung leise auf und musste sich an seinen Schultern festhalten. Seine Zunge war nass, warm und dick und füllte ihren Eingang vollständig aus. Langsam schob er sie vor und zurück und ließ sie mit solch zarten, köstlichen Bewegungen über die seidige Innenwand der Scheide gleiten, dass Cirina schon bald die Knie gegen seine kräftigen Schultern stützen musste.

Während er sie bezüngelte, ließ er die Daumen unmittelbar unter dem Lustknubbel sanft kreisen. Das kleine Bündel Nervenenden begann erst zu zucken und schwoll dann an. Unwillkürlich stemmte Cirina sich seinen Daumen entgegen. Sie war von den langsamen Bewegungen seiner Zunge dermaßen in Anspruch genommen, dass sie seine Stimulierung an dieser Stelle erst dann bemerkte, als ihre Empfindungen unvermittelt explodierten. Die Explosion zündete tief in ihrem Schoß und breitete sich wie ein Wüstenwind nach außen aus, tobte durch sie hindurch und verzehrte sie. Sie stemmte die Hüften gegen sein Gesicht und schrie angesichts der Gewalt des unerwarteten Höhepunkts auf.

Mongor stützte sie mit den Schultern und ließ seine Zunge rein- und rausschnellen, bis die Beine unter ihr nachzugeben drohten und sie ihn aufzuhören bat.

«Bitte, ach bitte, hör auf!»

Widerwillig zog er die Zunge aus ihr hervor und leckte langsam, genießerisch über die Falten ihres Geschlechts, bis er ihren straffen Bauch erreicht hatte. Dann richtete er sich wortlos auf und schloss sie in die Arme.

Noch geschwächt vom Orgasmus, genoss es Cirina, von seinen starken Armen umfangen zu werden, ließ sich hineinfallen und zum Felllager tragen, auf dem er schlief. Er legte sie dort nieder und platzierte sie so, wie es ihm gefiel – die Arme über dem Kopf, die Beine weit gespreizt. Zu ermattet, um sich zu bewegen, ließ Cirina alles mit sich geschehen.

Mit halb geschlossenen Augen beobachtete sie, wie Mongor sich vollständig entkleidete. Erst als sie seinen Schwanz sah, riss sie die Augen wieder auf. Er war riesig, viel größer als alles, was sie bislang gesehen hatte. Sie fragte sich kurz, wie er wohl in sie eindringen sollte, ohne sie zu verletzen, und ob es ihrem Liebeskanal gelingen würde, sich genügend zu weiten. Sein erigiertes Glied stand stolz von seinem Bauch ab, ein dicker, kräftiger Schaft mit einer knolligen Eichel, von der die Vorhaut bereits zurückgeglitten war. Auf einmal trat ein Tropfen klarer Flüssigkeit aus dem kleinen Schlitz aus und fiel ihr auf den Bauch. Sie zuckte zusammen. Der Tropfen war warm und trocknete augenblicklich auf ihrer Haut.

Cirina leckte sich die Lippen und überlegte, wie es wohl weitergehen würde. Mongor kniete sich rittlings über sie, fasste mit einer Hand seinen gewaltigen Phallus, drückte ihn nach unten und ließ ihn über ihr Handgelenk und den Innenarm zur Achselgrube gleiten, wo er einen Moment lang zur Ruhe kam. Den Vorgang wiederholte er auf der anderen Armseite und schmierte so eine schmale Samenspur auf ihre glatte Haut.

Als er dort die Achselgrube erreichte, schwenkte er die Eichel über das Schlüsselbein bis zur Halsgrube. Dort ließ er die Eichel liegen, senkte den Kopf und küsste sie, knabberte behutsam an ihrer Unterlippe, ergriff ihre Hände und zog sie hinunter, bis sie an ihren Flanken zu liegen kamen.

«Bleib ganz still, tu mir den Gefallen», flüsterte er. Sein heißer Atem kitzelte sie im Ohr.

Cirina gehorchte. Ihr Körper straffte sich erwartungsvoll, ihr Herz schlug im Rhythmus des dumpfen Pulsierens zwischen ihren Schenkeln. Hoffentlich wartete er nicht allzu lange mit dem Eindringen, denn sie begehrte ihn mit einer Intensität, die sie selbst überraschte.

Mongor aber hatte anscheinend keine Eile. Mit seinen großen, schwieligen Händen drückte er ihre Oberarme gegen die Flanken, sodass die Brüste wie reife Früchte hervorstanden. Keuchend atmend hob er die Hüften an und schob seinen Schwanz zwischen ihre Brüste.

Obwohl sie beide erhitzt waren und schwitzten, scheuerte sein Schwanz zunächst schmerzhaft, und Mongor brummte enttäuscht. Er sprang auf, ging zur Kochstelle bei der Zeltwand und wühlte herum, bis er einen Klumpen Schafsfett gefunden hatte. Cirinas Augen weiteten sich, als er das Fett auf ihren Brüsten, den Nippeln und in dem tiefen, schattigen Tal zwischen den Brüsten verrieb, bis ihre Haut glänzte.

Mit einem zufriedenen Brummen warf Mongor den Rest des Fettklumpens beiseite, dann drückte er ihr erneut die Arme an die Flanken, sodass sich zwischen den Brüsten ein enger Kanal bildete. Er stützte sein Gewicht auf Knie und Ellbogen und begann seinen gewaltigen Lustkolben zwischen ihren Brüsten zu reiben.

Zu Cirinas Erstaunen schwoll er aufgrund der Reibung weiter an und wurde noch härter. Ihre Haut erwärmte sich und wurde glitschig von Mongors Saft, der sich mit dem durchdringend riechenden Schafsfett mischte, das er auf ihren Brüsten verrieben hatte.

Sie meinte schon, er wolle sich auf diese Weise zum Höhepunkt bringen. Sein Blick wurde glasig, und er atmete keuchend, während er den Rhythmus beschleunigte. Währenddessen zwickte und zwirbelte er ihre Nippel, die wie glänzende Obstkerne hervorstanden. Cirina befeuchtete sich die Lippen mit der Zunge in der Erwartung, sein Samen werde jeden Moment auf ihren Hals und ihre Brüste spritzen. Sie machte sich bereit, als Mongor sich ihr auf einmal entzog.

Mühelos hob er sie hoch und platzierte sie so, dass sie rittlings auf ihm zu sitzen kam. Flach atmend und mit der Gewissheit, dass ihr das Verlangen in die Augen geschrieben stand, setzte Cirina sich auf seine behaarten Beine und betrachtete staunend sein angeschwollenes Glied.

Sie vergewisserte sich mit einem Blick, dass er keine Einwände hatte, dann legte sie die Hand um den warmen Schaft. Er war so dick, dass sie ihn nicht ganz umfassen konnte, deshalb legte sie beide Hände darum, sodass sich die Finger berührten. Mongor fluchte verhalten, als sie die Hände an seinem prachtvollen Schwanz auf und ab bewegte.

«Es reicht», sagte er schroff, worauf Cirina ihn widerstrebend losließ.

Er hob sie an den Hüften hoch, sodass ihre Fußspitzen rechts und links von ihm gerade noch das Lager berührten und ihre Wonnelippen sich einladend öffneten, um seine feuchte Eichel zu küssen.

Cirina bekam einen trockenen Mund, als sie begriff, was er vorhatte. Sie langte mit einer Hand nach unten und öffnete sich, damit er die Eichel an ihrer Öffnung platzieren konnte. Diese stupste sanft gegen sie und dehnte so die zarten Häutchen, die danach verlangten, seinen Schaft in sich aufzunehmen.

Keuchend senkte Cirina sich bereitwillig auf das mächtige Glied hinunter. Mongor hielt sie bei den Hüften und stützte sie, und sie war froh über seine Umsicht. Ohne Angst haben zu müssen, sich schmerzhaft zu pfählen, konzentrierte sie sich ganz darauf, ihn in sich aufzunehmen und mit der heißen, seidigen Scheide zu umfangen.

Der Schweiß brach ihr aus allen Poren, als er ganz in ihr steckte und sie bis zum Äußersten ausfüllte. Als seine Schwanzspitze gegen den Gebärmutterhals stieß, merkte sie, dass noch zwei, drei Fingerbreit fehlten, bis sie seinen Hodensack am Arsch spüren würde. Sie schüttelte den Kopf; auf einmal hatte sie Angst bekommen.

«Ist schon gut», versicherte ihr Mongor mit bebender Stimme. «Es geht auch so.»

Cirina beugte sich vor, stützte die Hände auf seine Schultern und reckte langsam den Hintern in die Luft. Als er aus ihr herauszuschlüpfen drohte, ließ sie sich wieder hinabsinken, dann wiederholte sie die Bewegung. Mit jedem behutsamen Stoß nahm Cirinas Unbehagen ab, und allmählich gewöhnte sie sich an das unglaubliche Gefühl des Ausgefülltseins.

Mongor schwitzte inzwischen stark, und sie spürte, dass er sich nicht mehr lange würde zurückhalten können. Als sie sich erneut auf ihn absenkte, ließ sie ein wenig die Hüften kreisen und merkte überrascht, dass sie seinen Schaft diesmal etwas weiter in sich aufgenommen hatte. Sie biss die Zähne zusammen und wiederholte die Bewegung, wobei sein Pfahl erneut ein Stück tiefer in sie hineinglitt.

Mongor murmelte jetzt in einer unverständlichen Sprache vor sich hin. Seine offenkundige Erregung griff auf sie über, und sie bewegte sich immer schneller auf und nieder und ließ die Hüften kreisen, bis sein Schaft auf einmal vollständig in ihrer bis zum äußersten gedehnten Scheide verschwand.

Allein die Vorstellung, wie er in ihr steckte, ließ die Scheidenwand orgiastisch erschauern. Mongors Augen weiteten sich, als er ihre Zuckungen spürte. Da er sie nun nicht mehr zu stützen brauchte, nahm er die Hände von ihren Hüften und umfasste ihre Brüste. Er kniff ihre Nippel und führte Cirina über die feine Grenze zwischen Schmerz und Lust zu jenem Ort, an dem beide eins sind.

Der kleine Schmerz in den Brustwarzen stellte eine Verbindung zu dem tieferen, primitiveren Ziehen in ihrem Schoß her. Inzwischen machte ihr die Größe seines Schwanzes nichts mehr aus. Ihre Hüften stießen auf und nieder, und ihr stockte der Atem, als eine weitere Lustwoge über sie hinwegschwemmte.

Für Mongor war das zu viel. Mit einem gewaltigen Brüllen, das an einen Kriegsschrei erinnerte, stieß er den Schwanz nach oben, packte Cirinas Arschbacken und presste sie an sich, während er am ganzen Körper zuckte.

Auch Cirinas Körper zuckte unkontrolliert, und sie versank in einem Meer der Leidenschaft, während sie vom Orgasmus geschüttelt wurde. Sie schien sich zu drehen, in einem Strudel der Empfindungen umherzuwirbeln und konnte nicht mehr klar denken. Dann wurde sie ohnmächtig.

Als sie wieder zu sich kam, wusch Mongor die zarten Lippen zwischen ihren Beinen mit kaltem Flusswasser. Sein großes, wettergegerbtes Gesicht schaute besorgt auf sie nieder. Als sie die Augen aufschlug, hellte sich seine Miene auf.

«Cirina, verzeih mir. Das hab ich nicht gewollt …»

«Pst!», machte sie. Sie hatte eine trockene, ausgedörrte Kehle, als hätte sie laut geschrien. «Du hast mir nicht wehgetan. Du warst ausgesprochen sanft.»

Sie berührte sein Gesicht. Mongor wandte den Kopf und küsste sie in die Hand. Sein seidiger Schnurrbart kitzelte sie am Handgelenk, und sie lächelte.

«Ich werde dich niemals vergessen, Mongor», flüsterte sie.

Seine dunklen Augen umschatteten sich noch mehr, dann verflüchtigte sich die Anwandlung so rasch, dass Cirina meinte, sie habe sich alles nur eingebildet.

«Ruh dich eine Weile aus», sagte er, «dann bringe ich dich vor dem Weckruf in den Palast zurück.»

Dankbar schloss Cirina die Augen und schlief ein.

Als sie erneut erwachte, hielt Mongor am offenen Eingang der Jurte Wache. Er bemerkte, dass sie wach war, und drehte sich lächelnd zu ihr um.

«Wir sollten allmählich aufbrechen», sagte er.

Er schaute zu, wie sie sich mit dem kühlen Wasser wusch, das er geholt hatte. Offenbar bereitete es ihm Freude, sie bei einer solch alltäglichen, wenn auch intimen Verrichtung zu beobachten. Schließlich wickelte Cirina sich in das Seidengewand, kämmte sich mit den Fingern notdürftig das Haar und drehte sich zu ihm um.

«Darf ich den Rubin behalten, Mongor?»

Er betrachtete sie traurig.

«Das ist ein kleiner Preis für das Geschenk, das du mir gemacht hast», antwortete er.

Cirina trat vor und küsste ihn auf die Wange.

«Ich hätte es dir auch dann gemacht, wenn du mir nicht den Rubin dafür hättest geben wollen, Mongor. Denn meine Lust war ebenso groß wie deine, mein Verlangen ebenso heftig. Aber ich muss den Rubin mitnehmen – vielleicht werde ich ihn in Zukunft noch brauchen.»

Mongor musterte forschend ihr Gesicht, als wollte er feststellen, ob sie die Wahrheit sprach. Offenbar überzeugte ihn das, was er darin sah, denn er nickte.

«Also gut. Aber hast du auch bedacht, dass man dich vor dem Passieren der Stadtmauer durchsuchen wird?»

Cirina lächelte grimmig.

»Daran habe ich gedacht. Wie gründlich wird die Durchsuchung sein, Mongor?»

Er hob erstaunt die Brauen und senkte sie wieder, als ihm klar wurde, was sie meinte.

«Ich bezweifle, dass der Khan mit einer intimen Durchsuchung der Bräute einverstanden wäre», sagte er.

«Das habe ich mir gedacht. Hilfst du mir, den Rubin zu verstecken, Mongor? An einer Stelle, wo man ihn nicht entdecken wird?»

Die Bitte reizte ihn offenbar, denn seine Zunge schnellte hervor und leckte über die Lippen, dann nickte er.

Cirina ging zum Felllager und legte sich in Seitenlage darauf nieder. Wortlos raffte sie die Röcke und zog die Beine an die Brust.

Mongor nahm den Rubin aus der Tasche seines Wamses und wusch ihn mit kaltem Wasser. Seine Hände waren kalt und nass, als er ihr entblößtes Geschlecht berührte. Dann hielt er inne.

«Der Stein ist groß – willst du diese Unannehmlichkeit wirklich auf dich nehmen?»

Cirina lächelte schelmisch.

«Mongor, nachdem ich deinen Schaft in mir aufgenommen habe, bezweifle ich, dass ich den Rubin überhaupt bemerken werde! Du hast mich verdorben, denn mit einem kleineren werde ich mich fortan nicht mehr zufrieden geben.»

Mongor schüttelte lachend den Kopf.

«Wenigstens ist der Rubin glatt. Vielleicht wirst du es sogar angenehm finden, ihn mit dir herumzutragen.»

Cirina hob die Brauen, da drückte Mongor auch schon den kühlen, harten Edelstein in ihre zarte Scheide und schob ihn so tief hinein, wie seine Finger reichten. Als er sich vergewissert hatte, dass der Edelstein fest saß, zog er die Finger wieder heraus. Dann leckte er vor Cirinas Augen genießerisch jeden Finger einzeln ab.

Sie lächelte zärtlich zu ihm auf.

«Danke, Mongor.»

Er half ihr auf die Beine, und sie stand einen Moment reglos da, während sie sich an das Gefühl in ihrer Scheide gewöhnte. Sie stellte fest, dass sie den Stein, sollte er rutschen, durch Zusammenziehen der Muskeln wieder zurückdrücken konnte, und ging in der Jurte versuchsweise ein paar Schritte auf und ab.

«Wir müssen wieder im Palast sein, bevor man deine Abwesenheit bemerkt.»

«Ja. Sollen wir hier Abschied nehmen?»

«Das müssen wir wohl.»

Sie betrachteten einander eine Weile, dann traten sie gleichzeitig vor. Ihre Lippen trafen sich zu einem langen, sehnsuchtsvollen Kuss. Schließlich fasste Mongor sie bei der Hand und schmuggelte sie wieder in den Palast hinein.

13. Kapitel

Antonio bereitete mehrere *li* vom Hafen von Zai-tan entfernt sein Nachtlager. Wenn alles nach Plan verlief, wäre dies die letzte Übernachtung an Land, bevor sie die weite Seereise zum Königreich Chamba anträten.

Marco war mit seinem Onkel und Vater zechen gegangen, zusammen mit den Soldaten. Deshalb war Antonio allein, und er war froh, dass er ein bisschen Ruhe hatte. Die Polos hatten irgendwann aufgegeben, ihn auf ihre lärmenden Zechtouren mitnehmen zu wollen, denn er lehnte stets ab und war lieber allein. Vielleicht war er zum Langweiler geworden, doch das machte ihm weniger aus, als es noch vor einiger Zeit der Fall gewesen wäre.

Mit geschlossenen Augen überlegte er, wie es Cirina wohl ergangen sein mochte. Die chinesische Prinzessin und deren Gefolge wurden so streng bewacht, dass er Cirina bislang kaum zu Gesicht bekommen hatte. Einmal hatte er sie gesehen, als sie am ersten Abend ihrer Reise aus der Frauenjurte getreten war. Ihre Blicke waren sich über die Entfernung hinweg begegnet, und er hatte den Eindruck gehabt, sie wolle ihm eine Botschaft übermitteln. Er wäre zu ihr hinübergegangen, doch in diesem Moment hatte sich die chinesische Leibgarde um die Jurte versammelt, um die Prinzessin in Empfang zu nehmen. So hatte er nicht mehr zu ihr gekonnt.

Jetzt klammerte Antonio sich an dieses Bild in seiner Erinnerung. In ihrem Reisegewand hatte sie so hoch gewachsen, so stolz und schön ausgesehen. Der Gedanke an Cirina hatte ihm geholfen, die Reisestrapazen zu bewältigen. Zu wissen, dass sie sich ganz in der Nähe aufhielt, war ein Trost, denn der bittere Geschmack des Versagens verdarb ihm nicht nur den Appetit, sondern auch die Laune. Jetzt verstand er ein wenig, warum sein Vater als verbitterter Mann gestorben war. Seinen ganzen Lebensabend hatte er mit der vergeblichen Suche nach dem byzantinischen Rubin verbracht. Und jetzt kehrte er selbst mit leeren Händen zurück. Als Versager.

Ein leises Rascheln draußen vor dem Zelt ließ ihn aufschrecken. Unvermittelt hellwach, setzte er sich auf. Er tastete nach dem Dolch und kroch vorsichtig zum Eingang der Jurte. Die Polos hätten sich dem Zelt niemals so verstohlen genähert, und sonst hatte keiner etwas mit den Europäern zu schaffen.

Antonio erstarrte, als die Zeltklappe behutsam angehoben wurde und sich erst eine schlanke Hand und dann eine Gestalt durch den Spalt schob, die trotz der Dunkelheit als eindeutig weiblich zu erkennen war. Vor Überraschung fiel ihm die Kinnlade herab.

«Cirina?»

«Antonio? Ach, der Göttin sei Dank, dass ich die richtige Jurte ausgewählt habe!»

Antonio steckte den Dolch in die Scheide und streckte die Arme aus. Sie umschlangen und küssten sich und umarmten einander erneut, dann löste sich Cirina energisch von ihm.

«Ich habe nicht viel Zeit – vielleicht sucht man schon nach mir.»

«Ist alles in Ordnung? Behandelt man dich gut?»

«Ja, natürlich, du brauchst dir wegen mir keine Sorgen zu machen.»

«Was ist mit der chinesischen Prinzessin? Ist sie wirklich so schön, wie man sagt?», neckte er sie.

Ihr Gesicht nahm einen seltsamen Ausdruck an, und sie schlug die Augen nieder.

«Ja, sie ist sehr schön. Aber ich bin nicht hergekommen, um mit dir über die Prinzessin zu sprechen. Ich habe dir ein Geschenk mitgebracht.»

«Ein Geschenk? Das verstehe ich nicht.»

«Vergeude keine Zeit mit Reden, Antonio – ich möchte, dass du mich küsst und streichelst.»

Sie löste den Umhang. Darunter war sie nackt. Antonios Glied schwoll in der Kniehose augenblicklich an, und sein Atem beschleunigte sich.

«Cirina», murmelte er mit belegter Stimme.

Er drückte die Lippen auf ihren Nacken, ihren Hals, ihre Schulter, umfasste die vollen Brüste, barg sein Gesicht dazwischen und sog den Duft ein. Er fing die winzigen Schweißtropfen mit der Zunge auf und leckte über die Nippel, die vor Verlangen bereits steif wurden.

Cirina stöhnte leise und musste sich beherrschen, um den Umhang nicht fortzureißen und sich mit Antonio auf dem Boden zu wälzen. Dazu aber war keine Zeit, deshalb war es ratsam, den Umhang anzubehalten. Sollte jemand ungebeten ins Zelt platzen, wirkte die Situation auf diese Weise weniger verdächtig.

Antonio umspielte die Brustwarzen mit der Zunge und murmelte fortwährend vor sich hin. Sie spürte sein steifes Glied unter dem Hosenstoff und fand es bedauerlich, dass sie es nicht hervorholen und sich damit vergnügen konnte. Im Moment kam es ihr einzig darauf an, dass er ihre Säfte zum Fließen brachte und die Scheide so geschmeidig machte, dass der Rubin schmerzlos aus ihr hinausgleiten konnte.

Eigentlich hatte sie ihm den Stein erst in Persien überreichen wollen, doch es machte sie nervös, ihn in ihren Gewändern zu verbergen, zumal die Prinzessin ständig wollte, dass sie sich ihrer annahm. Und die ganze weite Reise über konnte sie den Rubin nicht im Körper verstecken. Ihre Monatsregel stand kurz bevor, dann würde es ihr schwer fallen, den Stein in sich zu behalten. Deshalb hatte sie beschlossen, ihn heute Abend in Antonios Obhut zu geben.

Seine Lippen hatten den Nabel erreicht und kreisten um ihn, bis ihr Bauch zu zittern begann. Allmählich breitete sich eine wohlige Trägheit in ihr aus, während ihre Schamlippen immer schwerer und feuchter wurden.

«Fass mich an, Antonio», flüsterte sie heiser, und er gehorchte sogleich und legte die flache Hand auf ihr Geschlecht, als wollte er dessen Hitze in sich aufnehmen.

Langsam schob er die Finger in die weiche, schlüpfrige Höhlung und erkundete deren komplizierte, intime Konturen. Als er auf den unnachgiebigen Fremdkörper stieß, hielt er inne. «Halt mich fest», flüsterte Cirina ihm ins Ohr. «Beweg die Hand nicht.»

Sie spürte seine Anspannung, als sie ihm eine Hand auf die Schulter legte und ihre inneren Muskeln anspannte. Der Rubin glitt langsam nach unten, bis sie ihn schließlich mit einer letzten Anstrengung auf seine Handfläche drückte.

«Das ist für dich», murmelte sie, als er erschrocken die Augen aufriss.

Cirina trat einen Schritt zurück. Antonio hob den Juwel vor sein Gesicht. Der von ihren Körpersäften benetzte Rubin schimmerte stumpf im Halbdunkel.

«Bei den Heiligen! Das ist doch der byzantinische Rubin, oder?»

Er musterte sie erstaunt, während er mit dem Daumen verdutzt über die glatte Oberfläche streichelte. Cirina nickte.

«Aber woher –»

«Pst», machte sie, bevor er sie mit Fragen überschütten konnte. «Gib dich damit zufrieden, dass du den Rubin jetzt hast. Du kannst ihn mit nach Venedig nehmen, Antonio, und ich hatte gehofft –»

Antonio legte ihr unvermittelt die Hand auf den Mund. Dann hörte es Cirina ebenfalls: Die Polos näherten sich unter lautem Gelächter.

«Mach schnell – du kannst hier hinten rauskriechen.»

Er zog das Leder vom Bambusrahmen des Zeltes hoch und half ihr, durch die Lücke zu kriechen.

«Beeil dich, *cara mia*, und pass auf, dass du nicht gesehen wirst. Cirina?»

Sie blickte sich zu ihm um, während sie den Umhang befestigte.

«Ja, Antonio?»

In seinem Lächeln lag so viel Zärtlichkeit, dass ihr das Herz in der Brust schwoll.

«Ich danke dir. Du kannst dir gar nicht vorstellen, was das für mich bedeutet. Gott sei mit dir, *mi amore.*»

Sie erwiderte sein Lächeln, dann eilte sie davon.

Cirina war kaum eingeschlafen, als die Prinzessin sie an den Schultern schüttelte. Benommen öffnete sie die Augen und blickte in die sanften braunen Augen der königlichen Reisenden.

«Prinzessin?», flüsterte sie, wohl wissend, was von ihr verlangt wurde.

Die Prinzessin hatte Cirina gleich nach Antritt der Reise zu ihrer Leibdienerin bestimmt. Den anderen beiden ‹Zusatzbräuten› war wort- und gestenreich zu verstehen gegeben worden, dass sie die Prinzessin und Cirina zu bedienen hätten. Einzig und allein Cirina war es gestattet, der Prinzessin die speziellen Dienste zu erweisen, nach denen sie verlangte. Sie allein durfte die königliche Braut berühren.

Cirina sank der Mut, denn nach der Begegnung mit Antonio war sie müde und ein wenig überreizt. Allerdings verspürte sie eine gewisse Rastlosigkeit und Erregung, die auch nach ihrer unbeschadeten Rückkehr in die Frauenjurte nicht abgeflaut war.

Die anderen beiden Frauen hatten sich auf den Schlafpritschen zusammengerollt und schliefen tief und fest. Bisweilen befahl ihnen die Prinzessin, Cirina zu befriedigen, und schaute dabei zu. Inzwischen hatte Cirina sich daran gewöhnt, sich von weichen Lippen und Zungen zum Vergnügen der Prinzessin zum Orgasmus bringen zu lassen. Diesmal aber war sie offenbar selbst gefordert.

Die Prinzessin ließ sich auf den Seidenkissen nieder, mit denen ihre harte Pritsche gepolstert war, und öffnete das Gewand. Sie hatte einen kleinen, zarten Körper und makellose, milchweiße Haut, die zu liebkosen Cirina niemals überdrüssig wurde. Ihr Gesicht war herzförmig, die großen Augen waren schräg gestellt. Unter der kleinen, ziemlich flachen Nase bildete der Mund einen roten Bogen. Ein solches Lächeln hatte Cirina noch nie gesehen.

Sie senkte den Kopf und küsste und leckte sich, von den Füßen ausgehend, nach oben. Sie wusste genau, was von ihr erwartet wurde und dass sie nicht über die Hüfte nach oben vordringen durfte, so einladend die kleinen, wohlgeformten Brüste mit den rosigen Spitzen auch sein mochten. Als sie es einmal gewagt hatte, war die Prinzessin ernstlich böse geworden und hatte Cirina in Angst und Schrecken versetzt.

Ihre Haut schmeckte nach süßen Rosen, deren leichtes Aroma sich mit dem schwereren Moschusduft ihres Lustbrunnens vermischte. Als Cirinas Lippen die Oberschenkel erreichten, spreizte sie ein wenig die Beine und öffnete den Zugang zu ihrem erhitzten Geschlecht.

Wie immer staunte Cirina auch diesmal wieder über

die wohlgeformten, rosigen Blütenblätter. Selbst im Zustand der Erregung waren sie hübsch anzusehen, perfekt geformt und fügten sich ineinander wie die Blütenblätter einer Blume, eine Lippe innerhalb der anderen.

Sie kostete vom warmen Honig, dessen fruchtiger Moschusduft sie einhüllte, als sie behutsam an der empfindsamen Haut leckte und saugte. Sie spürte, wie der kleine Knubbel erbebte, als sie mit der Zungenspitze darüberstreifte.

Bei diesem unwiderlegbaren Beweis, dass sie der unergründlichen, puppenhaften Prinzessin Lust bereitete, begann auch Cirinas Geschlecht mitfühlend zu pochen, obwohl sie wusste, dass sie mit ihrer eigenen Befriedigung so lange würde warten müssen, bis auch die Prinzessin schliefe und sie sich selbst würde befriedigen können.

Wie immer gab die Prinzessin keinen Laut von sich, obwohl ihre weiche, empfindsame Haut feucht wurde vom Schweiß und das Zentrum ihrer Lust sich immer weiter öffnete. Cirina streifte mit den Zähnen gerade so fest darüber, dass die Prinzessin zum Orgasmus kam. Nicht einmal jetzt schrie sie auf, sondern gab lediglich eine Art Miauen von sich, wie ein Kätzchen.

Cirina war an diese Art Lustbekundung gewöhnt und streichelte sanft über die Schenkel der Prinzessin, als sie sich auf Händen und Knien von ihr entfernte. Sie hatte ihre Aufgabe erfüllt, und die Prinzessin, die sich nun zudeckte und auf die Seite drehte, würde bestimmt keinen Gedanken mehr an sie verschwenden.

Cirina wartete, bis die Prinzessin gleichmäßig atmete, dann schob sie die Finger in ihr heißes Geschlecht. Sie schloss die Augen, beschwor das Bild Antonios herauf und stellte sich vor, was in seiner Jurte hätte geschehen können, wenn die Polos nicht vorzeitig von ihrem Ausflug zurückgekommen wären.

Vor ihrem geistigen Auge drückte Antonio ihr Gesicht auf die Pritsche nieder und nahm sie von hinten. Sein wohlvertrauter, geliebter Schaft fügte sich wie gewohnt in ihren engen Kanal, bei jedem Stoß stemmte sie ihm den Hintern entgegen. Ihre Finger massierten fieberhaft die empfindsame Haut und kreisten rhythmisch um den schwellenden Lustknubbel, bis hinter ihren Lidern ein Kaleidoskop von Farben explodierte und sie sich die Hand vor den Mund schlagen musste, um ihren Lustschrei zu ersticken.

Anschließend rollte sie sich zu einer schützenden Kugel zusammen und zog das Fell bis ans Kinn hoch. Kurz darauf war sie eingeschlafen und wachte erst am Morgen auf.

Als sie endlich das Königreich Chamba erreichten, taumelte eine erschöpfte, ermattete Reisegesellschaft von den Dschunken. Die Frauen waren ausnahmslos seekrank gewesen und betrachteten die Ankunft als nichts Geringeres als die Erlösung von einem schier endlosen Schrecken.

Cirina, die hinter der Prinzessin herging, hatte das Gefühl, die Holzbohlen des Stegs bewegten sich unter ihren Füßen. Sie musste stehen bleiben und sich übergeben.

Die Unterkünfte waren vorbereitet, und die Ruhe in ihrem Quartier war das Angenehmste, was sie je erlebt hatte. Doch nur allzu bald waren die Vorräte aufgefrischt, und die Schiffe machten sich erneut zum Ablegen bereit.

Blitze erhellten den tintenschwarzen Himmel, und wenn der Donner grollte, zuckte Antonio jedes Mal zusammen. Mit den Armen zog er sich an der Reling entlang, denn seine Beine waren so kraftlos wie die eines Säuglings. Als er Marco Polo erreicht hatte, klopfte er ihm auf die Schulter.

«Da drüben ist Land!», übertönte er das Heulen des Sturms. «Wir müssen anlegen!»

Marco, das vom Gischt durchtränkte schwarze Haar an den Schädel geklatscht, wandte sich um und rief ihm etwas zu. Der Wind riss seine Worte mit sich fort, sodass Antonio sich kopfschüttelnd seinem Freund noch näher zuneigte. Er verstand nur Wortfetzen, doch die reichten aus, um ihm das Blut in den Adern gefrieren zu lassen.

«Kannibalen? Bist du sicher?»

«… Sumatra … gefährlich …»

«Glaubst du wirklich, Anlegen ist das größere Risiko?»

In diesem Moment wurde eine der Dschunken von einer gewaltigen Woge erfasst. Antonio und Marco sahen mit ohnmächtigem Entsetzen mit an, wie das zerbrechlich wirkende Schiff wie ein Spielzeug umhergeworfen und gegen die Felsen geschleudert wurde. Für die Opfer bestand kaum Aussicht auf Überleben, was Marco veranlasste, endlich tätig zu werden.

Mit Antonios Hilfe signalisierte er den anderen Dschunken, sie sollten beidrehen. Anschließend nahmen sie das gefährliche Anlegemanöver in Angriff.

Am nächsten Morgen ließ der Sturm etwas nach, und das Ausmaß des Schadens, den die Flotte davongetragen hatte, wurde offenbar. Als sich herausstellte, dass aufwändige Reparaturarbeiten notwendig waren, wurde beschlossen, auf dem unwirtlichen Strand, an dem sie gelandet waren, ein Lager aufzuschlagen.

«Aber was ist mit den Kannibalen, Marco?», fragte Maffeo und musterte die dichte Vegetation, als fürchtete er, sie würden aus dem Verborgenen von Eingeborenen beobachtet.

«Wir haben keine andere Wahl», erklärte Marco schroff. «Hier gibt es ausreichend Holz. Die Soldaten sollen Befestigungen und Wachtürme errichten. Sag dem Hauptmann, er soll rund um die Uhr Wachen patrouillieren lassen.»

Antonio wartete, bis Maffeo außer Hörweite war, dann sprach er Marco an.

«Das Wetter wird erst dann besser werden, wenn sich die Jahreszeit ändert. Werden wir so lange hier bleiben?»

Marco zuckte hilflos mit den Schultern.

«Was bleibt uns anderes übrig?»

Antonio schüttelte den Kopf. «Die Männer sind bereits unruhig – sie glauben, die Reise stünde unter einem schlechten Stern.»

«Meinst du, das wüsste ich nicht? Wir werden hier bleiben, Antonio, weil wir bleiben müssen. Niemand sehnt unser Ziel sehnlicher herbei als ich, das kannst du mir glauben. Je eher wir die Eskorte loswerden, desto besser. Einstweilen aber sind wir für die Sicherheit der Prinzessin und der anderen Bräute verantwortlich, und diese Aufgabe werden wir so gut erledigen, wie es unsere Lage zulässt.» Er lächelte grimmig. «Eines Tages werde ich einen Bericht über unsere Abenteuer schreiben, Antonio. Ich habe mir im Laufe der Jahre Notizen gemacht und werde den Aufenthalt dazu nutzen, sie zusammenzufassen. Du solltest ein paar Skizzen von diesem seltsamen Ort anfertigen, mein Freund.»

Antonio lachte selbstanklagend. «Dann kann ich mich wenigstens ein bisschen nützlich machen.»

Marco musterte ihn forschend. «In der Zeit unseres Zusammenseins hast du dich verändert, mein Freund.»

Antonio hob die Brauen. «Gilt das nicht für uns alle?», murmelte er leise. «Die Erfahrungen dieser Reise haben niemanden unberührt gelassen.»

Er entfernte sich, und Marco sah ihm mit nachdenklich zusammengezogenen Brauen nach.

Und so wurde am Strand von Sumatra eine kleine Festung errichtet, und die Reisenden bereiteten sich darauf vor, das Beste aus dem erzwungenen Aufenthalt zu machen und darauf zu warten, dass das Wetter ihnen erlaubte, erneut in See zu stechen.

Cirina beobachtete, wie die Küste Sumatras in der Ferne verschwand, denn das Wetter hatte sich endlich so weit gebessert, dass sie weitersegeln konnten. Viele Wochen lang hatte sie in der ständigen Angst vor Angriffen der Eingeborenen in der Festung ausgeharrt.

Die Frauen wurden in dieser Zeit streng bewacht, deshalb hatte sie kein einziges Mal mit Antonio sprechen können. Ganz auf sich allein gestellt, waren die vier Frauen einander näher gekommen. Selbst die Prinzessin war umgänglicher geworden, wenngleich sie, wenn sie den Eindruck hatte, die anderen ließen es am nötigen Respekt fehlen, gleich wieder zu ihrem königlichen Hochmut Zuflucht nahm.

Alle waren erleichtert, als die Zeit zum Aufbruch kam. Den Unterhaltungen der Soldaten hatte Cirina entnommen, dass die Reise von hier an ungestört verlaufen würde. Wenn sie den Golf von Bengalen passiert hätten, würden sie zwischen Indien und Ceylon hindurchsegeln und sich anschließend nach Norden wenden, Richtung Persien.

Die Verzögerung hatte alle rastlos werden lassen, und Cirina ging davon aus, dass die weiteren Zwischenstopps so kurz wie möglich ausfallen würden. Jiraz, der zukünftige Gemahl der Prinzessin, würde die Ankunft seiner Braut bereits ungeduldig erwarten. Bei dem Gedanken an den Mann, dem sie selbst versprochen war, runzelte Cirina die Stirn. Wie sie zum wolkenlosen Himmel aufsah, nahm sie sich vor, der Knechtschaft zu entfliehen, die ihr zugedacht war – und sollte es sie das Leben kosten.

In der Hoffnung, einen Blick auf Cirina zu erhaschen, beobachtete Antonio, wie der Rest der Reisegesellschaft im persischen Hormus von Bord ging. Seit sie ihm den Rubin übergeben hatte, ging sie ihm nicht mehr aus dem Kopf. Auch jetzt wieder wunderte er sich über ihren Mut und ihre Entschlossenheit. Ihm war klar, dass er sie nicht ihrem Schicksal überlassen durfte.

Die Prinzessin schritt mit ihren drei Dienerinnen auf ihn zu. Alle waren mit schwarzen Seidengewändern bekleidet, die nur Schlitze für die Augen hatten, wie es in diesem Teil der Welt Sitte war. Trotzdem war Cirina aufgrund ihrer Größe mühelos zu erkennen, und Antonio schwoll das Herz in der Brust. Als er ihr jedoch entgegentreten wollte, legte ihm jemand die Hand auf die Schulter.

«Hast du denn den Verstand verloren?», zischte ihm Marco ins Ohr.

Antonio drehte sich um, enttäuscht darüber, dass er die Gelegenheit, mit Cirina zu sprechen, verpasst hatte. Jetzt stieg sie gerade in die Kutsche, die sie zu ihrer Unterkunft bringen würde.

«Ja, und zwar in dem Moment, als ich sie zum ersten Mal gesehen habe.»

«Um Gottes willen, Mann, du wirst uns noch alle in Gefahr bringen! Sie ist einem anderen versprochen – unerreichbar für dich!»

«Damit werde ich mich niemals abfinden.»

Marco fluchte verhalten.

«Aber du musst. Ich habe soeben Nachricht bekommen, dass wir über Land zum Kaspischen Meer weiterreisen sollen, denn Jiraz und seine Männer führen dort Krieg. Wir werden bis zur Hochzeitsfeier hier bleiben, dann steht es uns frei, heimzureisen. Denk drüber nach, Antonio, und schlag dir diese gefährliche Tollheit aus dem Kopf.» Er wandte sich ab.

Antonio sah ihm grollend nach.

«Du hast leicht reden, mein Freund», murmelte er. «Leicht reden.»

Als die Hochzeitsgesellschaft das Lager am Kaspischen Meer erreichte, empfand Cirina beim Anblick des provisorischen Soldatendorfs eine überwältigende Freude. Sie und die anderen Frauen waren vollkommen erschöpft, und Cirina hoffte, dass sie vor Beginn der Feierlichkeiten Zeit hätten, sich von den Strapazen der langen Reise zu erholen.

Sie brauchte Zeit, um nachzudenken und einen Plan zu fassen, Zeit, um den besten Fluchtweg auszukundschaften. Als sie Antonio wiedergesehen hatte, wäre sie beinahe verzweifelt. Offenbar wurden die Frauen von den Männern, in deren Gesellschaft sie reisten, fern gehalten, und das galt besonders für die Europäer.

Möglicherweise hatte sie das Chabi zu verdanken – vielleicht wollte sie Cirina ja ein letztes Mal ihre Aufsässigkeit heimzahlen. Der Kaiserin hätte es keine Schwierigkeiten bereitet, die Soldaten anzuweisen, Antonio nicht in ihre Nähe zu lassen. Trotzdem war es Cirina gelungen, sich mit ihm zu treffen. Sie lächelte. Wieder einmal hatte sie Chabi ein Schnippchen geschlagen!

Der Gedanke hob ein wenig ihre Stimmung und stellte ihr Selbstvertrauen wieder her. Sie würde sich nach außen hin gefügig zeigen, jedoch nur so lange, bis sie einen Fluchtweg entdeckte. Eines war jedenfalls sicher – sie würde nicht die Trophäe sein, mit der der Khan einen seiner loyalen Krieger auszeichnete!

14. Kapitel

Als sie das Lager erreichten, wurden die Frauen voneinander getrennt. Die Prinzessin wurde in Jiraz' mit Seide ausgekleidete Jurte gebracht. Bald war sie genauso reserviert wie zu Beginn der Reise. In den langen Monaten war sie nahezu umgänglich geworden und hatte sich mit Cirina und den anderen beiden Frauen fast freundschaftlich unterhalten, wenngleich sie niemals lächelte oder kicherte wie die anderen.

Cirina bedauerte ihrerseits, dass die Prinzessin wieder verschlossener geworden war, denn ihr allabendliches Ritual gehörte nun offenbar der Vergangenheit an. Sie und die anderen beiden Bräute hatten die große Jurte, die man ihnen wie erhofft zum Ausruhen zugeteilt hatte, alsbald wohnlich eingerichtet.

Als sie nach dem ersten langen, erholsamen Schlaf erwachten, brachte man ihnen Speis und Trank. Jeder von ihnen wurde eine Dienerin zugeteilt. Während die anderen beiden Bräute schon bald ein harmonisches Verhältnis zu ihrer Dienerin entwickelten, spürte Cirina bei der ihren eine gewisse Zurückhaltung.

Die junge Frau war mager und ziemlich klein und hatte schwarzes Haar, das auf dem Kopf aufgetürmt war. Ihr Gesicht war rund und lieb, verfinsterte sich jedoch, wenn sie in Cirinas Nähe kam.

«Wie heißt du?», fragte Cirina, als ihr die junge Frau am ersten Abend das Haar bürstete.

«Lei», antwortete diese widerwillig.

Cirina lächelte sie an.

«Ich heiße Cirina», sagte sie.

«Ich weiß.»

«Oh.»

Da das Mädchen unverändert mürrisch dreinschaute, verfiel Cirina in Schweigen.

Die anderen Frauen plauderten munter über die Männer, die sie heiraten würden, und wurden nacheinander mit ihren Zukünftigen bekannt gemacht. Beide zeigten sich recht angetan, und Cirina war froh, dass sie mit ihrem Los zufrieden waren. Zwei Tage später erreichte auch Cirina der Ruf des ihr zugedachten Gemahls.

Sie wurde zu einer der Soldatenjurten eskortiert, dann ließ man sie allein. Nach einer Weile trat ein untersetzter junger Mann mit Hängeschnauzer ein. Seiner Verneigung war anzusehen, dass ihm nicht wohl in seiner Haut war.

«Ich bin Iman. Wir sollen uns auf Geheiß des Khans miteinander vermählen.»

Cirina senkte den Kopf.

«Ich heiße Cirina, Eure gehorsame Dienerin.»

Sie beäugten einander misstrauisch aus einigem Abstand. Imans Uniform spannte sich über einem muskulösen Körper, seine Hände waren mit schwarzen Härchen bedeckt. Seine Augen waren blass, die Unterlippe sinnlich. Er war nicht unattraktiv, dennoch sank ihr in seiner Gegenwart der Mut.

Unvermittelt verneigte er sich erneut.

«Wir werden uns erst zur Hochzeitsfeier wiedersehen. Hast du irgendwelche Klagen?»

«Nein, Herr», antwortete sie und schlug die Augen nieder.

«Dann sage ich dir hiermit Lebewohl, bis wir Mann und Frau werden.»

Er machte zackig auf dem Absatz kehrt und marschierte aus der Jurte hinaus. Cirina blieb verdattert zurück. Iman war von der Verbindung offenbar ebenso wenig begeistert wie sie – sollte sie ihn vielleicht bitten, sie freizugeben? Wenn sie sich ungehindert davonmachen könnte, anstatt sich im Schutz der Nacht davonzustehlen, wäre alles einfacher.

Den Gedanken aber schob sie sogleich beiseite. Iman diente als loyaler Offizier in der großen Armee Kublai Khans – und wenn der Khan von ihm verlangte, dass er heiratete, dann würde er das auch widerspruchslos tun.

Mit schwerem Herzen trat Cirina aus der Jurte und wurde zum Frauenzelt zurückgebracht. Die anderen beiden Bräute waren fort und besuchten wohl gerade ihre Zukünftigen. Deren Bräutigame waren offenbar williger als der ihre, dachte Cirina sarkastisch.

Endlich war sie allein. Sie nutzte die Gelegenheit, setzte sich im Schneidersitz in die Mitte der Jurte und versuchte, einen Ausweg aus ihrem Dilemma zu finden. Die Gedanken schwirrten so lange in ihrem Kopf herum, bis ihr schwindelig wurde.

Als die Zeltklappe geöffnet wurde, sprang sie entnervt auf. Gleich darauf schrak sie jedoch zurück, denn ein Mann trat ein. Im ersten Moment glaubte sie, es sei Antonio, doch dann schlug der Mann die Kapuze zurück, und sie sah, dass es Marco Polo war, der andere Europäer.

«Signor?»

«Erschreck dich nicht – Antonio hat mich gebeten, mit dir zu sprechen.»

«Ist er verletzt? Ist ihm etwas passiert?»

Marco schüttelte den Kopf.

«Kein Grund zur Sorge, es geht ihm recht gut. Er erhielt jedoch Besuch von Jiraz' vertrauenswürdigstem Offizier, und seitdem ist er, nun ja, irgendwie niedergeschlagen. Er hat mich gebeten, dir das hier zu geben.»

Er legte ihr einen kleinen Seidenbeutel auf die ausgestreckte Hand.

«Ich weiß nicht, was darin ist, und das ist vielleicht auch gut so. Antonio hat gemeint, du würdest schon wissen, was du damit anfangen sollst.»

Cirina schloss die Finger um den Beutel und versteckte ihn in den Falten ihres Gewands. Sie hatte keinen Zweifel daran, dass der Rubin darin war. Wenn Antonio wollte, dass sie ihn versteckte, musste er in Gefahr sein.

«Bitte, Signor – wärt Ihr so freundlich, mir zu sagen, wann Ihr nach Konstantinopel aufbrechen werdet?»

«Sehr bald. Vor der morgigen Hochzeitsfeier.»

Cirina atmete scharf ein.

«Ich wusste gar nicht, dass es so bald sein würde!»

Marco betrachtete sie einen Moment lang, dann trat er vor und sagte in eindringlichem Ton: «Mir scheint, du bist eine Frau mit wachem Verstand und großem Mut.»

«Danke, Signor», murmelte Cirina, die sich fragte, worauf er hinauswollte.

«Ich fürchte, man wird Antonio nicht gestatten, mit uns zusammen aufzubrechen. Ich glaube, du kennst den Grund besser als ich. Und ich denke mir, du könntest eigene Pläne haben, die Marco mit einschließen.»

Er sah ihr in die Augen, und Cirina senkte die Lider, um sich nichts anmerken zu lassen. Marco fasste ihr Schweigen als Bestätigung auf und fuhr fort: «Wir werden zunächst nach Westen reiten und am Rande des Schwarzen Meers lagern. Dort werden wir zwei Tage und zwei Nächte lang warten – ein längerer Aufenthalt wäre zu gefährlich.»

Cirina neigte den Kopf, sich des Risikos, das er einging, wohl bewusst.

«Ich danke Euch, Signor», sagte sie leise.

Marco hob die Hand und streifte sich mit den Fingerknöcheln über die Lippen.

«Gott sei mit Euch», sagte er förmlich, dann trat er

nach draußen und blickte vorsichtig nach links und nach rechts. Dann verschluckte ihn die sich herabsenkende Nacht.

Antonio hatte allen Grund zur Sorge. Jirza hatte inzwischen erfahren, dass der byzantinische Rubin von Xanadu gestohlen worden war, und die Soldaten hatten seine Habseligkeiten durchsucht. Die Polos waren anscheinend über jeden Zweifel erhaben. Niemand ahnte, dass sie einen wahren Schatz in ihre Gewänder eingenäht hatten.

Den Heiligen sei Dank war es ihm noch rechtzeitig gelungen, Marco den Seidenbeutel zuzustecken, den er eigenhändig für den Rubin angefertigt hatte, und ihn zu bitten, ihn Cirina zu bringen. Marco hatte gottlob keine Fragen gestellt, und Cirina würde den Rubin an einem Ort verstecken, wo kein Mann nachzuschauen wagen würde.

Sie kamen im Morgengrauen und zerrten ihn schlaftrunken und halb nackt aus der Jurte. Jiraz, der Anführer der Soldaten, tobte. Offenbar hatte er vom Khan Anweisung bekommen, den Rubin zu finden und den Dieb zu bestrafen.

«Warum gerade ich?», fragte Antonio, als er an den Auspeitschpfahl gefesselt wurde.

«Ihr wurdet beschuldigt», antwortete Jiraz.

«Beschuldigt? Von wem?»

«Von der Kaiserin persönlich.»

Dann wollte Chabi sich also doch noch rächen. Hatte sie zufällig die richtige Vermutung angestellt, oder war Cirina verraten worden? Aber das war jetzt bedeutungslos, denn offenbar war seine Bestrafung bereits beschlossene Sache.

«Ihr habt den Rubin nicht gefunden», erklärte er verzweifelt.

Jiraz musterte ihn zornentbrannt.

«Das macht nichts. Ihr könntet ihn unterwegs verkauft haben – das ist mir egal. Ich würde Euch töten, wenn der Kaiser es nicht verboten hätte. Ich möchte, dass der große Khan erfährt, wie ich den gesetzlosen Barbaren bestraft habe, der es gewagt hat, ihn zu bestehlen.»

Als der erste Hieb auf seinen Rücken klatschte, schrie Antonio auf. Einen solch exquisiten Schmerz hatte er nie wieder spüren wollen. Das alles suchte er hinter sich zu lassen – Antonio hatte die schändliche Auspeitschung durch Chabi, das Vorspiel zu seiner Demütigung, aus seinem Bewusstsein gelöscht. Zumindest hatte er das bis jetzt geglaubt.

Die Peitsche klatschte erneut auf seine Schultern nieder, und Antonio brach der Schweiß aus allen Poren. Sein Glied drückte gegen den dünnen Seidenstoff seiner Schlafhose, auf dem sich allmählich ein dunkler, feuchter Fleck ausbreitete.

Als Jiraz bemerkte, dass Antonio von den Hieben erregt wurde, verzog er die schmalen Lippen zu einem grausamen Lächeln. Er hob die Hand und unterbrach die Auspeitschung.

«Sieh an – der Venezianer besitzt verborgene Talente!»

Die Männer lachten, und einige traten vor und zwickten ihn. Antonio schloss die Augen und hielt die Tränen zurück, die sich in seinen Augen sammelten. Mit einem schicksalsergebenen Stöhnen schlug er sie wieder auf und sah, dass Jiraz die Kniehose heruntergelassen hatte und sich den stolz gereckten Schwanz einschmierte.

Man zog Antonio die Hose aus, und jemand spreizte ihm grob die Arschbacken. Jiraz schob sein Glied in ihn hinein, und Antonio sackte gegen den Pfosten.

«Nein! Ach Gott, bitte nicht!»

Er war gleichzeitig im siebten Himmel und in der tiefsten Hölle. Seine Vernunft sagte ihm, er werde schändlich gedemütigt, seine Empfindungen aber sagten, er werde stets danach verlangen.

Ein derber Soldat kniete vor Antonio nieder und fasste sein hin und her schwingendes Glied mit beiden Händen. Er grinste zu ihm hinauf und zeigte dabei seine abgebrochenen, verfärbten Schneidezähne. Dann öffnete er weit den Mund und steckte sich den Schwanz hinein. Antonio schrie abwehrend auf. Der Mund des Mannes war heiß und nass, seine Lippen und seine Zunge kitzelten, aber es fehlte ihm an jeder Raffinesse.

Die Zuschauer johlten und tauschten laute Bemerkungen aus, während Jiraz ihn missbrauchte und der andere Mann an seinem angeschwollenen Glied saugte. Mehrere Männer hatten die Hose geöffnet, rieben sich und warteten darauf, dass sie an die Reihe kämen. Bei der Vorstellung, von einem halben Dutzend Männern missbraucht zu werden, wurde Antonio von Angst erfasst. Die Angst aber mischte sich mit einem dunklen Begehren, das immer weiter anschwoll, bis es alles andere auslöschte.

Als Jiraz sich in ihm zum Orgasmus rammelte, spürte er, wie sich in seiner Schwanzwurzel der Samen sammelte. Da wusste er, dass er auf ewig verloren war. Und als er seinen Samen dem Knienden in die Kehle spritzte, schoss ihm der Gedanke durch den Kopf, dass er nie wieder frei sein würde.

Cirina erfuhr ausgerechnet durch Lei von Antonios Bestrafung. Offenbar ließ die unerhörte Auspeitschung eines Europäers ihren Vorsatz, Cirina die kalte Schulter zu zeigen, in den Hintergrund treten.

«Es heißt, er sei erst ausgepeitscht und dann vom Kommandanten missbraucht worden», sagte sie und senkte die

Stimme zu einem ehrfurchtsvollen Flüstern. «Und das alles, weil die Kaiserin ihn beschuldigt hat, dem Khan einen Rubin gestohlen zu haben.»

Cirina begriff, dass Lei von Antonio redete, und packte die junge Frau beim Handgelenk.

«Wo ist er jetzt?», fragte sie aufgeregt.

«Er wurde in seine Jurte gebracht, Herrin, aber –»

«Du musst mich zu ihm bringen. Besorg Salbe und führ mich zu ihm.»

Lei wollte Einwände erheben, doch als sie sah, wie blass Cirina geworden war, nickte sie und eilte davon.

In einen Umhang gehüllt, näherte sich Cirina in Leis Begleitung der Jurte der Europäer.

«Die anderen Männer – sie sind verschwunden», sagte Lei, und Cirina blieb unvermittelt stehen.

«Marco Polo ist fortgeritten?» Wie konnte er das nur tun? Obwohl dieser ihr gegenüber bereits angedeutet hatte, er fürchte, man werde Antonio nicht mit ihm abreisen lassen, fand sie es doch bestürzend, dass seine Freunde ihn in der Stunde der Not im Stich gelassen hatten.

Als hätte sie ihre Gedanken gelesen, sagte Lei: «Jiraz hat ihnen vor der Auspeitschung befohlen aufzubrechen. Jiraz hat hier das Sagen, er kommt gleich nach dem Khan.»

Im Innern der Jurte herrschte Halbdunkel. Antonio lag bäuchlings auf der Schlafpritsche, das Gesicht zur Zeltwand gedreht. Cirina zuckte zusammen, als sie die Peitschenstriemen auf seinem Rücken sah.

«Antonio – Antonio, ich bin's, Cirina.»

Er versteifte sich, hob jedoch nicht den Kopf. Mit Leis Hilfe machte sich Cirina daran, Salbe auf seinem wunden Rücken aufzutragen.

«Die Haut ist nicht aufgeplatzt», sagte sie, während sie die Heilsalbe in die Haut einmassierte, «aber du wirst dich wohl ein paar Tage lang steif und wund fühlen.»

Als sie fertig war, legte sie die Hand auf seine abgewendete Wange. Cirina erschrak, denn sie war nass von Tränen.

«Antonio, Liebster, was hast du denn? Tut es so weh?», wisperte sie.

Aus den Augenwinkeln sah sie, dass Lei sich diskret zurückgezogen hatte und wachsam am Eingang der Jurte nach draußen spähte. Cirina beugte sich vor und legte ihre Wange zärtlich an sein Gesicht.

«Lass mich in Ruhe», flüsterte er deprimiert.

Cirina runzelte die Stirn.

«Ich soll dich in Ruhe lassen? Aber, Antonio –»

«Geh!», zischte er, hob den Kopf und sah sie zum ersten Mal an.

Cirina schreckte zurück vor seinem Zorn, doch als sie den Schmerz in seinen Augen sah, hielt sie stand.

«Der Rubin ist in Sicherheit», sagte sie. «Ich habe ihn am selben Ort versteckt wie zuvor.»

«Der Rubin», murmelte er, als erinnerte er sich erst jetzt daran.

Verwirrt streifte Cirina ihm das Haar aus der Stirn.

«Was hat man dir angetan, Antonio?», flüsterte sie.

Vor Scham kniff er die Augen zusammen. Sie verstand ihn sofort.

«Ach, Antonio!» Sie lächelte ihn zärtlich an. «Das ist doch nicht so schlimm – wenn du erst einmal woanders bist, wirst du es rasch vergessen.»

«Nein. Verstehst du denn nicht, Cirina? Erst Chabi und jetzt diese derben Männer. Und es hat mir gefallen, ich hab es gewollt. Gott steh mir bei, es hat mir sogar Spaß gemacht!» Er barg das Gesicht in den Händen, um seine Scham vor ihr zu verbergen.

Cirina streichelte ihm nachdenklich das Haar und fragte sich, wie sie seinen Schmerz lindern sollte. Diesmal, das spürte sie, würde es nicht genügen, einfach nur mit ihm zu schlafen.

«Antonio», sagte sie leise, aber eindringlich. «Ich möchte, dass du mir aufmerksam zuhörst. Machst du das?»

Als er leicht mit dem Kopf nickte, legte sie die Lippen an sein Ohr.

«Das Verlangen nach anderen Männern, das du bei dir entdeckt hast, wird dich immer begleiten. Die Kaiserin hat es lediglich geweckt, es freigesetzt. Sieh mich an, Antonio.»

Langsam hob er den Kopf. Sie legte die Hände um sein Gesicht.

«Wir beide wissen, dass du ein guter Mann bist. Wenn du deinem Verlangen nachgibst, ändert das nichts. Wir alle wachsen und verändern uns. Seit ich aus der Karawanserei meines Onkels fort bin, habe ich viel gelernt, über Männer, Frauen und mich selbst. Ich bin nicht mehr die Person, die du vor Monaten kennen gelernt hast.»

«Wie kommt es nur, dass du auf deine Erfahrungen stolz bist, während ich in meinem Herzen nur Qual vorfinde?»

Cirina lächelte ihn zärtlich an.

«Du musst lernen, dich abzufinden mit dem, was du nicht ändern kannst. Genieße die Lust, die dir dein Körper schenkt, so wie ich. Sei offen für neue Erfahrungen, neue Wonnen ... Lei, was tut sich da?»

Sie hatte den Kopf gewandt, denn von draußen drang Lärm herein.

«Herrin – die Wache!»

Lei wich mit Entsetzen in den Augen zurück, als sich vier stämmige Soldaten an ihr vorbeizwängten. Der dienstälteste Offizier blickte sich in der Jurte um, dann befahl er seinen Männern, Cirina festzunehmen.

«Lasst mich los! Wie könnt ihr es wagen ...!»

«Cirina – ahh!»

«Antonio!», schrie Cirina, als sie sah, dass man ihn niedergeschlagen hatte. An der Stelle, wo er mit dem Kopf auf dem Boden aufgeschlagen war, breitete sich ein Blutfleck aus.

15. Kapitel

L iebt Ihr ihn, Herrin?»
Cirina schaute hoch. Lei hatte sie angesprochen.
Während sie überlegte, was sie antworten sollte, sammelten sich heiße Tränen in ihren Augen.

«Ja. Ich liebe ihn.»

Lei nickte und bürstete weiter Cirinas langes Haar, um sie für die Hochzeitsfeier schön zu machen.

Nachdem sie bei Antonio entdeckt worden waren, hatten die Soldaten sie beide zu ihrer Jurte zurückgebracht und mit einem Wachposten davor zurückgelassen. Von dem Soldaten hatte Lei erfahren, dass man Antonio, ausgerüstet mit einem Pferd und einem Wasserschlauch, aus dem Lager gejagt hatte. Wenigstens hatte man ihn nicht getötet, tröstete Cirina sich grimmig. Hoffentlich hatte Marco auch Antonio rechtzeitig gesagt, dass er zwei Tage und zwei Nächte am Strand des Schwarzen Meers warten wolle.

Ihre eigenen Fluchtpläne waren in unerreichbare Ferne gerückt. Lei war angewiesen worden, dafür zu sorgen, dass sie ausreichend schlief und sich auf die morgige Hochzeitsfeier vorbereitete. Als die Zeit zum Ankleiden kam, hatte Cirina sich mit schwerem Herzen vom Lager erhoben.

«Ich weiß, wie es ist, zu lieben, Herrin», sagte unvermittelt Lei.

Cirina spürte, dass mehr hinter diesen leisen Worten steckte. Sie wandte Lei das Gesicht zu. Seit die junge Frau ihr geholfen hatte, Antonio zu versorgen, hatte Leis Feindseligkeit sich verflüchtigt, und Cirina hätte gern den Grund dafür erfahren.

«Weißt du auch, wie es ist, wenn man wiedergeliebt wird, Lei?», fragte sie behutsam.

Lei lächelte, ein vertrauliches, heimlichtuerisches Lächeln, das ihr Gesicht aufhellte und sie schön erscheinen ließ.

«Ja, das weiß ich, Herrin», sagte sie scheu.

Zum ersten Mal, seit man sie von Antonio fortgebracht hatte, lächelte Cirina. Sie legte ihre Hand auf die des Mädchens und sagte mit leiser Stimme: «Dann verstehst du wohl auch, wie es für mich ist, einen fremden Mann heiraten zu sollen, obwohl mein Herz einem anderen gehört.»

«O ja», sagte Lei mit einer Heftigkeit, die Cirina erstaunte, «das weiß ich besser, als Ihr meint. Bevor der Befehl des Khans eintraf, sollte auch ich heiraten.»

Als hätte sie bereits zu viel gesagt, biss Lei sich auf die Lippen und schlug den Blick nieder. Cirina runzelte die Stirn, als ihr allmählich die Wahrheit dämmerte. Auf einmal passte alles zusammen – Leis Feindseligkeit, die Gleichgültigkeit von Cirinas Zukünftigem.

«Du wolltest Iman heiraten, nicht wahr, Lei?»

Lei nickte, ohne den Kopf zu heben. Cirina legte die Hand um ihr Kinn, hob ihren Kopf an und sah ihr in die Augen.

«Es muss dir schwer gefallen sein, mich zu bedienen», sagte sie mit sanfter Stimme. «Du hast mich bestimmt gehasst!»

Leis Augen funkelten schalkhaft.

«O ja, Herrin, das hab ich! Ich habe Euch mit ganzem Herzen gehasst!» Sie grinste.

Cirina brach in Gelächter aus.

«Ach Lei, ich an deiner Stelle hätte ebenso empfunden! Es wundert mich nur, dass du mir nicht das Essen vergiftet hast!»

«Das hätte ich um ein Haar auch getan!», meinte Lei

lachend, dann zog sie einen Flunsch und brach in Tränen aus.

Cirina legte ihr die Arme um die Schultern und zog sie an sich.

«Ach Lei – nicht weinen! Das ist nicht der Zeitpunkt, um Schwäche zu zeigen – wir müssen etwas unternehmen!»

Lei hob das tränenüberströmte Gesicht zu Cirina empor.

«Aber was denn, Herrin? Wir können doch nichts tun! Dem Befehl des Khans kann sich niemand widersetzen.»

Cirina biss sich nachdenklich auf die Lippen.

«Mag sein. Aber vielleicht gibt es ja doch einen Weg.»

«Aber wie sollte der aussehen, Herrin? Bitte sagt mir, was Ihr denkt!»

Cirina seufzte.

«Sag mal, Lei – liebst du Iman wirklich?»

«Ja!»

«Mehr als dein Leben? Liebst du ihn so sehr, dass du jedes Risiko für ihn eingehen würdest?»

«Aber ja, Herrin – jedes Risiko!», antwortete Lei, von Cirinas Leidenschaft angesteckt.

«Und du bist dir sicher, dass er dich ebenfalls liebt?»

«Ganz sicher», antwortete Lei ohne Zögern und mit solcher Überzeugung, dass Cirina ihr unwillkürlich glaubte.

Ein breites Lächeln breitete sich über ihre Züge.

«Dann muss es einen Weg geben, Lei, denn überwindet die Liebe nicht alle Hindernisse?»

Antonio beobachtete von seinem Versteck auf einem Hügel aus, wie sich die Hochzeitsprozession feierlich durchs Lager bewegte. Sie bot einen prächtigen Anblick: Die Frauen mit ihren bunten Seidengewändern und die vielen golden, blau und rot bestickten Baldachine, die von jeweils vier Soldaten an Bambusstangen gehalten wurden und die Bräutigame vor der sengenden Sonne schützten.

Er wusste, er hätte die Gelegenheit nutzen und Richtung Konstantinopel reiten sollen, zum Tor nach Europa. Das aber brachte er nicht über sich. Obwohl er wusste, dass sie für ihn verloren war, musste er Cirina ein letztes Mal sehen.

Er erblickte die Prinzessin, welche die Prozession anführte und den anderen ein paar Schritte voraus war. Hinter ihr kamen die anderen drei Frauen, in den goldenen Gewändern nicht voneinander zu unterschieden. Mit gesenkten Köpfen schritten sie zum Podium.

Aus dieser Entfernung konnte er nicht hören, was gesprochen wurde, doch nach einer Weile nahmen die Männer neben ihren Frauen Aufstellung.

Antonio verspürte einen Schmerz tief in seiner Brust. Wenn er nur irgendetwas hätte unternehmen können! Ihn quälte der Gedanke, er habe vielleicht den richtigen Moment verpasst, in dem er Cirina hätte retten können.

Er vergegenwärtigte sich die langen Monate der Reise und suchte im Rückblick nach einem Zeitpunkt, da er sich von seinen Kameraden hätte trennen und Cirina mitnehmen können, wusste aber bereits, dass es ein törichtes Ansinnen war. Eine solche Gelegenheit hatte es nicht gegeben. Wie so viele andere Dinge, die er in diesem fremden, wilden Kontinent erlebt hatte, waren auch seine Handlungen von anderen bestimmt worden.

Antonio ließ den Kopf hängen, als er an die Erniedrigungen dachte, die man ihm zugefügt hatte. Tief in seinem Herzen spürte er, dass ein Mann mit größerer Willensstärke gegen sein eigenes Wesen angekämpft hätte. Ein tapferer Mann als er wäre eher gestorben, als sich seinen dunkelsten, geheimsten Begierden hinzugeben.

Betrübt den Kopf schüttelnd, kam er zu dem Schluss,

dass sein eigenes Schicksal im Vergleich zu dem Verlust Cirinas kaum ins Gewicht fiel. Wie hätte ihr Venedig gefallen! Als er ihr von seiner Heimat erzählte, hatte sie hingerissen gelauscht, ihn mit Fragen bestürmt und an jeder einzelnen Anekdote ihren Spaß gehabt. Wie er daran dachte, trat ein Lächeln auf seine Lippen. Er hätte sie wirklich gern mit nach Hause genommen.

Die Zeremonie schritt voran. Er konnte nicht mehr hinsehen. Mit schwerem Herzen wandte er sich ab. Er spürte, dass die Traurigkeit, die er jetzt empfand, ihn stets begleiten würde.

Plötzlich bemerkte er, dass ihn von einem nahen Grat ein Reiter beobachtete. Er schreckte zusammen und wollte nach dem Dolch greifen, da fiel ihm ein, dass er unbewaffnet war. Er beäugte misstrauisch den Reiter und das edle Pferd. Der schlanke Mann zeigte keinerlei Anzeichen von Feindseligkeit. Er hatte sich einen weißen Turban um den Kopf gewickelt. Auch sein Gewand war weiß und reflektierte die Sonne, sodass Antonio geblendet die Augen zusammenkneifen musste.

Als er sich vorsichtig dem Reiter näherte, blinzelte er plötzlich erstaunt. Er traute seinen Augen nicht.

«Cirina?», flüsterte er.

Sie nahm den weißen Turban ab, unter dem sie ihr Haar versteckt hatte, und sprang vom Pferd. Lachend und weinend rannte sie ihm entgegen, warf sich in seine Umarmung und überschüttete ihn mit Küssen.

«Ich habe gewusst, dass du warten würdest!», flüsterte sie.

«Aber wie ist das möglich – ich hab dich doch dort unten gesehen –»

Sie wandten sie um und blickten zu der Zeremonie hinunter. Alle vier Paare waren mittlerweile vermählt, und die versammelten Soldaten jubelten.

«Ich habe jemanden gefunden, der meinen Platz einnimmt», erklärte Cirina. «Sie heißt Lei. Sie liebt den Mann, den ich heiraten sollte, und da haben wir die Plätze getauscht. Außer Iman wird es niemand merken, und der begehrt nur sie.»

Staunend über ihren Mut, schloss Antonio sie in die Arme und küsste sie.

«Und du, *cara mia*?», sagte er. «Was begehrst du?»

«Dich, mein Liebster. Nur dich.»

Sie küssten sich erneut, diesmal voller Verlangen. Cirina löste sich als Erste.

«Wir müssen von hier verschwinden. Lei hat mir eins von Imans Pferden und genug Wasser für den Ritt zum Schwarzen Meer gegeben.»

«Zum Schwarzen Meer?», wiederholte Antonio, hinter ihr aufsitzend.

Cirina drehte sich im Sattel um und lächelte ihn an.

«Marco wartet dort auf uns.»

Mehrere Stunden lang ritten sie durch die Berge, bis das Pferd müde wurde und die Sonne dem Horizont entgegensank.

«Wir müssen irgendwo übernachten – im Dunkeln ist das Terrain zu gefährlich.»

Cirinia nickte und ritt zu einer geschützten Stelle, einer felsigen Höhlung mit einem Überhang, der sie vor der nächtlichen Kälte schützen würde. Lei hatte ihr ein Bärenfell mitgegeben, und als sie dem Pferd zu trinken gegeben und auch selbst ihren Durst gelöscht hatten, deckten sie beide sich damit zu.

Nach einer Weile begann Antonios Hand auf Cirinas Oberarm kleine Kreise zu beschreiben, und sie erschauerte unter ihrem Gewand. Ein schwelendes Verlangen breitete sich in ihrem Bauch aus und wärmte sie. Sie wandte sich ihm zu und suchte mit ihrem Mund nach seinen Lippen.

Sein Geschmack und seine Lippen waren so schmerzhaft vertraut, dass Cirina das Gefühl hatte, etwas schmelze in ihr. Sie glaubte, sie werde ihm nie wieder solche Lust bereiten können wie in diesem Augenblick.

Es war zu kalt, um sich vollständig zu entkleiden, deshalb berührten sie sich hier und küssten sich da, bis sie beide trotz der Eiseskälte wie im Fieber brannten.

«Ach, Cirina, *cara mia*, wir wollen uns nie wieder trennen», flüsterte Antonio, ihre Brüste knetend.

«Nie wieder», stimmte sie ihm zu und fand den schwellenden Schaft unter seinem Gewand.

Trotz seiner Angst, die Erfahrungen mit den Soldaten könnten ihn seiner Männlichkeit beraubt haben, reagierte Antonios Körper wie eh und je auf Cirinas Nähe. Als sie spürte, wie sein Schwanz unter ihrer Hand anschwoll, legte Cirina sich auf den steinigen Boden und drängte ihn, sich auf sie zu legen. Ihre Eile überraschte ihn. Cirina bedeckte sein Gesicht mit Küssen.

«Ich will dich, Antonio, jetzt gleich – bitte – nimm mich schnell ...»

Ihre geflüsterten Worte entflammten ihn, und er drang behutsam in ihre einladende Öffnung ein. Als sie die Beine um ihn schlang und ihn mit leisen, rauen Kehllauten bat, tiefer und schneller zu stoßen, gab er seine Zurückhaltung auf.

«O ja!», keuchte sie, das Gesicht ekstatisch verzerrt. «Ja – nicht aufhören ... stoß mich fester – ah!»

Antonio saugte beim Kommen an ihrem Ohr, ihrem Hals und ihrer entblößten Brust. Sein Orgasmus wurde noch gesteigert durch den Umstand, dass Cirina von Lustwellen geschüttelt wurde. Er schmeckte salzige Tränen auf ihren Wangen und leckte sie mit der Zunge auf.

«Cirina, *mi amore*, warum weinst du denn?», fragte er und schloss sie fest in die Arme.

Cirina lächelte unter Tränen.

«Weil ich so glücklich bin», sagte sie mit bebender Stimme.

Antonio lachte. «Du sollst nicht vor Glück weinen, Cirina. Ich möchte, dass du nie wieder weinen musst.»

«Das Gleiche wünsche ich dir», flüsterte sie.

Antonio legte einen Moment lang seine Stirn an ihre.

«Ah! Ich hab was vergessen!», sagte sie unvermittelt.

Verwundert sah Antonio zu, wie sie sich mit den Falten ihres Gewands abmühte.

«Hier – den sollst du nach Venedig mitnehmen.»

«Den Rubin?»

«Ja. Schließlich war das der Grund, weshalb du überhaupt nach Shang-tu gekommen bist – du wolltest den Juwel stehlen, nicht wahr? «

Antonio küsste ihr Haar und nahm den Rubin entgegen. Er fühlte sich kalt und leblos an, nichts weiter als ein Stein.

«Ich werde ihn seinen rechtmäßigen Besitzern zurückgeben», sagte er, «leichten Herzens, denn für mich ist das nichts weiter als ein wertloser Klunker.»

«Wie das?»

«Weil ich etwas viel Wertvolleres in den Armen halte. Du, Cirina, bist der wahre Juwel von Xanadu.»

Er küsste sie und drückte sie sanft auf den Boden nieder, dann deckte er Cirina und sich selbst mit dem Bärenfell zu. Morgen lag ein anstrengender Ritt zum Treffpunkt mit den Polos vor ihnen. Zunächst aber blieb ihnen noch die ganze Nacht, um das Band zwischen ihnen zu erneuern, und er für seinen Teil hatte die Absicht, das Beste daraus zu machen.

Cirina regte sich unruhig unter ihm, und so legte er den byzantinischen Rubin auf den Boden, damit er sie mit beiden Händen liebkosen konnte. Während er sie erregte, flammte auch seine Leidenschaft neu auf. Er stöhnte leise, wohl wissend, dass er dem Himmel auf Erden noch nie so nahe gewesen war wie jetzt.

Der Rubin lag vergessen auf dem steinigen Boden.